B2

Édito
méthode de français

4e édition

Auteur(e)s :
Myriam Abou-Samra
Élodie Heu-Boulhat
Marion Perrard

Amandine Caraco
(Épreuve blanche DELF)

didier
Français Langue Étrangère

Dans votre navigateur, saisissez didierfle.app et flashez les pages de votre livre pour un accès direct aux audios, aux vidéos et aux activités complémentaires avec votre smartphone ou votre tablette !

Note de l'éditeur : *Édito* étant fondé sur le document authentique, vous trouverez, dans cet ouvrage, des anglicismes caractéristiques des nouvelles tendances dans les modes de vie (travail, consommation, ville, loisirs…).

Couverture : Nicolas Piroux
Principe de maquette : Nicolas Piroux
Mise en page : Joëlle Parreau
Édition : Anne-Laure Culière
Iconographes : Aurélia Galicher, Maria Mora Fontanilla
Cheffe de studio : Christelle Daubignard
Documents iconographiques : Dany Mourain
Photogravure : IGS-CP
Enregistrements, montage et mixage des audios : Vincent Henquinet – Eurodvd
Montage, habillage sonore, animation, mixage et sous-titrage des vidéos : INIT Éditions Productions

éditions didier s'engagent pour l'environnement en réduisant l'empreinte carbone de leurs livres. Celle de cet exemplaire est de :
1 kg éq. CO$_2$
Rendez-vous sur www.editionsdidier-durable.fr

PAPIER À BASE DE FIBRES CERTIFIÉES

© Didier FLE, une marque des éditions Hatier, 2022
ISBN 978-2-278-10366-9 / 978-2-278-10430-7
Dépôt légal : 10366/01 - 10430/01

Achevé d'imprimer en Italie
en février 2022 par L.E.G.O. (Lavis).

Édito B2

s'adresse à des étudiants adultes ou grands adolescents ayant acquis le niveau B1 du *Cadre européen commun de référence pour les langues* (CECRL).

Il couvre le niveau B2 du CECR et permet aux apprenants de se présenter au DELF B2 (des productions de type DELF sont proposées au fil des unités ainsi qu'une épreuve blanche à la fin de l'ouvrage). Cette épreuve tient compte de l'évolution des épreuves de compréhension.

Ce manuel privilégie l'approche par tâches communicatives authentiques grâce auxquelles l'apprenant développera des savoir-faire en interaction.

● Le livre de l'élève comprend 12 unités, centrée chacune sur un thème qui sera approfondi au travers des quatre compétences. Les unités sont composées de supports variés et récents (écrit, audio ou vidéo) : principalement des documents authentiques provenant de médias français et francophones, mais aussi des textes littéraires, des dialogues enregistrés tirés de la vie quotidienne et des exercices d'intonation communicative.

Une large place est faite à l'interculturel et à la francophonie.

● Un accent particulier est mis sur l'approfondissement de la grammaire et du vocabulaire.

L'apprenant est actif : il passe du stade de la découverte, à la déduction et au réemploi. Des tableaux et des listes offrent une vision synthétique de chaque point traité. De nombreux exercices de compréhension et de réemploi sont proposés dans le manuel ainsi que dans le cahier d'activités.

En fin d'unité, « L'essentiel » permet de faire le point sur les acquis grâce à des activités grammaticales et lexicales. Une compréhension orale reprend les contenus linguistiques et communicatifs étudiés précédemment.

● Les activités de productions écrite et orale, dans tous les domaines (personnel, professionnel ou public), mettent l'apprenant en situation de communication authentique. Des encadrés d'aide à la communication jalonnent les unités pour guider l'apprenant dans ses productions.

● Les documents des pages « Culture, Cultures » abordent de nombreux aspects actuels de la vie en France et dans la francophonie : l'écologie, le phénomène des influenceurs, l'engagement citoyen, le dessin de presse, les sciences, etc.

● Toutes les deux unités, on trouvera une double page de stratégies d'apprentissage et de préparation au DELF B2.

● À la fin de chaque unité, une page « Atelier médiation » propose aux apprenants de travailler la compétence de médiation en réalisant des tâches collaboratives. Ils développent ainsi leur capacité à interagir et coopérer dans un groupe.

● Une transcription des enregistrements audio et des vidéos complète ce manuel.

Unité 3 p. 41
Chercher sa voie

Unité 4 p. 55
Être connecté ou ne pas être

Unité 7 p. 101

Le sens de l'actu

Compréhension orale	Production orale	Compréhension écrite	Production écrite
Comprendre : • une émission radio sur les podcasts **p. 108** **SAVOIRS** • une émission sur le centenaire de la radio **p. 105** • @ Télé-Louisiane, un média pour préserver la langue française **Compréhension audiovisuelle** • Comprendre un extrait de journal télé **p. 103**	• S'exprimer sur les médias et l'actualité **p. 103** • Parler des radios en langues locales **p. 105** • Présenter un projet de podcast **p. 105** • Discuter autour de la presse, présenter un événement **p. 106** • Donner son avis sur la fiabilité des moyens d'information **p. 108** • Manifester son incompréhension face à des rumeurs **p. 111**	Comprendre : • un article sur les médias français **p. 102** • des données sur les Français et l'accès à l'information **p. 103** • un article sur une radio multilingue en Afrique **p. 105** • un article sur les chaînes d'info en continu **p. 108** • un article sur la profusion de l'info et ses conséquences **p. 109** • un article sur les fake news **p. 111**	• Donner son opinion sur les médias **p. 102** • Donner son point de vue sur les manières de s'informer (DELF) **p. 103** • Rédiger une lettre ouverte aux médias **p. 109** • Écrire une chronologie d'événements **p. 110** • Donner son avis sur les chaînes d'info en continu **p. 112**

Culture	Grammaire / vocabulaire / intonation
• Dessiner l'actualité **p. 107** **Francophonie** • Le pari du multilinguisme (Sénégal) **p. 105** • La Maison du Dessin de Presse (Suisse) **p. 107**	• Les indéfinis **p. 104** • La nominalisation **p. 110** • Les médias et l'actualité **p. 106** • La critique médiatique **p. 112** • Intonation **p. 104**

Atelier médiation	• Analyser le traitement d'une actualité **p. 114**

Unité 8 p. 115

Prenez soin de vous !

Compréhension orale	Production orale	Compréhension écrite	Production écrite
Comprendre : • une interview sur la grossophobie **p. 119** **SAVOIRS** • un reportage sur la rigologie **p. 117** • @ Écouter son corps pour bien manger **Compréhension audiovisuelle** • Comprendre un extrait de film : *Médecin de campagne* **p. 123**	• Parler des avantages d'être synesthètes **p. 116** • Raconter un fou rire **p. 118** • Donner son opinion sur la chirurgie esthétique **p. 120** • Parler des remèdes naturels **p. 122** • Parler du recrutement des soignants **p. 123** • Décrire la souffrance physique **p. 124**	Comprendre : • un article sur la synesthésie **p. 116** • une infographie sur le fonctionnement du cerveau **p. 117** • un article sur une chirurgienne esthétique **p. 119** • un article sur les plantes médicinales en Martinique **p. 122** • un dessin humoristique sur les déserts médicaux **p. 123** • une bande dessinée sur l'histoire de la médecine **p. 125**	• Exprimer sa gratitude après une session de yoga du rire **p. 117** • Exprimer sa déception devant le manque de diversité dans la mode (DELF) **p. 119** • Exprimer son opinion sur le rôle social de la chirurgie esthétique **p. 120** • Répondre à une proposition de manière formelle **p. 123** • Présenter une découverte scientifique **p. 125**

Culture	Grammaire / vocabulaire / intonation
• Le corps du futur **p. 121**	• Les propositions temporelles **p. 118** • La mise en relief **p. 126** • Le corps et les apparences **p. 120** • La santé et la médecine **p. 124** • Intonation **p. 126**

Atelier médiation	• Prendre des notes d'un exposé **p. 128**
DELF	• Entraînement à la production orale **p. 129-130**

Unité 9 p. 131
La richesse en partage

Unité 10 p. 145
Parlez-vous français ?

Unité 11 p. 161
Jusqu'où irons-nous ?

Compréhension orale	Production orale	Compréhension écrite	Production écrite
Comprendre : • une émission radio sur les déchets spatiaux **p. 163** • une émission radio sur les innovations techniques au service de la protection des animaux **p. 168** **ifi SAVOIRS** • une émission radio sur un combustible écologique **p. 171** • @ Solar Stratos : le futur de l'aviation **Compréhension audiovisuelle** • Comprendre une interview sur l'intelligence artificielle **p. 168**	• Proposer une définition du terme « progrès » **p. 162** • Lister les actions urgentes à mettre en place pour lutter contre le réchauffement climatique **p. 163** • Débattre de l'intelligence artificielle **p. 168** • Demander un financement participatif pour commercialiser un produit **p. 171** • Échanger de ses craintes et de ses espoirs face au changement **p. 172**	Comprendre : • des définitions du terme « progrès » **p. 162** • une interview au sujet de l'histoire du changement climatique **p. 163** • un article sur l'exploration de Mars **p. 164** • une interview sur le traitement automatique des langues et la lutte contre les discours haineux en ligne **p. 169** • un article sur un produit recyclé **p. 171**	• Exprimer et justifier son opinion sur le progrès technique **p. 162** • Participer à un forum en ligne sur la vie extra-terrestre (DELF) **p. 164** • Témoigner de son utilisation des applications de géolocalisation et de reconnaissance vocale **p. 168** • Écrire une lettre officielle pour proposer des solutions de lutte contre le braconnage (DELF) **p. 168** • Proposer des solutions pour lutter contre les discours haineux en ligne **p. 169**

Culture	Grammaire / vocabulaire / intonation
• Le futur est déjà là **p. 167** **Francophonie** • Produire un combustible écologique (R. D. Congo) **p. 171**	• Le futur **p. 165** • Exprimer la manière **p. 170** • La technologie **p. 166** • Le changement, le processus de transformation **p. 172** • Intonation **p. 166**

Atelier médiation	• Faire visiter une usine **p. 174**

Unité 12 p. 175
La force des arts

Compréhension orale	Production orale	Compréhension écrite	Production écrite
Comprendre : • une conversation amicale sur l'art contemporain **p. 179** • un reportage radio sur la prescription muséale **p. 183** **ifi SAVOIRS** • une émission radio sur l'art du recyclage **p. 177** • @ Ernest Pignon-Ernest, fondateur du Street Art **Compréhension audiovisuelle** • Comprendre un sketch sur *la Joconde* **p. 177**	• Discuter autour du thème de l'art **p. 177** et **p. 185** • Parler de ses goûts en matière d'art **p. 179** • S'exprimer sur la culture **p. 180** • Encourager un ami à avoir une activité artistique **p. 182** • Parler de ses émotions au contact de l'art **p. 183**	Comprendre : • un article sur un vol de tableaux **p. 176** • un article sur la marchandisation de l'art **p. 179** • une infographie sur les jeunes et la culture **p. 180** • un article sur l'art-thérapie **p. 182** • une brochure sur une formation en art-thérapie **p. 183** • un article sur l'Art brut **p. 185**	• Donner son point de vue sur la relation entre l'art et l'argent **p. 179** • Écrire une lettre de motivation pour une formation en art-thérapie (DELF) **p. 183** • Décrire ses émotions à la suite d'un spectacle **p. 184**

Culture	Grammaire / vocabulaire / intonation
• Se tirer le portrait **p. 181** **Francophonie** • L'art du recyclage d'Appolinaire Guidimbaye (Tchad) **p. 177** • L'art est-il bon pour la santé ? (Canada) **p. 182** • Aller au musée pour se soigner l'âme, le corps et l'esprit (Canada) **p. 183**	• Indicatif, subjonctif ou infinitif **p. 178** • Les pronoms relatifs **p. 186** • L'art, l'appréciation **p. 180** • Les sentiments **p. 184** • Intonation **p. 184**

Atelier médiation	• Exprimer une réaction personnelle à l'égard d'une œuvre d'art **p. 188**

Des activités pour les pages de vocabulaire

Découvrons et mémorisons les mots !

Les mots préférés

Sur une page de vocabulaire, sélectionnez les 5, 10 ou 15 mots les plus importants pour vous et expliquez à un(e) partenaire pourquoi vous avez choisi ces mots.
Variante : dites quel est votre mot préféré sur une page de vocabulaire et justifiez votre choix.

La chaîne de mots

Avec un ou plusieurs partenaires, fabriquez une chaîne de mots à partir d'une page de vocabulaire. Chaque joueur donne un mot chacun son tour sur le même thème (noms, verbes, adjectifs). (Exemple : « argent » : dépenser, consommation, gaspiller…)
Variante : vous pouvez fixer un temps limite pour donner un mot, 15 ou 20 secondes. Si vous n'avez pas répondu dans le temps imparti, vous êtes éliminé(e).

L'inventaire de mots

Choisissez une liste et essayez de la mémoriser en 30 secondes. Ensuite cachez la liste et reconstituez-la à l'écrit ou à l'oral.
Variante : recopiez une liste de mots d'une même catégorie et ajoutez-y un intrus. Montrez votre liste à un(e) partenaire qui doit retrouver l'intrus.

Employons les mots en contexte !

Une histoire en équipe

Sélectionnez des mots d'une page de vocabulaire et fabriquez des petites cartes. À tour de rôle, chacun(e) en piochera trois et devra construire une phrase.
Variante : à tour de rôle, chacun pioche une carte et construit une phrase. Le joueur suivant continuera l'histoire et ainsi de suite.

Poème en rime

Repérez les mots qui riment sur la page de vocabulaire et écrivez un court poème.
Variante : choisissez une chanson étudiée en classe. Gardez la mélodie mais changez les paroles, imaginez-en de nouvelles avec les mots de la page de lexique que vous étudiez.

Les phrases loufoques

Sélectionnez une série de mots sur la page de vocabulaire. À plusieurs, élaborez des phrases absurdes (exemple : *Le frigo est parti en vacances dans la voiture*). Attention, la syntaxe et la grammaire doivent être cohérentes. Soyez imaginatifs !

Les expressions imagées

Faites des comparaisons interculturelles avec des expressions imagées. Par exemple, les associations avec les couleurs, les animaux, le corps sont-elles les mêmes dans votre langue (*avoir des idées noires, dormir comme un loir, ne pas avoir froid dans le dos, etc.*) ?

Amusons-nous avec les mots !

Le memory

Sélectionnez des mots d'une page de vocabulaire (entre 20 et 30) et fabriquez des petites cartes : écrivez un mot sur chaque carte, et chaque carte doit être en double. Ensuite vous pouvez jouer au memory à 2, 3 ou 4 joueurs.

Les devinettes

Choisissez un mot sur une page et faites-le deviner à un(e) partenaire. Pour cela, vous pouvez :
- proposer un charade une charade (exemple : *Mon premier est un animal domestique très mignon. Mon second est le contraire de « tard ». Mon tout est une maison de rois.* → un château (chat – tôt) ;
- donner une définition, un ou des synonyme(s) ou un antonyme du mot ;
- traduire le mot dans votre langue.

Le Pictionary

Sélectionnez des mots sur une page de vocabulaire et fabriquez des petites cartes. Écrivez un mot sur chaque carte. Formez des équipes de 2 ou 3. Tirez une carte au hasard et dessinez le mot pour le faire deviner à votre équipe.

Le Time's up

Sélectionnez des mots sur une page de vocabulaire et fabriquez des petites cartes. Écrivez un mot sur chaque carte et faites-en un petit tas. Formez 3 ou 4 équipes de 2 à 4 personnes. Chacun(e) votre tour, essayez de faire deviner le plus de mots possible aux personnes de votre équipe en 1 ou 2 minutes. À la fin du temps imparti, c'est au tour de l'équipe suivante de jouer et ainsi de suite jusqu'à ce que tous les mots du paquet de cartes aient été devinés. Le jeu comporte 3 tours : au premier tour, tout est permis pour faire deviner chaque mot. Au deuxième tour, vous ne pouvez prononcer qu'un mot et au troisième tour, vous devez mimer le mot.

Le petit bac

Tracez plusieurs colonnes sur une feuille, chacune correspondant aux catégories de la page de vocabulaire que vous étudiez. Donnez une lettre au hasard et remplissez le tableau le plus vite possible avec des mots qui commencent par la lettre imposée. Le premier/La première à avoir rempli toutes les colonnes a gagné.
Variante : préparez des petites cartes : sur chacune d'elle figure une lettre de l'alphabet. Quand vous piochez la lettre, vous devez donner un mot qui correspond au thème de l'unité et qui commence par cette lettre.

Le mot mystère

Choisissez un mot sur la page, écrivez-le sur un papier mais gardez-le secret. Les autres joueurs doivent deviner ce mot et pour cela ils ne peuvent poser que des questions dont la réponse est oui ou non.

Se mettre au vert

Objectifs

- Témoigner de son engagement pour l'environnement
- Exprimer son opinion sur les écogestes
- Proposer des alternatives au plastique
- Proposer à quelqu'un de faire quelque chose

" La nature ne perd jamais ses droits. "

A | Écologie, la nouvelle génération passe aux actes

1 *Libération* **donne la parole à des jeunes de 20 ans ou moins. Ils et elles expliquent leurs engagements pour le climat et l'écologie.**

Emma Fortin, 19 ans à Lannion

5 « Depuis quelques années j'essaye d'adopter un mode de vie plus respectueux de l'environnement et cela passe principalement par ma consommation alimentaire et vestimentaire. Je tiens à préciser que bien que j'essaye d'adopter une consommation plus respectueuse de **10** l'environnement, je ne pense absolument pas être un modèle ou avoir un comportement qui soit parfait, loin de là. Je tente de favoriser l'agriculture biologique car plus respectueuse des sols et de la biodiversité. J'essaye également de tendre vers une consommation alimentaire zéro déchet, j'en suis **15** encore malheureusement loin. Sur le même principe, je suis soucieuse de l'impact écologique dû aux trajets effectués par les vêtements, entre leurs lieux de production et de vente. Pour cela, j'essaye de ne plus acheter de vêtements neufs. J'essaye de diminuer le nombre de produits esthétiques, **20** d'utiliser des produits qui ne sont pas emballés et qui durent plus longtemps (shampoing et savon solides, pierre d'alun). Si j'ai un attrait pour l'écologie, c'est parce que mes parents sont aussi dans cette démarche. Mais il y a encore des jeunes pour qui cela n'est pas important, qui préfèrent le confort de **25** manger dans des grosses chaînes qui produisent beaucoup d'emballages. Ils considèrent que les changements peuvent limiter leur bonheur. »

Clémence Leblanc, 19 ans, Lyon

« Au lycée, je ne savais pas quel métier je voulais faire mais **30** je ne pouvais pas imaginer m'engager dans une filière qui ne soit pas cohérente avec mes valeurs. J'ai alors choisi de suivre le cursus de Sup'écolidaire, une école supérieure pour la transition écologique, sociale et citoyenne. Je suis d'accord avec le fait que l'État doit mettre en place des mesures fortes **35** pour contraindre les entreprises et encadrer toutes ses politiques publiques en fonction de l'écologie. »

Harold Fitch, 18 ans, Reims

« La dégradation de l'environnement est une question qui me préoccupe beaucoup depuis deux ans. Face à cela, j'ai **40** décidé de m'engager dans un parti écologiste en Belgique – je suis Belge et fais des études en France. Je réalise aussi des formations sur l'environnement pour une ONG. En Belgique, j'ai participé à l'organisation de plusieurs marches de jeunes pour le climat. Sur mon temps libre, j'alimente **45** aussi un blog pour casser les clichés sur l'écologie. Pour moi, l'engagement se traduit dans toutes ces actions. Le fait de ne plus manger de viande, de prendre le vélo et de ne plus prendre l'avion, sont juste devenus des évidences. »

Sophie Vela, 20 ans

50 « J'ai arrêté de manger de la viande pour des raisons écologiques à 18 ans. J'espère devenir végan, je vais au marché, je ne consomme presque plus de produits tout faits, j'ai changé totalement ma façon de me nourrir. Mais agir dans son coin ce n'est pas grand-chose. J'estime **55** que les initiatives personnelles ne sont pas suffisantes face aux problèmes actuels et je milite pour un éveil des plus puissants face aux enjeux environnementaux. J'ai l'impression que les jeunes comprennent ce qui se passe et qu'ils se rendent compte que le changement n'est pas si **60** compliqué. Personnellement je suis prête à vivre autrement, à vivre un changement politique radical, et j'espère même pouvoir vivre dans un monde qui fonctionne différemment. Oui, je suis prête à changer mon mode de vie mais pourquoi se sacrifier quand les plus puissants ne font aucun effort ? »

Libération, 15 mars 2019

Compréhension écrite

Entrée en matière

1 | L'avenir de la planète vous inquiète-t-il ? Pourquoi ?

Lecture

2 | Lisez les quatre témoignages. Pourquoi ces jeunes sont-ils inquiets ?

3 | Selon Emma, les jeunes de sa génération se sentent-ils tous concernés par l'écologie ? Pour quelles raisons ?

4 | Quelles initiatives Harold a-t-il prises pour protéger la planète ?

5 | L'engagement à un niveau individuel est-il suffisant selon Clémence et Sophie ? Pourquoi ? Qui devrait s'impliquer davantage ?

Vocabulaire

6 | Expliquez.
- **a.** biodiversité (l. 13)
- **b.** zéro déchet (l. 14)
- **c.** la transition écologique (l. 33)
- **d.** végan (l. 51)

Production orale

7 | Pensez-vous que les initiatives citées dans les témoignages aient un réel impact ? Pourquoi ?

8 | Dans votre pays, encourage-t-on les pratiques écologiques ? De quelle manière ?

9 | Seriez-vous prêt(e) à renoncer à certaines habitudes pour sauver la planète ?

B | L'écologie, une affaire de femmes ?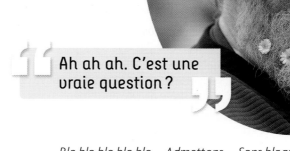

Compréhension orale

Entrée en matière

1 | Observez la photo. Décrivez-la.

1re écoute (en entier)

2 | Quel est le sujet de la conversation ?

3 | Les deux personnes sont-elles d'accord ?

2e écoute (en entier)

4 | Vrai ou faux ? Justifiez votre réponse.

a. Les comportements éco-responsables sont souvent perçus comme masculins.

b. En France, les femmes ont été dix fois plus nombreuses que les hommes à voter pour un parti vert lors des élections européennes.

c. Les hommes préfèrent choisir un sac en toile réutilisable pour faire des achats.

d. Les catastrophes climatiques touchent particulièrement les femmes dans les pays en développement.

e. Une Française a inventé le terme « écoféminisme » en 1914.

Vocabulaire

5 | Réécoutez l'enregistrement et repérez dans la liste suivante les expressions d'opinion prononcées par la petite voix.

> « Ah ah ah. C'est une vraie question ? »

Bla bla bla bla bla. – Admettons. – Sans blague ? – C'est une plaisanterie ? – Bref, à part ça ? – Et puis quoi encore ? – Jamais de la vie. – Absolument. – Tu rigoles ?

Production écrite DELF_B2

6 | L'écologie est devenue une préoccupation centrale dans la société. Pourtant, il semblerait que les écogestes du quotidien (trier, acheter local et bio, fabriquer des produits d'hygiène, préparer des vacances zéro carbone…) soient davantage pratiqués par les femmes que par les hommes. Êtes-vous d'accord ? Pensez-vous que l'écologie soit synonyme de féminin ? Est-ce un cliché ? Est-ce une question de génération ? Exprimez votre point de vue sur le site planetebleue.fr.

C | Fabriquer, polluer, consommer

Production orale

1 | Lisez le titre de cette revue. À votre avis, de quel type de magazine s'agit-il ? Y a-t-il un équivalent dans votre pays ?

2 | Décrivez l'arrière-plan et le premier plan du dessin. Quelle est la situation ?

3 | De quoi « faut-il de sentir coupable » ?

4 | Achetez-vous uniquement en fonction de vos besoins ? Quelle est l'influence de la publicité, des réseaux sociaux, de vos amis dans vos décisions d'achat ?

5 | Lisez-vous les avis, les recommandations ou les critiques exprimés sur Facebook, Twitter, Instagram avant de faire un achat ? Pour quelles raisons ?

6 | Seriez-vous prêt(e) à réduire votre consommation pour faire face à l'urgence écologique ? Pourquoi ?

Unité 1

Grammaire

Échanger des opinions

1. Exprimer son point de vue

Échauffement

1 ▪ Quel est la fonction des énoncés soulignés ?

a. <u>Je tiens à préciser que</u> bien que j'essaye d'adopter une consommation plus respectueuse de l'environnement…

b. <u>J'estime que</u> les initiatives personnelles ne sont pas suffisantes.

c. <u>J'ai l'impression que</u> les jeunes comprennent ce qui se passe.

d. <u>Personnellement</u>, je suis prête à vivre autrement.

Fonctionnement

2 ▪ Complétez le tableau avec les quatre énoncés soulignés ci-dessus.

Pour exprimer son point de vue	
Demander son avis à quelqu'un	Pouvez-vous me donner votre point de vue ? / Quel(le) est votre avis/opinion ? / Qu'en pensez-vous ? / Vous croyez que ça en vaut la peine ? / Qu'est-ce que tu dis de ça ?
Donner son avis	À ce qu'il me semble,… / À la réflexion, … / À ma connaissance, … / À mes yeux, … / D'après moi, … / Selon moi, … / Quant à moi, … / En ce qui me concerne, … / De mon point de vue… / ……, … / Sauf erreur de ma part, … / Il me semble que (+ *ind.*)… / Ça ne m'étonnerait pas que (+ *subj.*)…
Exprimer ses impressions	……… / On dirait que… / Il semble/semblerait que (+ *subj.*) / Ça a l'air + *adjectif*
Exprimer la certitude	Je vous assure. / J'ai la conviction que… / J'en suis persuadé(e) /convaincu(e). **Expressions :** J'en mettrais ma main au feu. J'en mettrais ma main à couper.
Exprimer le doute	Ça dépend. / Pas forcément. / J'en doute. / Je n'y crois pas trop. / Cela me laisse perplexe. / Je n'arrive pas à me faire à cette idée. / Ça me parait invraisemblable/inimaginable. / Ça m'étonnerait.
Exprimer la possibilité ≠ l'impossibilité	Il se pourrait bien que… / Éventuellement. / Peut-être (que)… / C'est faisable. / Il y a des chances que… / Ça se pourrait. ≠ C'est exclu. / C'est hors de question. / Impossible. **Expressions :** Je n'y crois pas un seul instant. Quand les poules auront des dents.
Exprimer la probabilité ≠ l'improbabilité	Probablement. / Je risque de… ≠ C'est peu probable. / Il y a peu de chances que…

> **Rappel**

Les verbes d'opinion sont suivis de l'indicatif quand ils sont à la forme affirmative, du subjonctif quand ils sont à la forme négative ou interrogative inversée.	*Je **crois qu**'il <u>viendra</u>.* *Vous **pensez qu**'il <u>va manger</u> de la viande ?* *Je **ne crois pas qu**'il <u>soit</u> végétarien.* ***Pensez-vous qu**'il <u>ait</u> raison ?*	*Je **trouve que*** est suivi de l'indicatif, tandis que *je trouve* + adjectif + *que*, qui est un sentiment, est suivi du subjonctif. *Je **trouve qu**'il <u>a</u> raison.* *Je **trouve** bizarre **qu**'il <u>fasse</u> cela.*

Entraînement

3 ▪ Dans les phrases suivantes, soulignez les énoncés qui expriment la réalité, la probabilité, la possibilité ou l'impossibilité puis remplacez-les par une expression équivalente en transformant la phrase si besoin.

a. Il est probable que les femmes sont plus écolos que les hommes.

b. Il y a de fortes chances que je devienne végétarien.

c. Tu iras manifester pour protester ? Ça se peut.

d. Je suis convaincu de l'inaction des gouvernements face au réchauffement climatique.

e. Arrêter de surconsommer ? Quand les poules auront des dents !

f. Sans dons, la recyclerie risque de fermer.

4 ▪ Que pensez-vous de ces affirmations ? Exprimez votre opinion.

a. Les voitures ne polluent pas tant que ça.

b. La mode est une industrie très polluante.

c. Nos petits gestes écologiques sauveront la planète.

d. Le bio, c'est bon pour la planète.

e. Le réchauffement climatique est un mensonge.

f. Être végétarien, c'est être écolo.

5 | Complétez les phrases suivantes.
- **a.** Je pense que les voitures électriques...
- **b.** Crois-tu que la planète...
- **c.** Je trouve que consommer bio...
- **d.** Pensez-vous que réduire l'usage de la voiture...
- **e.** Je ne pense pas que le recyclage des déchets...

2. Exprimer son accord ou son désaccord

Échauffement

1 | Dans les énoncés suivants, lesquels expriment l'accord ou le désaccord ?
- **a.** Absolument.
- **b.** Je ne pense absolument pas être un modèle.
- **c.** C'est une plaisanterie ? J'ai hâte de connaître tes arguments.

Bénédicte Moret et Jérémie Pichon,
La famille zéro déchet

Fonctionnement

2 | Complétez le tableau avec les énoncés ci-dessus.

Pour exprimer son accord ou son désaccord	
Exprimer son accord	.... / Bien sûr que oui. / C'est une vraie question. / Ça ne fait aucun doute. / Je vous approuve sans réserve. / Je suis d'accord avec le fait que... / Sans aucun/le moindre doute. / Vous avez (bien) raison. / C'est ça. / J'accepte l'idée que...
Approuver un point de vue en émettant des réserves	Admettons. / Ça se peut. / C'est à voir. / Je n'ai rien contre. / Mouais... / Certes, mais...
Exprimer son désaccord	.... / J'en doute. / Je ne partage pas votre avis. / Vous avez tort.
Désapprouver de manière directe, voire impolie	.... / Bla bla bla / Bref, à part ça ? / Tu rigoles ? / Et puis quoi encore ? / Jamais de la vie.

Entraînement

3 | Remplacez les énoncés soulignés par un équivalent dans le tableau.
- **a.** Recycler les déchets ne sert à rien. <u>Vous avez tort.</u>
- **b.** Il cuisine avec des produits frais et de saison. <u>Ça ne fait aucun doute.</u>
- **c.** Toi, écolo ? <u>Je n'y crois pas trop.</u>
- **d.** Fabriquer moi-même un nettoyant multi-usages ? <u>Non mais tu veux rire !</u>
- **e.** Chacun fait de son mieux... <u>Je n'en suis pas si sûre.</u>
- **f.** Apprenons tous à tricoter. <u>N'importe quoi !</u>

🖮 Production orale

4 | Observez le dessin d'humour et imaginez un dialogue entre les deux personnages.

5 | D'accord ? Pas d'accord ? Par deux, vous présenterez à la classe un court débat. Choisissez d'abord un sujet, puis listez les arguments « pour » et les arguments « contre ». Enfin, exprimez votre opinion.
- **a.** Achetons d'occasion plutôt que neuf.
- **b.** Ne prenons plus l'avion.
- **c.** Consommons moins, mais mieux.
- **d.** Allons vivre à la campagne.

Entraînez-vous !

Cahier d'activités

Unité **1**

Documents

D | Et nous, dans nos habitudes ?

1. ON ÉLIMINE LES PLASTIQUES INUTILES

On s'équipe d'une gourde en inox par personne, et fini les bouteilles d'eau pendant les balades et les compétitions sportives !
On refuse les objets à usage unique (pailles, couverts…), qui sont d'ailleurs interdits depuis 2021, sur décision du Parlement européen. On laisse aussi tomber les flacons de gel douche ou de shampoing et on opte pour la bonne vieille savonnette et le shampoing solide !

2. ON RÉUTILISE LORSQU'ON FAIT LES COURSES

On pense à prendre son cabas, son panier ou ses sacs en papier à garder d'une fois sur l'autre. Mieux vaut choisir ses produits dans des bouteilles ou des bocaux en verre (jus, compotes, yaourts, conserves…) ou dans des boîtes en carton (pâtes, riz, sucre, lait…). Les magasins de vente en vrac permettent de les remplir d'une fois sur l'autre en achetant juste la quantité souhaitée !

3. ON CUISINE ET ON FABRIQUE UN PEU PLUS

C'est rigolo, écolo et économique ! Gâteaux, pâte à crêpes, quiches, pizza… Cuisiner le week-end et congeler pour la semaine permet d'éviter achats et emballages. Investir dans une yaourtière permet de fabriquer en une nuit une dizaine de yaourts avec seulement 1 litre de lait et un yaourt frais (pour les ferments lactiques). On peut aussi fabriquer du déodorant ou du dentifrice très facilement avec du bicarbonate de soude et de l'argile : adieu les tubes et les pots non-recyclables !

Tout comprendre n°104, avril 2019

Compréhension écrite

Entrée en matière

1 | Lisez l'encadré bleu. Quels emballages en plastique utilisez-vous chez vous ?

Lecture

2 | Quels emballages en plastique l'article propose-t-il d'éliminer ? Pour les remplacer par quoi ?

3 | Quels objets devrait-on refuser quand on nous les propose ?

4 | Quels types de magasins permettent de réduire l'usage d'emballages en plastique ?

5 | Quels sont les trois avantages de cuisiner à la maison d'après l'article ?

6 | Quels produits cosmétiques peut-on facilement fabriquer soi-même ?

Production écrite

7 | Ajoutez un quatrième paragraphe à l'article pour proposer une autre alternative aux emballages en plastique.

E | Le relou de l'immeuble 📱2

Voilà, je veux pas vous déranger…

Compréhension orale

Entrée en matière

1 | Le mot « relou » signifie « lourd » en verlan. Selon vous, quelle est la personnalité d'une personne « lourde » ?

1re écoute (en entier)

2 | De quel type de document s'agit-il ?

3 | Pourquoi monsieur Fougère va-t-il frapper chez monsieur Prevost et madame Forest ?

4 | Comment réagissent-ils ?

2e écoute (en entier)

5 | De quels gestes écologiques monsieur Fougère parle-t-il ?

6 | Que pense-t-il de ses voisins ?

7 | Que pense madame Forest de monsieur Fougère ?

Production orale

8 | Comprenez-vous l'attitude de monsieur Fougère ?

Jeter ou recycler ?

F ▎« Ça peut toujours servir »

1 **La passion du rebut**

Jeter n'est pas à la portée de n'importe qui. C'est un programme ambitieux qui se déroule en plusieurs étapes. Il faut d'abord trouver à l'objet certaines qualités. Il faut
5 ensuite le garder auprès de soi pendant un certain temps ou en consommer une partie. Il faut enfin nier sa valeur et le faire disparaître. Cela demande un certain apprentissage, une certaine maturité. Il faut pouvoir revenir sur un choix premier pour le déclarer inepte[1], une heure ou dix ans
10 plus tard, accorder une valeur à la chose et la lui retirer. Un va-et-vient aussi fluide, aussi capricieux, est le fruit d'une longue éducation. La plupart du temps, nous jetons d'abord les emballages. Certes, le plastique, le verre et le papier sont des accessoires, mais nous leur avons accordé
15 pour un temps une certaine valeur. Se débarrasser d'un film plastique ou d'une bouteille ne va pas non plus de soi. Chez les humains, l'annulation de la valeur est subtile[2]. Il est difficile de la situer dans le temps. Sitôt acheté, un objet peut nous déplaire. Nous regrettons son acquisition[3].
20 Nous voudrions ne jamais l'avoir vu. Quelle hâte alors de le plonger tout entier dans un sac-poubelle ! Il disparaîtra de nos mémoires. L'annulation de la valeur est instantanée, elle se loge dans une inflexion du regard[4], un certain rythme du geste. Une cuisine, une salle de bain, un bureau où l'on travaille sont autant de petits territoires où ce genre d'abandon peut survenir.

Philippe GARNIER,
Mélancolie du pot de yaourt, 2020

1. inutile 3. achat
2. mystérieuse 4. changement de regard

1 ▎Votre logement est-il encombré d'objets ?

2 ▎Pensez-vous qu'il est difficile de jeter des objets ?

3 ▎« Sitôt acheté, un objet peut nous déplaire. » Quel regret peut-on avoir juste après avoir acheté un objet ?

4 ▎Citez trois objets totalement inutiles que vous possédez et dites pourquoi vous les gardez.

5 ▎Que deviennent les objets dont vous n'avez plus l'usage ? Sont-ils stockés, jetés, recyclés ?

G ▎Faut-il se débarrasser de cet objet ?

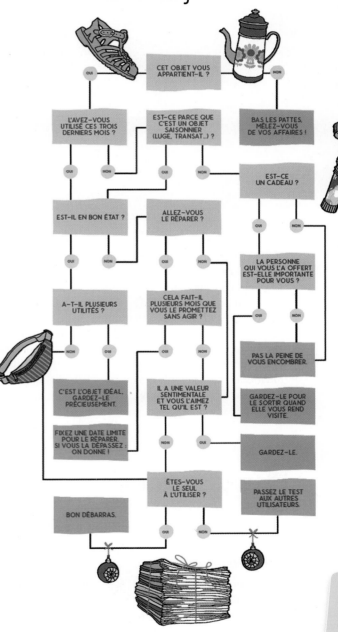

Lorraine HURIET, 18h39.fr

Unité 1

H | Biodiversité : c'est bienfaits pour nous !

Sarah BOUILLAUD, 2020

1 **Mieux boire, manger, respirer, et donc être en meilleure santé… L'humanité a tout à gagner à protéger la diversité du vivant sur Terre.**

Les scientifiques sont formels : si l'humanité veut se
5 prémunir au maximum de l'apparition d'épidémies comme le Covid-19, il lui faut absolument et de toute urgence préserver la biodiversité, c'est-à-dire la diversité du vivant sur Terre, la diversité au sein des espèces et entre espèces, ainsi que celle des écosystèmes. Autrement dit, il lui faut
10 bichonner, par exemple, les forêts et leurs habitants. Parce qu'à cause des déforestations massives, les animaux sauvages perdent leur habitat, ce qui favorise leurs contacts avec les animaux domestiques et les humains, augmentant les risques d'apparition de zoonoses comme le Covid-19, qui trouve son
15 origine dans un coronavirus de chauve-souris. À l'inverse, les milieux riches en biodiversité contribuent à « diluer »[1] parmi de nombreuses espèces les agents infectieux de ces maladies transmises de l'animal à l'humain.

La biodiversité, c'est l'eau potable…

20 Sans eau, pas de vie, pas de santé. Une évidence. Et sans biodiversité, pas d'eau douce en quantité et qualité suffisantes. Un peu moins évident, a priori. Et pourtant, la biodiversité offre moult services liés à l'eau. Les écosystèmes de forêts, zones humides ou de montagne
25 permettent de nous approvisionner en eau douce (réserves d'eau souterraine, d'eau pluviale et d'eau de surface, soutien au cycle de l'eau…), mais aussi de purifier l'eau (grâce notamment à la filtration et à la décomposition des déchets organiques et des polluants dans l'eau, par des
30 plantes ou des animaux comme les mollusques bivalves).

… c'est l'air pur

Les milieux naturels tels que les forêts fournissent de l'air de bonne qualité, indispensable à notre santé. La végétation permet aussi de lutter contre la pollution atmosphérique.
35 Ce qui est tout sauf anecdotique : selon une étude parue en 2019 dans l'*European Heart Journal*, celle-ci tue plus que le tabac, en étant responsable de 8,8 millions de morts prématurées par an dans le monde, dont 67 000 en France, en grande partie à cause de maladies cardiovasculaires. Pour
40 échapper à ce sort, mieux vaut bien sûr avant tout éviter de polluer. Mais en attendant, la biodiversité peut venir à notre rescousse en aidant à purifier l'air.

Coralie SCHAUB et Aude MASSIOT, *Libération*, 23 août 2020

1. réduire, faire fondre dans l'ensemble

 ## Compréhension écrite

Entrée en matière

1 | Observez l'image. En quoi illustre-t-elle la « biodiversité » ?

Lecture

2 | D'après les journalistes, que doivent faire les êtres humains ?

3 | Que risquent-ils s'ils ne le font pas ?

4 | Quel lien existe-t-il entre la déforestation et l'apparition de nouvelles maladies ?

5 | Que signifie le terme « zoonose » ?

6 | Quels sont les trois milieux naturels qui nous permettent de nous approvisionner en eau douce ?

7 | Quelles espèces permettent de purifier l'eau ?

8 | Quel milieu naturel nous fournit de l'air pur ?

9 | Selon les auteures, pourquoi est-il important de lutter contre la pollution atmosphérique ?

Vocabulaire

10 | Relevez dans le texte les termes en relation avec la biodiversité.

11 | Donnez des synonymes aux mots suivants : se prémunir (l. 5), moult (l. 23).

 ## Production écrite

12 | La biodiversité est menacée : certains s'en inquiètent, d'autres non. Quel regard portez-vous sur cette question ? Êtes-vous plutôt optimiste ou pessimiste ? Défendez votre point de vue.

I ▌ Les fonds marins de Nouvelle-Calédonie

 1 Compréhension audiovisuelle

Entrée en matière

1 ▌ Où trouve-t-on des récifs coralliens ?

1er visionnage (en entier)

2 ▌ Où se situe la Nouvelle-Calédonie ?

3 ▌ Pourquoi la barrière de corail de Nouvelle-Calédonie est-elle un site exceptionnel ?

4 ▌ Décrivez la mer sur les images.

5 ▌ Quelles espèces animales et végétales voit-on dans le reportage ?

2e visionnage (en entier)

6 ▌ Qui sont Fanny et Valentine ? Pourquoi vont-elles plonger ?

7 ▌ Quel est le point commun entre les récifs de coraux et les forêts tropicales ?

8 ▌ Que pourrait provoquer le changement climatique ?

9 ▌ Que s'est-il passé pendant l'été 2016 ?

Vocabulaire

10 ▌ Expliquez les énoncés suivants :

  a. « menacés de disparition »

  b. « une mission de reconnaissance »

  c. « un réservoir stratégique de biodiversité »

 Production orale

11 ▌ Quelles sont les réserves naturelles de votre pays ? Présentez-en une de votre choix et dites si vous êtes inquiet ou non pour l'avenir de ce site.

▶ **Exprimer son espoir**
- Je suis plutôt optimiste au sujet de...
- Je suis confiant(e) en ce qui concerne...
- Heureusement que...
- C'est un vrai soulagement.

▶ **Exprimer son inquiétude**
- Je suis inquiet-inquiète pour...
- Je ne suis pas tranquille/rassuré(e).
- Ça m'inquiète/Ça m'angoisse...
- C'est un vrai cauchemar.

BIENTÔT, IL Y AURA PLUS DE PLASTIQUE QUE DE POISSONS DANS LA MER.

AGISSONS.

2021 2030 Décennie des Nations Unies pour les sciences océaniques au service du développement durable   #b7arblaplastic   مؤسسة محمد السادس لحماية البيئة FONDATION MOHAMMED VI POUR LA PROTECTION DE L'ENVIRONNEMENT   Tous pour l'environnement

J ▌ Agissons pour les fonds marins

 Production orale

1 ▌ Quel est le but de cette campagne ?

2 ▌ Quels déchets en plastique voyez-vous sur cette affiche ?

3 ▌ Selon vous, quels sont les autres types de pollution qui menacent les océans ?

4 ▌ Quelles espèces sont particulièrement menacées par la pollution marine ?

5 ▌ Êtes-vous optimiste quant à l'avenir des océans ? Que pourrait-on faire pour les protéger ?

Grammaire

Argumenter

Échauffement

1 | Observez les énoncés soulignés : à quoi servent-ils dans une argumentation ?

a. L'humanité doit préserver la biodiversité, <u>c'est-à-dire</u> la diversité du vivant sur Terre.

b. <u>Autrement dit</u>, il faut protéger, <u>par exemple</u>, les forêts et leurs habitants.

c. <u>À cause des</u> déforestations, les animaux perdent leur habitat, ce qui contribue à l'apparition de zoonoses.

d. <u>À l'inverse</u>, les milieux riches en biodiversité contribuent à réduire ce risque.

e. Les écosystèmes de forêts, zones humides ou de montagne permettent de nous approvisionner en eau douce <u>mais aussi</u> de purifier l'eau.

Fonctionnement

2 | Complétez le tableau avec les énoncés soulignés ci-dessus.

Introduire une idée	pour commencer / avant toute chose / tout d'abord / d'abord / premièrement / en premier lieu
Introduire un argument par une cause	car / parce que / puisque / ....
Introduire un argument par une conséquence	donc / de manière à / ainsi / en effet / par conséquent / pour cela
Ajouter un argument	de plus / en outre / par ailleurs / ensuite / d'une part... d'autre part / ....
Introduire un exemple	comme on peut le voir... / en particulier... / tel que... ....
Admettre l'argument contraire avant de le réfuter	certes / bien que (+ *subjonctif*) / même si (+ *indicatif*)
Marquer l'opposition	mais / alors que / tandis que / au contraire / pourtant / en revanche / par contre / cependant / néanmoins / toutefois / tout de même / quand même / ....
Préciser	à ce propos il faut ajouter que / à ce sujet on peut préciser que
Reformuler	en d'autres termes / ....
Souligner, mettre en évidence	soulignons / il faut souligner / remarquons / il faut remarquer / on peut insister sur le fait que
Généraliser	d'une façon générale / en général / globalement / en règle générale
Résumer	en un mot / en résumé / pour résumer / en bref
Conclure	en définitive / finalement / en fin de compte / en conclusion / pour terminer

Entraînement

3 | Placez les mots manquants :

par ailleurs – de manière à – avant toute chose – par exemple – car.

La biodiversité est une ressource précieuse que l'Homme doit préserver. .... , nous devons lutter contre la déforestation .... en détruisant l'habitat naturel des espèces animales nous contribuons à leur extinction. .... , il convient aussi que nous réfléchissions à une modification profonde de nos techniques de pêche .... préserver les espèces marines. L'utilisation de grands bateaux de pêche .... ne permet pas de sélectionner les espèces pêchées et entraîne un gaspillage important.

Production orale

4 | À l'occasion de la Journée mondiale de la biodiversité, votre ville propose des sessions de micro ouvert à tous les habitants ayant la fibre écologique. Vous préparez une intervention de quelques minutes pour faire part de votre indignation face au déclin de la biodiversité. Vous développez vos idées et argumentez votre propos.

> **» Exprimer son indignation**
> - Je suis choqué(e)/Cela me choque/C'est choquant !
> - Je suis révolté(e)/indigné(e)/exaspéré(e)/outré(e) !
> - Quel scandale !
> - Cela dépasse les limites !
> - C'en est trop !
> - C'est inacceptable/choquant/révoltant/exaspérant !

Documents

K | 25 062 espèces menacées

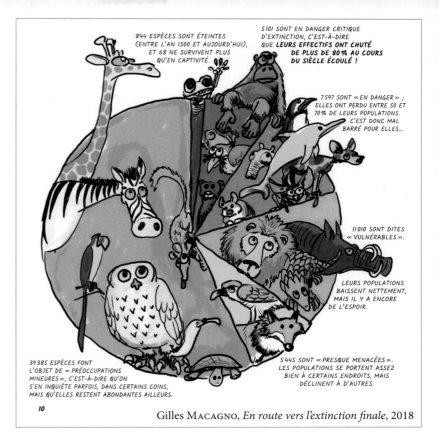

Gilles MACAGNO, *En route vers l'extinction finale*, 2018

Texte du diagramme :

844 ESPÈCES SONT ÉTEINTES (ENTRE L'AN 1500 ET AUJOURD'HUI), ET 68 NE SURVIVENT PLUS QU'EN CAPTIVITÉ.

5 101 SONT EN DANGER CRITIQUE D'EXTINCTION, C'EST-À-DIRE QUE *LEURS EFFECTIFS ONT CHUTÉ DE PLUS DE 80 % AU COURS DU SIÈCLE ÉCOULÉ !*

7 597 SONT « EN DANGER » ; ELLES ONT PERDU ENTRE 50 ET 70 % DE LEURS POPULATIONS. C'EST DONC MAL BARRÉ POUR ELLES…

11 010 SONT DITES « VULNÉRABLES ».

LEURS POPULATIONS BAISSENT NETTEMENT, MAIS IL Y A ENCORE DE L'ESPOIR.

5 445 SONT « PRESQUE MENACÉES ». LES POPULATIONS SE PORTENT ASSEZ BIEN À CERTAINS ENDROITS, MAIS DÉCLINENT À D'AUTRES.

39 385 ESPÈCES FONT L'OBJET DE « PRÉOCCUPATIONS MINEURES », C'EST-À-DIRE QU'ON S'EN INQUIÈTE PARFOIS, DANS CERTAINS COINS, MAIS QU'ELLES RESTENT ABONDANTES AILLEURS.

10

Compréhension écrite

Entrée en matière

1 | Quels animaux voit-on sur ce diagramme ?

Lecture

2 | Retrouvez le nombre correct en fonction des informations données dans le diagramme.

   a. .... espèces ne vivent plus en liberté.
   b. .... espèces sont dans une situation qui ne suscite pas d'inquiétude majeure.
   c. .... espèces ont disparu.
   d. .... espèces sont considérées comme fragiles, mais leur situation n'est pas désespérée.
   e. .... espèces sont dans une situation alarmante et proche de l'extinction.
   f. .... espèces ont un avenir assez sombre.

Production orale

3 | Pensez-vous que la vie en captivité comme dans les zoos est la seule manière de sauvegarder des espèces animales ?

▸ En direct sur rfi SAVOIRS

L | Les tortues marines au Congo 3

 ### Compréhension orale

Entrée en matière

1 | Que savez-vous des tortues ?

1ʳᵉ écoute (en entier)

2 | Où a lieu le reportage ?

3 | Qui est Franck Mounzéo ?

2ᵉ écoute (en entier)

4 | En quoi les tortues jouent-elles un rôle important dans la chaîne alimentaire ?

5 | Pour Franck Mounzéo, quel est l'intérêt de faire de la sensibilisation auprès des enfants ?

6 | Qu'ont retenu les enfants de l'intervention de Franck Mounzéo ?

7 | Que font les éducateurs pendant les vacances scolaires ?

8 | Que fait le pôle pêche de l'ONG Renatura ?

9 | Quelle est la conséquence du statut d'espèce protégée des tortues au Congo ?

Production orale

10 | Pensez-vous qu'il soit important de sensibiliser les enfants à la protection de la nature ? Pourquoi ?

> « Elle joue un rôle important. »

11 | Quelles associations de défense de l'environnement connaissez-vous ?

Production écrite

12 | Vous êtes militant(e) pour une association environnementale. Vous écrivez à un(e) ami(e) pour décrire le but et les actions de cette association et le ou la convaincre de vous rejoindre.

> **Proposer** à quelqu'un de faire quelque chose
> • Qu'est-ce que tu dirais de…
> • Je te suggère/propose de…
> • C'est le moment de…
> • Nous pourrions/On pourrait…
> • Je serais heureux(-euse) de…

Activité complémentaire
rfi SAVOIRS

Vocabulaire

L'environnement et l'écologie

 Jouez avec les mots! > p. 10 « L'inventaire de mot

Le monde vivant
· la biodiversité
· la biomasse
· la chaîne alimentaire
· l'écosystème (m.)
· l'espèce (f.)
· l'habitat (m.)
· l'organisme (m.) vivant

La faune et la flore
· l'invertébré (m.)
· la plante
· le prédateur
· la proie
· la racine
· sauvage/domestique
· la végétation

1 | Dans la liste précédente, dites si les mots font référence au règne végétal ou animal.

Production écrite

2 | Choisissez une espèce vivante et décrivez-la : son apparence, sa catégorie, son habitat, son régime alimentaire…

Le monde marin
· l'algue (f.)
· le banc de poisson
· le cétacé
· le corail
· le crustacé
· les fonds (m.) marins
· le mollusque
· le plancton
· le poisson-perroquet
· le reptile
· le requin gris
· la tortue marine
· le thon

3 | Retrouvez les mots de la liste correspondants aux définitions suivantes :
a. grand mammifère marin
b. animaux ou végétaux qui flottent dans les milieux aquatiques
c. groupe de poissons se formant à certaines époques de l'année

d. sol océanique
e. poisson qui peut être rouge ou blanc

4 | En groupes, en 3 minutes, élaborez la liste la plus longue possible d'animaux terrestres.

Expressions
· chassez le naturel, il revient au galop
· être une bonne nature
· une nature morte
· tous les goûts sont dans la nature
· s'évanouir dans la nature

5 | Le mot « nature » dans les expressions ci-dessus est au sens figuré. Retrouvez l'expression correspondant à chaque définition.
a. Tableau qui représente des objets inanimés.
b. Impossibilité de se débarrasser de ses tendances naturelles.
c. Disparaître sans laisser de trace.
d. Avoir très bon caractère.

6 | Expliquez l'expression manquante.

La dégradation de l'environnement
· la catastrophe naturelle
· le déchet toxique
· la déforestation
· les émissions (f.) de CO_2
· les gaz (m.) à effet de serre
· l'extinction (f.)
· la marée noire
· polluant
· la pollution atmosphérique
· le réchauffement climatique

7 | Dans la liste précédente, quels mots concernent directement le dérèglement climatique ?

Une démarche écologique
· l'agriculture (f.) biologique
· les enjeux (m.) environnementaux
· l'impact (m.) écologique
· la marche pour le climat

· le mode vie écolo
· l'organisation (f.) non gouvernementale
· la transition écologique
· la réserve naturelle

8 | Complétez les phrases avec les verbes de la liste :
réduire – s'interroger – vivre, soutenir – encourager – changer – s'engager – participer.
Pour …… dans une démarche écologique, il faut d'abord …… sur les enjeux environnementaux pour comprendre que nous devons …… notre mode de vie. …… de manière plus respectueuse de l'environnement, cela signifie …… son impact écologique, …… l'agriculture et de proximité. Si vous voulez aller plus loin dans la protection de l'environnement, vous pouvez …… une ONG ou …… à une marche pour le climat.

Choisir le zéro déchet
· acheter en vrac
· bannir les objets à usage unique
· préférer les emballages réutilisables
· recycler
· trier ses déchets

Production orale

9 | À quels problèmes de pollution doit faire face votre pays ? Quelles solutions pourraient être mises en place d'après vous ?

10 | Intonation
Écoutez et répétez. Relevez les énoncés qui permettent d'exprimer le doute, la certitude, la possibilité, la probabilité, l'impossibilité, l'accord, le désaccord.

Entraînez-vous!

Cahier d'activités

l'essentiel

Grammaire/Vocabulaire

1. 🎧 **5** Écoutez cette conversation et relevez les expressions d'opinion.

2. Dans les phrases suivantes, remplacez les expressions en gras par une autre et reformulez si nécessaire.

a. **De mon point de vue**, la destruction des milieux naturels est un sérieux problème.

b. Léa est 100 % écolo. **Ainsi** se déplace-t-elle à vélo. **De plus**, elle n'achète que des produits locaux et fabrique tous ses cosmétiques.

c. Il prend souvent sa voiture. **En effet**, les transports en commun sont peu développés dans sa ville.

d. Tu ne consommes que des produits bio ? **Mon œil !**

e. **Même s'**il a diminué sa consommation de viande, Élie continue d'en manger plusieurs fois par semaine.

f. Une étude récente alerte sur l'impact du réchauffement climatique. Elle précise que cela risque d'aggraver les conditions de vie des populations, **en particulier** en Afrique.

g. Pour répondre à la demande de viande, il faut de l'espace. Et **pour cela**, de plus en plus de forêts sont rasées.

h. Elle **ne croit pas** que la biodiversité soit menacée.

3. Donnez des exemples pour illustrer les idées suivantes. Utilisez les expressions suivantes : *en effet, car, par exemple, comme on peut le voir, en particulier, tel(le)s que.*
Exemple : Il me semble nécessaire d'interdire les sacs en plastique. → En effet, les océans sont actuellement très pollués.

a. Je ne crois pas que les éco-gestes soient utiles. → ....

b. J'estime que les ONG devraient recevoir plus de subventions. → ....

c. À ce qu'il me semble, les citoyens ne sont pas assez conscients du réchauffement climatique. → ....

d. J'ai l'impression que les enfants sont beaucoup plus sensibles à la protection de la nature que les adultes. → ....

e. Il y a des chances que la biodiversité soit très menacée. → ....

f. Il semble que les grandes entreprises ne fassent pas vraiment d'effort pour moins polluer. → ....

4. Complétez le texte avec les mots suivants :
espèces – réchauffement climatique – chaîne alimentaire – biomasse – CO_2 – habitat – biodiversité – réserves naturelles – écosystèmes.

Le plancton est à la base de la .... dans les océans. Il absorbe une partie du .... émis par les activités humaines et en plus il produit de l'oxygène. Mais le plancton est en danger, sa .... est en déclin depuis les débuts de l'ère industrielle et la situation s'aggrave à cause du .... Les .... marins doivent être protégés pour sauvegarder son .... ainsi que toutes les .... qui s'alimentent grâce à lui. Les .... en milieu marin sont donc essentielles pour préserver la ....

5. Associez les éléments :

a. la pollution atmosphérique
b. une marée noire
c. trier ses déchets
d. l'espèce
e. le déchet toxique
f. l'impact écologique des humains

1. recycler
2. l'extinction
3. les gaz à effet de serre
4. la déforestation
5. les fonds marins
6. le polluant

Unité 1

Promouvoir une écologie positive au quotidien

1 | Situation

▷ **Tous ensemble**

Comment améliorer le respect de l'environnement dans votre établissement ?
Proposez des pistes d'amélioration, telles que la réduction de l'usage du plastique,
la lutte contre le gaspillage énergétique ou alimentaire, la rationalisation de la
consommation de papier...

2 | Mise en œuvre

▷ **En groupes**

- Mettez-vous d'accord sur un problème à résoudre au sein de votre école.
  Un modérateur s'assure que chacun(e) puisse exprimer son opinion.
- Cherchez des solutions applicables facilement.
  Un rapporteur prend note des solutions proposées et synthétise les idées.
- Trouvez des arguments pour convaincre le directeur ou la directrice de votre école.
  Le rapporteur note les arguments et les ordonne selon leur importance.
- Présentation du projet.
  Un porte-parole résume le projet de son groupe devant la classe.
- Quel projet mettre en place ?
  En groupes, mettez-vous d'accord sur le projet qui vous semble le plus utile et dites pourquoi.

Stratégies | **S'organiser pour réaliser un travail de groupe**

- **Respecter les tours de parole**
  Pour prendre la parole, ne coupez pas celle des autres :
  faites signe au modérateur. Celui-ci gère les tours de parole
  et encourage tous les membres du groupe à participer à la
  discussion.

- **Prendre des notes personnelles pour élaborer son propos**
  Notez vos idées : il ne s'agit pas de rédiger mais d'écrire les mots
  clés de votre propos. Vous pourrez ainsi vous exprimer plus
  facilement.

- **Trouver les bons arguments**
  Pour rendre votre propos plus convaincant, réfléchissez aux
  avantages de votre proposition selon des perspectives différentes :
  pour vous-même, pour les enseignants ou encore pour l'école.
  Mettez en avant les bénéfices de votre proposition selon des
  critères précis : le côté pratique, la faisabilité, le coût, l'impact sur
  l'environnement, la responsabilité citoyenne...

- **Avoir une attitude ouverte au consensus**
  Le rapporteur synthétise les idées exprimées et ensuite vous vous
  mettez d'accord sur une proposition. Discutez entre vous, on
  peut toujours changer d'avis. Le rôle du modérateur est essentiel,
  il doit mettre le groupe sur la voie du consensus. Cette étape est
  importante car elle va vous permettre d'affiner vos arguments
  pour présenter la proposition de votre groupe.

Être ou avoir ?

Objectifs

- Décrire des tendances de consommation
- Exprimer son désir de faire quelque chose
- Introduire une information
- Donner un exemple

 Les bons comptes font les bons amis.

A | Une BD, satire de notre consommation

1 Alors que la radio tombe **en panne**, la narratrice se retrouve dans l'im-
5 possibilité de la faire réparer !!Non seulement, la garantie est passée de 10 jours mais en
10 plus, le vendeur lui conseille carrément d'en racheter une autre ! L'« excuse » : l'« **obsolescence**
15 **programmée** » des appareils !!!
Elle repense à ses grands-parents, à tout ce qui com-
20 posait leur maison. Surtout, à l'âge que tous les meubles, les ustensiles… avaient et aux soins qu'ils
25 prenaient à ne pas faire de gaspillage et à réparer les choses ! Élevées à la **consom-**
mation, elle pense que bientôt, les nouvelles générations
30 ne se souviendront même plus que des choses réparables ont existé !!! C'est comme une **amnésie totale** qui va s'abattre sur les générations futures !
De pannes en pannes, elle se heurte à l'**incompréhension** des vendeurs lorsqu'elle demande un téléphone portable

Mais pourquoi j'ai acheté tout ça !?, Élise ROUSSEAU, 2017

35 laid, mais costaud… entre autre, et à l'incitation à la consommation de choses dont elle n'a pas vraiment besoin ! Mais comment consommer mieux ?!!!!

Stef EMMA-BECCALETTO, *France Net Infos*,
20 décembre 2017

Compréhension écrite

Entrée en matière

1 | Regardez le visage de cette jeune femme. Quelles sont ses émotions selon vous ?

Lecture de la bande dessinée

2 | Lisez les bulles de la B.D. Qui sont les personnes qui parlent ?

3 | Que reprochent-elles à cette jeune femme ?

4 | Les objets dont il est question sont-ils utiles selon vous ?

Lecture du texte

5 | Quel événement est le point de départ de la bande dessinée ?

6 | Quelle différence de comportement observe-t-elle entre les anciennes et les nouvelles générations ?

7 | Qu'est-ce qui étonne les vendeurs dans sa démarche ?

Vocabulaire

8 | Retrouvez dans le texte un équivalent de :
a. celle qui raconte l'histoire   c. le vieillissement
b. une perte de mémoire   d. solide

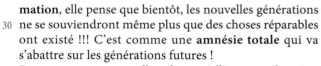 Production orale

9 | Vous êtes le personnage de la B.D. Que répondez-vous aux personnes qui vous reprochent de ne pas surconsommer ?

> **Alors, c'est pour consommer plus responsable ?**

B ┃ La méthode BISOU 6

Compréhension orale

Entrée en matière

1 ┃ Quels moyens de consommer plus responsable connaissez-vous ?

Deux écoutes (en entier)

2 ┃ Quel est le but de la méthode BISOU ?

3 ┃ À quel moment doit-on appliquer la méthode BISOU ?

4 ┃ Que signifient les cinq lettres de l'acronyme BISOU ?

5 ┃ Comment réagissent les autres à la chronique ? Quelles sont leurs objections ?

6 ┃ Comment s'appelle le groupe des deux femmes à qui on doit cette méthode ?

7 ┃ Pourquoi faut-il lutter contre l'immédiateté selon elles ?

8 ┃ Que ressent-on souvent après un achat selon la présentatrice ?

Production orale

9 ┃ Pensez-vous que la méthode BISOU peut être efficace ? Pour quelles raisons ?

10 ┃ Vous avez acheté un objet sur un coup de tête et quelques jours après, vous vous rendez compte qu'il ne vous sera pas utile. Vous confiez votre déception à un(e) ami(e).

> **Pour exprimer sa déception :**
> - Je suis vraiment déçu(e) de…
> - Quelle déception !
> - C'est très décevant.
> - La qualité est décevante.
> - C'est dommage que…
> - Et moi qui pensais que…
> - Et dire que…
> - Zut / Mince !

C ┃ France : consommer mieux et moins

1 Consommer toujours plus comme on a pu en prendre l'habitude ces dernières décennies, c'est terminé. La prise de conscience est évidente chez les consommateurs, le prix n'est plus le premier critère d'achat, mais les ques-
5 tions éthiques et environnementales entrent en ligne de compte. En effet, une majorité des personnes interrogées déclarent avoir changé leurs pratiques de consommation au quotidien. Qu'est-ce qui les y pousse ? Une méfiance de plus en plus grande à l'égard des entreprises est
10 certainement en partie responsable de ce changement de cap. La provenance des produits, les consommateurs exigent qu'on la précise clairement sur les étiquettes. La tendance de l'occasion en est un signe, chiner, échanger, recycler est devenu chic sans aucun doute. Pourtant, il
15 y a des résistants au changement, surtout chez les personnes de plus de 50 ans, mais on ne peut pas vraiment leur en vouloir. Elles ont été bercées par une société passée de consommation à surconsommation et il n'est pas si aisé de remettre en cause tout son mode de vie.

Les Français modifient leurs habitudes : 72 % se mobilisent en faveur de la consommation responsable.

17 % Indifférent(e) : je n'ai pas spécialement changé mes habitudes de consommation.

11 % Engagé(e) : je fais tout mon possible pour réduire l'impact de ma consommation et sensibiliser les autres.

2021

4 % Je ne sais pas.

7 % Agacé(e) : je n'ai pas envie de changer ma façon de consommer.

61 % Concerné(e) : j'ai changé certaines de mes pratiques au quotidien pour réduire l'impact de ma consommation.

YouGov pour Greenflex

Compréhension écrite

Entrée en matière

1 ┃ Qu'est-ce que « consommer mieux » selon vous ?

Lecture

2 ┃ D'après les résultats du sondage, que pense la majorité des Français interrogés ?

3 ┃ Quels liens entre économie et écologie ressortent d'après les réponses données ?

4 ┃ Lisez le texte : quels critères d'achat sont importants pour les consommateurs d'aujourd'hui ?

5 ┃ Quelle est la principale cause du changement de comportement des consommateurs ?

6 ┃ Quelle catégorie de personnes ne suit pas cette tendance ? Pourquoi ?

Production écrite

7 ┃ Quelles sont les tendances de consommation dans votre pays ?

Unité 2

Grammaire

Les doubles pronoms

Échauffement

1 । Repérez les pronoms personnels compléments d'objet direct et indirect dans les phrases suivantes.

a. La provenance des produits, les Français exigent qu'on la leur précise clairement sur les étiquettes.

b. Les personnes interrogées déclarent avoir changé leurs pratiques de consommation. Qu'est-ce qui les y pousse ?

c. Il y a des résistants au changement, mais on ne peut pas vraiment leur en vouloir.

Fonctionnement

Place des pronoms COI/COD

Les pronoms personnels compléments se placent en général avant le verbe auquel ils se rapportent, que le verbe soit conjugué ou non. À l'impératif, ils sont placés après le verbe, sauf à la forme négative.	*Exemples : Ce coton est de bonne qualité, je **vous** l'assure.* *Ces vêtements sont fabriqués en Chine, il faut **le leur** préciser.* *Ils ont besoin de ces accessoires de mode, prête-**les leur**. Ne **les leur** prête pas.*

> **Rappel**
>
> Les pronoms **me, te, se, nous, vous** peuvent être des pronoms COI ou COD.
> Il **nous** prévient de son arrivée.
> Il **nous** a dit qu'il serait en retard.

Ordre des pronoms COI/COD

Quand on utilise deux pronoms personnels compléments dans une phrase, l'ordre est le suivant : 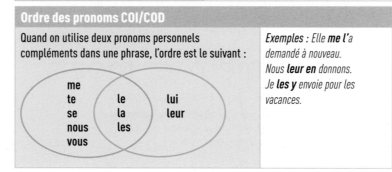	*Exemples : Elle **me l'**a demandé à nouveau.* *Nous **leur en** donnons.* *Je **les y** envoie pour les vacances.*

> **Remarque**
>
> Les pronoms **y** et **en** se placent toujours en dernier.

Entraînement

2 । Reformulez les phrases en remplaçant les mots soulignés par des pronoms personnels compléments.

a. J'ai demandé à Héloïse de m'accompagner au nouveau centre commercial.

b. Rebecca a invité ses enfants au restaurant pour fêter son nouveau poste à la direction d'une grande chaîne de vêtements.

c. Tu ne diras pas à mes collègues de bureau que j'achète mes vêtements d'occasion !

d. Mehdi a offert une robe achetée d'occasion à sa compagne.

e. Je ne veux pas encourager mes enfants à surconsommer.

f. Il a emprunté un costume à son frère pour l'occasion.

g. J'aimerais emmener ma cousine dans un repair café, elle comprendrait pourquoi ça me plaît comme initiative.

h. Tu veux que je donne des explications sur la méthode BISOU aux adhérents de l'association ?

3 । Imaginez à quoi peuvent se rapporter les pronoms dans les phrases suivantes.

a. Witold la lui a prêtée.

b. Je me la suis fait faire sur mesure.

c. Pablo leur en a conseillé un.

d. N'oublie pas de les lui apporter.

e. Il me l'ont déjà dit.

f. Je l'y ai rencontré.

g. Je pense lui en commander un.

4 । 🎧 7 Intonation

Écoutez les phrases suivantes. Répétez-les et dites à quoi se réfèrent les pronoms personnels compléments.

🖥 Production orale

5 । Écrivez trois phrases avec deux pronoms personnels compléments. Lisez-les à votre voisin(e) qui devra deviner à quoi se réfèrent les pronoms.

Documents

> La slow fashion, mode qui ne produit pas en masse.

» En direct sur rfi SAVOIRS

D | Slow fashion à Dakar 8

 Compréhension orale

1re écoute (du début à 0'23")

1 | Quel type d'événement a eu lieu à Dakar ?

2 | En quoi consiste la mode écoresponsable ?

2e écoute (de 0'24" à la fin)

3 | De quoi Adama Ndiaye est-elle convaincue ?

4 | Qu'est-ce qui est écologique dans les vêtements de Conceiçao Carvalho ?

5 | Quelle difficulté rencontre Hélène Daba ?

6 | Pour Élisa Thio, quel est l'intérêt de parler de mode écoresponsable ?

7 | Quels sont les défis à relever pour une mode africaine durable ?

Production écrite DELF B2

8 | Vous avez assisté à cet événement à Dakar. Vous écrivez à une amie créatrice de mode pour lui décrire le défilé et lui faire part de votre envie d'organiser un événement de slow fashion dans votre pays. Vous expliquerez ce qui vous motive et comment vous imaginez mettre ce projet sur pied.

Activité complémentaire rfi SAVOIRS

> **Pour exprimer son désir de faire quelque chose :**
> • J'aimerais bien/tant...
> • Je souhaiterais...
> • J'aurais très envie de...
> • Ça me dirait bien de...

E | Greenwashing : 50 nuances de vert

1 **Le revers de la fast fashion**

Il est temps de cesser les beaux discours et de commencer à agir !

L'industrie textile doit changer radicalement de business
5 model et adopter un comportement responsable. Pour faire face à ce défi de taille, il est nécessaire que la prise de conscience soit collective, que la transition soit écologique mais aussi éthique. Enfin, et peut-être plus que tout, le rythme de production doit ralentir.
10 Malgré les évolutions de législations et les promesses de changement, le rythme de fabrication s'accélère toujours plus et les conditions sociales ne s'améliorent guère. Pourtant, les arguments écologiques et sociaux n'ont jamais été aussi
15 présents dans les discours et les campagnes de communication. Alors, qui croire et comment distinguer le vrai du faux ?

SLOWEARE est là pour inspirer et guider le consommateur vers la mode éthique, l'accompagner dans sa transition
20 vestimentaire. Nous vous avons donc préparé un guide anti-sustainable-washing pour en déceler les pièges ! Cette check-list se résume en 5 actions simples et rapides à effectuer avant l'achat de votre vêtement pour vous assurer de sa démarche éco-responsable : avec la **méthode GREEN**, ne
25 vous faites plus berner !

Julie PAUME, *Sloweare*, 6 juillet 2020

GREEN
1. **Gratter** le discours des marques
2. **Repérer** les imprécisions
3. **Évaluer** les labels
4. **Examiner** les étiquettes
5. **Nécessiter** une vraie cohérence

 Compréhension écrite

Entrée en matière

1 | Savez-vous ce qu'est le greenwashing ?

Lecture

2 | Quelle est la première chose que devrait faire l'industrie textile ?

3 | Que retrouve-t-on de plus en plus dans les publicités ?

4 | Que propose Sloweare pour guider le consommateur ?

Vocabulaire

5 | Imaginez des équivalents français des expressions anglaises qui se trouvent dans le texte.

Production orale

6 | En groupe, expliquez en quoi consistent les  5 actions qui composent le mot « GREEN ».

Unité 2

Vocabulaire

Les verbes et les prépositions

> p. 10

Jouez avec les mots !

« Le memory »

Verbes + à
- apprendre
- arriver
- chercher
- commencer
- contribuer
- encourager
- enseigner
- forcer
- hésiter
- inciter
- parvenir
- penser
- persister
- pousser
- renoncer
- réussir
- s'habituer
- servir
- s'attendre
- se décider
- se forcer
- se mettre
- songer
- tenir

1 ▪ Trouvez trois verbes synonymes dans la liste.

Verbes + de
- accepter
- achever
- arrêter
- attendre
- cesser
- choisir
- convenir
- continuer
- craindre
- décider
- empêcher
- essayer
- éviter
- menacer
- mériter
- permettre
- persuader
- promettre
- refuser
- rêver
- risquer
- s'abstenir
- se charger
- s'efforcer
- se dépêcher
- se plaindre
- souffrir
- suggérer
- supplier
- tenter

▶ Remarque

Les verbes qui expriment une opinion, une préférence, une nécessité, un sentiment, un projet ou une volonté ne sont pas suivis d'une préposition.

2 ▪ Trouvez trois verbes synonymes dans la liste.

3 ▪ Complétez les phrases suivantes avec la préposition *à* ou *de*.
a. Elle s'est abstenue .... donner son avis sur la société de consommation devant la vendeuse.
b. Il s'est mis .... pleurer quand son grille-pain est tombé en panne
c. Il a changé .... avis sur ma tenue trois fois dans la soirée.
d. Ils m'ont persuadée .... acheter un nouveau manteau alors que j'en ai déjà deux.
e. Mes professeurs m'ont beaucoup encouragé .... suivre une formation de couture.
f. Je m'efforce toujours .... porter des ensembles élégants.
g. Je ne m'attends pas .... trouver de belles choses pendant les soldes.

4 ▪ Transformez les phrases en utilisant le verbe entre parenthèses comme dans le modèle :
Exemple : Marie arrête le shopping (faire) → Marie arrête de faire du shopping.
a. Il y en aura d'autres des promos, cesse donc ton cinéma. (*faire*)
b. Myriam aime les plats thaïs. (*cuisiner*)

c. Guirec a réussi son défi : vivre sans argent. (*relever*)
d. Werner a terminé sa nouvelle collection. (*concevoir*)
e. Je n'oublie jamais la fête des mères, même si c'est un événement commercial. (*célébrer*)
f. Nous allons au marché aux puces car nous adorons les vêtements vintages. (*chiner*)
g. Antoine rêve à un emploi de mannequin. (*trouver*)
h. Marina a choisi Paris pour étudier la mode. (*aller vivre*)

Expressions
- avoir besoin de
- avoir envie de
- avoir l'habitude de
- avoir pour objectif de
- avoir tendance à
- en avoir marre de
- être habitué à
- être prêt à
- faire exprès de
- faire semblant de
- mettre du temps à

5 ▪ Complétez le texte avec la préposition correcte.
Jules : Je pense à m'acheter un nouveau robot pour cuisiner.
Marthe : Mais tu as vraiment besoin .... en acheter un autre ?
Jules : Besoin, non. J'ai envie .... en acheter un autre. J'en ai marre .... cuisiner avec le vieux robot de ma grand-mère. Il n'est pas très puissant. Et il a tendance .... rater la mayonnaise.
Marthe : Tu as l'habitude .... cuisiner ?
Jules : Pas vraiment, parfois.
Marthe : Et tu es prêt .... acheter un nouveau robot alors que le tien marche et que tu ne t'en sers pas beaucoup ? Tu surconsommes, non ?
Jules : Je ne vois pas du tout ce que tu veux dire.
Marthe : Ne fais pas semblant .... ne pas comprendre. Tu ne peux pas avoir pour objectif .... sauver la planète et acheter sans arrêt, sans conscience. C'est incohérent.

🗨 Production orale

6 ▪ Donnez votre opinion sur les phrases suivantes en utilisant un maximum de verbes suivis d'une préposition.
a. Consommer responsable, c'est se passer du superflu.
b. Les consommateurs sont de puissants acteurs politiques, mais ils ne le savent pas.
c. C'est notre manière de consommer qui fait notre identité.
d. La consommation est devenue une addiction.

Entraînez-vous !

Cahier d'activités

Cultures

La sphère de l'influence

F ▎ Un métier qui pose problème ?

G ▎ Les nouveaux chouchous du monde de l'art

> « L'influenceur va créer du contenu et, en même temps, va parler de produits. »

H ▎ Le profil des influenceurs

1 Selfies, décryptages d'œuvres, visites d'expositions « exclusives »… : sur les réseaux sociaux (Instagram surtout), influenceurs et influenceuses relaient la communication des musées. Pour le meilleur ?

5 Après avoir conquis les sphères de la mode, de la beauté et plus généralement du luxe, les influenceurs gagnent le monde de l'art, qu'il s'agisse des musées, lieux de patrimoine, galeries, maisons de ventes… « Influenceurs » : ces personnalités actives sur les réseaux sociaux s'assoient sur une communauté

10 à laquelle elles distillent des contenus, chacune avec son ton et sa ligne éditoriale. Précisons que la communauté en question est bien loin de celles de leurs collègues du luxe, qui peuvent atteindre plusieurs millions de followers, quand les plus influents du monde de l'art flirtent avec les 120 000 abonnés. Et

15 aussi que l'image de jeunes écervelés occupés à faire des selfies en étant grassement payés est bien loin de leur réalité. D'abord, tous récusent le terme d'influenceur. « Je me définis comme créatrice de contenus, et en parallèle je suis autrice », précise Camille Jouneaux, aux manettes du compte Instagram La

20 minute culture, où elle distille posts et stories à la fois drolatiques et savants. Sa marque de fabrique : des bulles permettant aux personnages des œuvres d'art de s'exprimer, bien souvent dans un registre à la fois savant et décalé. La jeune femme a déjà collaboré avec la Philarmonie, la BnF, la fondation Carmignac

25 ou récemment avec le Petit Palais autour de l'exposition « Édition Limitée ». Le Louvre, quant à lui, préfère les appeler les « talents ». En quoi diffèrent-ils alors des journalistes ? « Ils sont plus libres, ils ne représentent qu'eux-mêmes, et non pas un média. Et ils ont une approche plus naturelle et spontanée.

30 Ils viennent partager une émotion », constatent Sophie Grange, sous-directrice de la communication, et Niko Melissano, chef du service de la communication numérique au Louvre.

Éléonore THÉRY, *Le Quotidien de l'Art*, 24 juin 2021

#1 LE PROFIL DES INFLUENCEURS

29 ANS de moyenne d'âge

36 % des influenceurs sont actifs sur une seule plateforme

Les influenceurs ont en moyenne **50 000** FOLLOWERS

25% sont des hommes

75% sont des femmes

ILS (OU ELLES) S'EXPRIMENT SUR DES SUJETS :

88% LIFESTYLE
43% LOISIRS
15% CULTURE
9% ENGAGEMENTS
4% BUSINESS

TOP 3 DE LEURS PLATEFORMES DE PRÉDILECTION :

Instagram **94%** le considèrent comme un de leurs réseaux principaux !

Facebook **33%**

Blog **30%**

Étude Reech, 2020

1 ▎ Qu'est-ce qu'un influenceur / une influenceuse ?

2 ▎ Suivez-vous régulièrement des programmes d'influenceurs/ influenceuses ? Pourquoi ?

3 ▎ Quelle est l'utilité des contenus produits par les influenceurs/influenceuses ?

4 ▎ Quels sont les dangers du phénomène des influenceurs/influenceuses ?

5 ▎ Quelles lois pourraient encadrer l'activité d'influenceur/influenceuse ?

35

Unité 2

I | Le succès fou des boutiques sans argent

1 La boutique sans argent, ou comment donner du sens à l'objet qu'on ne regarde plus ! Les deux lieux ouverts à Rimou et Maen Roch
5 connaissent un énorme succès.

Donner sans rien attendre en retour : une idée venue d'ailleurs qui depuis quelques mois fait se déplacer les foules. Après avoir vu le jour à Rimou,
10 l'association Recycl'don a inspiré Recycl'Roch, benjamine du circuit qui a ouvert ses portes à Maen Roch-Saint-Étienne en Coglès.

Il y a Robert à la recherche d'une ba-
15 biole pour l'anniversaire de sa maman de 85 ans, ou encore Lucile, 8 ans, qui aimerait bien compléter sa collection de Pokémon. « Après tout on ne sait jamais, on peut avoir de la chance pour
20 une fois » lance Claire, sa maman. Il y a de tout derrière la porte de la boutique sans argent Recycl'Roch. Ordinateur, lampe, bougie, casserole : tout le nécessaire pour le quotidien attend bien
25 sagement sur l'étagère qu'une main leur permette une seconde vie, peut-être différente de la première...

C'est le cas d'Alain, passionné de jar-
30 dinage, à la recherche d'une casserole en inox qu'il compte détourner à des fins plus personnelles. « Il ne faut pas qu'elle soit trop neuve bien au contraire, je la destine à devenir un pot de fleurs. Une sorte de retraite
35 anticipée dans un tout autre registre » s'amuse le quadragénaire.

Un peu plus loin, le rayon des vêtements fait lui aussi des envieux. Jupes, veston, chaussures ou encore
40 costumes...

Il y a de quoi s'habiller pour toutes les occasions, qu'on soit grand ou petit d'ailleurs, et pour toutes les tailles.

« Ça interroge sur notre
45 consommation »

Malvina, jeune trentenaire originaire de Picardie, s'est installée sur la commune depuis quelques années. Elle vient comme pratiquement chaque samedi
50 depuis son ouverture, accompagnée de ses deux jeunes enfants, fureter dans les rayons de la boutique installée dans l'ancien centre social, du Coglais.

« L'idée est de venir d'abord voir ici
55 si on trouve son bonheur, à la brocante ensuite et au final à la boutique. Acheter neuf est vraiment le dernier recours » explique Malvina. Une vraie valeur pour la jeune femme qui va
60 jusqu'à qualifier sa démarche de philosophie de vie. « Ça interroge forcément sur notre consommation et même si tout donne envie, c'est un bon prétexte pour faire réfléchir les enfants :
65 a-t-on besoin de payer au prix fort, ou peut-on réutiliser, tout en se faisant plaisir ? ».

Même combat pour Martine qui débarque, elle, avec un sac plein à cra-
70 quer, « des choses dont je ne me servais plus et qui allaient atterrir à la poubelle, autant en faire profiter quelqu'un qui en a sûrement plus besoin que moi ».

Hervé Pittoni, *La chronique républicaine*, 15 août 2019

Compréhension écrite

Entrée en matière

1 | À votre avis, qu'est-ce qu'une boutique sans argent ?

Lecture

2 | Quel type d'objets trouve-t-on sur les étagères ?

3 | Qui cherche un objet pour lui donner un autre usage ?

4 | Sous quelles condition Malvina achète-t-elle des choses neuves ?

5 | Que lui permet cette manière d'envisager la consommation ?

6 | Pourquoi Martine apporte-t-elle des objets ?

Vocabulaire

7 | Retrouvez dans l'article des équivalents des expressions suivantes :
a. naître
b. la plus jeune
c. petit objet sans valeur
d. fouiller

8 | Expliquez l'expression : « qualifier sa démarche de philosophie de vie ».

Production écrite

9 | Vous êtes allé(e) au magasin sans argent de Rimou et vous écrivez un mail à vos ami(e)s pour leur décrire l'endroit et les encourager à y aller.

> **Pour** introduire une information
> • Vous saviez que... ?
> • Figurez-vous que...
> • Vous étiez au courant que... ?
> • Vous connaissez la dernière ?

J | Février sans supermarché 10

 Compréhension orale

Entrée en matière

1 | Lisez la phrase extraite du document. Êtes-vous d'accord avec
cette description des supermarchés ?

Deux écoutes (en entier)

2 | Que pense le chroniqueur de l'initiative « Février sans
supermarché » ?

3 | Depuis combien de temps cette initiative est-elle née ?

4 | À quoi cette campagne veut-elle nous faire réfléchir ?

5 | Pourquoi cette campagne concerne-t-elle la grande
distribution ?

6 | Quel est le défi de cette campagne d'après Leïla Rölli ?

7 | Quels sont les avantages de sortir de la grande
distribution ?

 **Des lieux où, quoi qu'on
en dise, tout est trop.**

🗨 **Production orale**

8 | Pourriez-vous passer un mois sans
aller au supermarché ?

9 | Pensez-vous que les initiatives de ce
type peuvent avoir un effet
sur nos habitudes de consommation ?

K | Monnaie locale

2 **Compréhension audiovisuelle**

Entrée en matière

1 | Dans quelles situations utilisez-vous de l'argent liquide ?

1ᵉʳ visionnage (en entier)

2 | Quels types de formats sont présents dans la vidéo ?

3 | Expliquez ce qu'est une monnaie locale.

4 | Citez des noms de monnaies locales françaises.

2ᵉ visionnage (du début à 1'18")

5 | Que soutient-on en utilisant une monnaie locale chez un
petit commerçant ?

6 | Pourquoi ne peut-on pas utiliser les monnaies locales au
supermarché ?

7 | Dans quelles circonstances les monnaies locales sont-
elles nées ?

8 | Pourquoi les monnaies locales perdent-elles de leur
valeur au fil du temps ?

3ᵉ visionnage (de 1'19" à la fin)

9 | Répondez par vrai ou faux et justifiez votre réponse.

a. Les monnaies locales ont un impact uniquement
économique.

b. Ce sont des commerçants qui échangent les euros en
euskos.

c. Il faut être membre d'une association pour
utiliser des euskos.

d. L'intérêt de l'eusko est de favoriser les
intermédiaires basques.

e. La femme interrogée utilise l'eusko pour
contrer les grandes multinationales.

🗨 **Production orale**

10 | Seriez-vous prêts à utiliser une monnaie
locale ? Pour quelles raisons ?

Unité 2

Vocabulaire

La consommation

Jouez avec les mots !
> p. 10   « La chaîne de mots »

Payer
- l'argent liquide (*m.*)
- le billet
- la carte bleue
- le distributeur / la tirette
- encaisser
- le paiement dématérialisé
- le paiement sans contact
- payer comptant / à crédit
- la pièce
- rendre la monnaie
- le virement bancaire

1 ǀ Complétez le texte avec des mots ou expressions de la liste.

Le paiement .... s'effectue sans argent ...., c'est-à-dire avec .... ou par .... Ces nouveaux modes de paiement ont complètement changé nos habitudes : d'une part les commerçants n'ont plus besoin de s'inquiéter d'avoir des .... et des .... de tout type pour pouvoir ...., et d'autre part, les consommateurs n'ont plus besoin de penser à aller au .... avant de faire la moindre course. Les paiements sont d'ailleurs encore plus rapides grâce au système ....

🖳 Production orale

2 ǀ Considérez-vous que le paiement dématérialisé soit utile ? L'argent liquide disparaîtra-t-il un jour selon vous ?

Expressions
- acheter au détail
- être un panier percé
- jeter l'argent par les fenêtres
- un prix de gros
- par souci d'économie
- payer le prix fort

3 ǀ Retrouvez les expressions correspondant aux définitions suivantes :
- **a.** prix appliqué à une grande quantité de marchandises
- **b.** à l'unité, selon la quantité désirée du client
- **c.** dans le but de dépenser moins
- **d.** trop payer
- **e.** dépenser sans compter

L'origine des produits
- les conditions (*f.*) de fabrication
- exporter
- la filière agricole
- importer
- les matières (*f.*) premières

[suite]
- la production de masse
- la provenance
- la traçabilité

4 ǀ Complétez le texte avec des mots de la liste.

Les Français sont de plus en plus attentifs à la .... des produits qu'ils consomment, en particulier dans le domaine de l'alimentation. La .... des produits est devenue un argument important pour la vente des produits de la .... Les consommateurs sont également sensibles aux .... et à la qualité de ce qu'ils achètent. Ils ont tendance à favoriser les produits locaux par rapport aux produits .... Dans le domaine de la mode également, la production .... séduit de moins en moins.

Les circuits de distribution
- la chaîne logistique
- le circuit court
- le détaillant
- la grande distribution
- le grossiste
- l'intermédiaire (*m.*)
- la plateforme d'achat

5 ǀ Quels acteurs économiques sont des intermédiaires dans la liste ci-dessus ?

Alternatives
- chiner
- le commerce indépendant
- la démarche écoresponsable
- se débarrasser du superflu

🖳 Production orale

6 ǀ D'après vous, quelles sont les dérives de la société de consommation ? Quelles actions peuvent y remédier ?

L'économie
- la crise économique
- la croissance
- la demande
- fixer un prix
- la gestion budgétaire
- l'inflation (*f.*)
- l'offre (*f.*)
- le pouvoir d'achat
- la rentabilité économique

7 ǀ Quels sont les verbes qui correspondent aux noms suivants ?
- **a.** la croissance
- **b.** la gestion
- **c.** l'offre
- **d.** la rentabilité

Entraînez-vous!

Cahier d'activités

Documents

L ∣ Des circuits de proximité

📄 Compréhension écrite

Entrée en matière

1 ∣ Selon vous, qu'est-ce qu'un circuit court et de proximité ?

Lecture

2 ∣ Dans ce document, quels types de producteurs et quels types d'acteurs locaux sont représentés ?

3 ∣ Expliquez ce que veut dire Benoît pour qui il y a tout un territoire derrière un bout de fromage.

4 ∣ Qu'est-ce qui a permis à Audrey de créer deux emplois ?

5 ∣ Quel est l'avantage de travailler en circuit court pour Juliette ?

6 ∣ Expliquez en quoi chaque case traite du thème de l'emploi, de la valeur, de la pluralité ou du bien-être.

✏️ Production écrite

7 ∣ Vous écrivez au maire de votre ville pour lui demander d'encourager des initiatives locales. Donnez des exemples de projets qui vous semblent intéressants.

> **Pour donner un exemple**
> • C'est un bon exemple de...
> • Cela illustre bien...
> • Je prendrai l'exemple suivant...
> • Prenons pour exemple...

Louise PLANTIN, *Des circuits alimentaires courts & de proximité sur mon territoire, ça marche ?*, 2021

Grammaire

Indicatif ou subjonctif ?

Échauffement

1 | Dans les phrases suivantes, quel est le mode du verbe souligné : indicatif ou subjonctif ?

a. Tout le nécessaire pour le quotidien attend qu'une main leur <u>permette</u> une seconde vie.

b. Il ne faut pas que la casserole <u>soit</u> trop neuve.

c. J'espère qu'elle <u>va</u> trouver des cartes Pokémon.

d. J'aimerais que les prix <u>rendent</u> justice à la qualité de mes produits.

e. Je dis toujours que, grâce à la vente directe, j'<u>ai créé</u> deux emplois.

2 | Quelle phrase exprime : une obligation, une volonté, un espoir, une attente, une possibilité, une déclaration ?

Fonctionnement

Sont suivis de *que* + verbe à l'indicatif	• La certitude / la réalité	être sûr(e) / certain(e) / persuadé(e) – savoir – se souvenir – il est vrai/exact/évident
	• La déclaration	dire – répondre – annoncer – affirmer – prétendre
	• Les sens	voir – entendre – sentir
	• La probabilité	il est probable – il est vraisemblable – il paraît – avoir l'impression/le sentiment
	• L'espoir	espérer

Sont suivis de *que* + verbe au subjonctif	• L'incertitude/le doute	douter – ne pas être certain(e) / sûr(e) / persuadé(e)
	• La possibilité	il est possible – il est peu probable – il se peut – il semble que – s'attendre à ce que
	• La volonté/le désir	vouloir/désirer/souhaiter/préférer – accepter/refuser – j'aimerais – il est préférable
	• Les sentiments	être heureux(-euse)/triste – regretter – redouter – avoir peur – craindre – il est dommage
	• La nécessité/l'obligation	il est nécessaire – il faut
	• L'attente	attendre
	• Les verbes impersonnels qui n'expriment pas une certitude, une opinion ou une probabilité	il est normal – il est rare – il arrive

> **Remarque**
>
> Le subjonctif passé se forme comme tous les temps composés, mais l'auxiliaire est au subjonctif présent.
> *Exemple : Il craint qu'elle vienne. / Il regrette qu'elle soit venue.*

Entraînement

3 | Conjuguez les verbes selon le mode nécessaire.

a. Il est possible que nous (organiser) .... une conférence sur les monnaies locales.

b. On dit que la France (être) .... un pays très solidaire.

c. Il est probable que nous (ne pas obtenir) .... de subvention pour notre projet de circuit court.

d. Attendez-vous que les pouvoirs publics vous (venir) .... en aide ?

e. J'espère que le nouveau maire (comprendre) .... notre démarche.

f. Il se peut que toutes les familles (vouloir) .... le passage au bio à la cantine.

g. Il arrive que les élus locaux (prendre) .... des initiatives intéressantes.

h. J'ai senti qu'il (dire) .... la vérité sur la situation des commerces indépendants.

i. Elle considère que la région (devoir) .... participer activement aux projets d'économie solidaire.

j. Hamid préfère que ses parents (ne pas faire) .... de paiements dématérialisés.

4 | Complétez les phrases suivantes.

a. Je trouve que les commerçants ....

b. Je regrette que les monnaies locales ....

c. Vous voyez, il faut que vous ....

d. Il est normal que ....

e. On prétend que ....

f. J'ai eu l'impression que ....

g. Il a peur que ....

h. Je sens que ....

Entraînez-vous !

Cahier d'activités

l'essentiel

Grammaire/Vocabulaire

1 Complétez les phrases avec deux pronoms personnels compléments.

a. Le coordinateur de l'association qui gère la monnaie locale invite les adhérents à une réunion d'information. Tu peux .... dire ?

b. Nos représentants vont présenter notre projet pour une demande de subvention. Juliette pourrait .... préparer ?

c. Les acteurs locaux sont très motivés par les circuits courts et ils veulent comprendre le fonctionnement des projets. Vous pouvez .... parler ?

d. J'ai pu prendre des photos lors du dernier défilé de mode de Dakar, je .... montre quelques-unes.

e. Si tu as besoin d'un nouveau stylo, n'en achète pas ! Je peux .... prêter un.

f. Tu consommes des produits bio ? Parce que j'ai des tomates sans pesticide dans mon jardin. Je .... garde un kilo ?

g. Je ne vais pas au centre commercial près de chez moi. Mon voisin y est tout le temps, et je préfère ne pas .... croiser.

h. Je vais à la boutique sans argent, si tu veux venir, je peux .... conduire.

i. Vous cherchez les coordonnées de l'association de consommateurs ? Oui, donnez .... s'il vous plaît.

2 🎧11 Écoutez les phrases et dites si le verbe après *que* est au subjonctif ou à l'indicatif.

3 Conjuguez le verbe entre parenthèses au mode correct.

a. J'espère que les soldes (*être*) .... intéressants cette année.

b. Je serais très heureux que vous (*participer*) .... au défilé de slow fashion.

c. Il est vraisemblable que la crise économique (*durer*) .... un moment.

d. Je suis sûr que ton concept (*aller*) .... avoir du succès.

e. J'ai l'impression que le cours de marketing n' (*être*) .... pas passionnant.

f. Il est peu probable que l'association de consommateurs (*pouvoir*) .... nous aider.

4 Complétez le texte avec la proposition *à* ou *de* si nécessaire.

a. Je suis enfin parvenu .... faire des économies ce mois-ci.

b. Alain s'est chargé .... faire les courses.

c. Nous nous sommes abstenus .... aller au supermarché pendant un mois.

d. Hamid nous a interdit .... rentrer à nouveau dans ce magasin de seconde main. On dépensait trop…

e. Ça sert .... quoi ça ?

f. Elle n'espérait pas .... payer moins cher pour un sac à dos.

g. Je te suggère .... adopter la méthode BISOU pour dépenser moins.

h. Yves a renoncé .... acheter une voiture pour partir autour du monde.

i. Si tu continues comme ça, tu risques .... te retrouver sans un sou.

j. Noé persiste .... croire qu'il fait toujours de bonnes affaires.

5 Complétez le dialogue.

Lucas : Tu as fait les soldes cette année ?

Marco : Oh non, il y a trop de monde. Je n'aime plus ça. Je préfère faire mes achats .... Je paye avec ma .... et je me fais livrer.

Lucas : Mais c'est un peu solitaire, non ? Ça ne te manque pas le contact avec les commerçants ? Tu peux te faire conseiller. Et puis il y a le paiement .... maintenant. C'est bien de soutenir le petit commerce.

Marco : Ça dépend… J'achète en ligne mais je suis attentif à la .... des produits, que ce soit des vêtements ou l'épicerie. Je fais en sorte d'acheter directement au producteur. Ça élimine des ...., donc c'est moins cher. J'évite les sites qui vendent des produits trop industriels et je privilégie les circuits courts.

Lucas : Oui, c'est vrai. Mais moi j'aime bien voir les produits en ....

Atelier médiation

Faire connaître l'économie sociale et solidaire

Objectifs du projet
- Interpréter des informations issues d'un document officiel
- Sélectionner des informations pertinentes destinées à un public précis
- Transmettre des informations sur les droits et les devoirs

1 Situation

- **Document a :** un(e) de vos ami(e)s vient s'installer à Nantes et cherche du travail. Vous l'informez sur le secteur de l'économie sociale et solidaire et les possibilités d'emploi qu'il offre.

- **Document b :** vous travaillez dans une mairie et vous voulez convaincre votre maire d'encourager le secteur de l'économie sociale et solidaire. Vous l'informez du dynamisme du secteur pour le/la convaincre.

2 Mise en œuvre

- Individuellement, lisez le document iconographique correspondant.
  À deux, sélectionnez les 5 ou 6 informations les plus importantes à transmettre à votre interlocuteur(-trice).

- Jouez la scène avec un(e) camarade qui va jouer le rôle de votre ami(e) ou du maire.

Stratégies — Comment distinguer et réutiliser des informations pertinentes

- Dans cet exercice de médiation, il s'agit de sélectionner des informations pertinentes dans le but de les réutiliser pour convaincre une autre personne.
  Pour identifier les données qui vous seront utiles, il vous faut établir une stratégie :

  – définir ce que vous cherchez : quel type d'information et dans quel but. Pensez aux mots importants que vous allez rechercher ensuite dans le document iconographique ;

  – repérer dans le document les informations pertinentes : recherchez les mots clés qui correspondent à votre recherche. Sélectionnez des données qui pourront enrichir votre argumentation mais ne vous écartez pas de votre sujet ;

  – trier et ordonner les informations : comment allez-vous les réutiliser dans votre argumentation ? Choisissez celles sur lesquelles vous allez insister pour organiser votre propos. Distinguez-les de celles qui viendront enrichir votre thèse et offrir un autre point de vue.

Documents médiation

Stratégies Compréhension de l'oral

> Ces stratégies sont utiles pour préparer et réussir le DELF B2 (cf. épreuve blanche p. 189). L'épreuve dure 30 minutes.

Ces stratégies vous seront utiles pour réussir au mieux les exercices de compréhension orale du livre et pour préparer l'épreuve du DELF B2.

L'épreuve de compréhension orale du DELF B2 comporte trois exercices. Dans les deux premiers exercices, vous devez comprendre le contenu en détail d'un document, après deux écoutes. Dans le troisième exercice, vous devez comprendre de façon globale le contenu de trois courts documents, après une seule écoute.

Dans les exercices 1 et 2, il s'agit d'un document de type radiophonique qui dure de 2 minutes 30 à 3 minutes, par exemple un bulletin d'information, une interview, une chronique, un extrait de débat. Le premier exercice porte sur des thématiques publiques ou personnelles et le deuxième sur des questions liées à l'éducation ou au monde du travail. Chaque exercice comprend 7 questions de type QCM et est noté sur 9 points.

Dans l'exercice 3, les trois documents portent sur des situations de la vie réelle, des conversations formelles et informelles, des émissions de radios ou des annonces. Chaque document dure de 60 à 80 secondes et les thématiques sont variables. L'exercice comprend 6 questions de type QCM (2 questions par document) et est noté sur 7 points.

Pour être prêt(e) le jour de l'épreuve

Écoutez régulièrement les radios francophones et ayez le réflexe d'identifier le type d'émission, le sujet, les locuteurs, leur ton ainsi que les différents points de vue exprimés.

Faites le tri ! Ne retenez que les informations essentielles. Dans l'épreuve, certaines questions porteront sur un élément précis tel que la fonction d'une personne, des données chiffrées, le nom d'un organisme, une date, etc. Notez ce type d'information car vous risquez de les oublier. Ne vous inquiétez pas si vous ne comprenez pas tout, ce n'est pas l'objectif de l'exercice.

Au moment de l'épreuve, lisez toujours avec une grande attention les questions des exercices avant d'écouter l'enregistrement. Cela vous permettra d'orienter votre écoute.

 **158 Exercice type 1 et 2** *(9 points)*

Vous allez écouter 2 fois un document.

Vous écoutez une émission de radio. Lisez les questions, écoutez puis répondez.

1 I Les chiffres sur notre consommation de bouteilles en plastique sont… *(1,5 point)*
  - A ☐ en constante augmentation.
  - B ☐ parfois contradictoires.
  - C ☐ stables depuis quelques années.

2 I Quelle proportion des bouteilles en plastique est recyclée ? *(1 point)*
  - A ☐ le quart
  - B ☐ le tiers
  - C ☐ la moitié

3 I Face à la bouteille en plastique, la gourde apparaît comme… *(1 point)*
  - A ☐ une contrefaçon.
  - B ☐ une super-héroïne.
  - C ☐ un accessoire d'élégance.

4 I Une gourde a moins d'impact qu'une bouteille en plastique si… *(1,5 point)*
  - A ☐ elle a été fabriquée en France et est certifiée.
  - B ☐ on a seulement une gourde et on ne la perd pas.
  - C ☐ elle est nettoyée régulièrement et qu'on en prend soin.

Unité 2

5 | Seule la Chine fabrique de l'inox isotherme car c'est le seul pays.... `1,5 point`
- A ☐ à avoir accès aux matières premières nécessaires.
- B ☐ à disposer des installations industrielles nécessaires.
- C ☐ à posséder le savoir-faire industriel nécessaire.

6 | Qu'apprend-on sur les gourdes en plastique ? `1,5 point`
- A ☐ Elles sont plus légères mais aussi plus chères.
- B ☐ Elles sont moins chères mais moins solides.
- C ☐ Elles sont légères mais plus polluantes.

7 | Les fabricants de gourdes proposent différents modèles pour… `1 point`
- A ☐ faire de la gourde un accessoire tendance.
- B ☐ répondre aux différents besoins des consommateurs.
- C ☐ plaire à tous les publics.

159 Exercice 3 `7 points`

Vous allez écouter 1 fois 3 documents.

Lisez les questions. Écoutez le document et répondez.

Document 1

1 | Que se passe-t-il quand on est en vacances longtemps ? `1 point`
- A ☐ Le cerveau reprend des forces.
- B ☐ On perd des capacités intellectuelles.
- C ☐ Les neurones fonctionnent mieux.

2 | Qu'est-ce qui rend le cerveau heureux ? `1 point`
- A ☐ les émotions fortes et le sport
- B ☐ les études et le calme
- C ☐ la nouveauté et les émotions

Document 2

1 | Quelle est la particularité de ces vêtements stimulants ? `1 point`
- A ☐ Ils reproduisent une grande variété de sensations.
- B ☐ Ils sont reliés à un micro-ordinateur.
- C ☐ Ils donnent de l'énergie ou tranquillisent selon la demande.

2 | Qu'est-ce qui produit l'effet stimulant ? `1,5 point`
- A ☐ Le type de tissage du coton.
- B ☐ La combinaison du tissu avec le type de vibration.
- C ☐ L'interaction entre la peau et le tissu.

Document 3

1 | Avant, Ethichoc faisait fabriquer ses tablettes par… `1 point`
- A ☐ des petits producteurs locaux.
- B ☐ une entreprise européenne.
- C ☐ différents ateliers de chocolat en Europe.

2 | Quel est l'avantage de relocaliser pour cette entreprise ? `1,5 point`
- A ☐ C'est plus intéressant économiquement pour tous.
- B ☐ Il est plus facile de prendre des décisions stratégiques.
- C ☐ Le chocolat est bien meilleur.

Chercher sa voie

Objectifs

- Exprimer son opinion sur la gratuité des études
- Écrire un mail de réclamation à sa direction (DELF)
- Participer à une réunion de travail

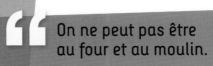

On ne peut pas être au four et au moulin.

Documents

A ▎ Le but de l'éducation

Mustapha Fahmi est professeur de littérature anglaise à l'UQAC (Université du Québec à Chicoutimi). Il a notamment publié un ouvrage de philosophie, *La leçon de Rosalinde*, qui présente un ensemble de réflexions sur des notions telles que l'amour, l'éducation, l'écologie, etc.

1 Le but de l'éducation, selon Aristote, est de nous permettre de faire un usage noble de notre temps libre. Voilà qui va à l'encontre de la pensée pragmatique qui prévaut aujourd'hui, selon laquelle le but de l'éducation est surtout de nous fa-
5 ciliter l'accès au marché du travail. Sans prôner une éducation élitiste limitée aux personnes n'ayant pas besoin de travailler, il est tout à fait possible de proposer une approche humaniste inspirée de celle qui est à l'origine de notre système éducatif. Pour y arriver, il suffit de distinguer deux no-
10 tions : d'une part, la formation, qui nous aide à développer des habiletés nous permettant de « vivre » adéquatement à l'intérieur d'un système social ; d'autre part, l'éducation, qui transcende les systèmes et dont le but est de nous permettre de « bien vivre » dans le monde. Les étudiants sont
15 ainsi considérés dans leur ensemble, non seulement en tant que futurs employés, mais surtout en tant que citoyen à la recherche d'un savoir susceptible de les mener au bon-
20 heur. La question d'un avenir professionnel est importante, certes, mais elle ne devrait pas
25 réduire l'éducation à un simple moyen pour satisfaire les demandes du marché. Comprendre cela, c'est comprendre ce qu'Aristote voulait dire en parlant d'un usage noble de notre temps libre : on s'éduque pour devenir de
30 meilleures personnes et pour rendre notre société meilleure.

Mustapha FAHMI, *La leçon de Rosalinde*, 2018

 Compréhension écrite

Entrée en matière

1 ▎ À quelle discipline ce texte se rattache-t-il ?

Lecture

2 ▎ Quelles sont les deux visions de l'éducation qui s'opposent dans le premier paragraphe ?

3 ▎ Qu'est-ce qui fait la différence entre la formation et l'éducation ?

4 ▎ Comment les étudiants devraient-ils être considérés ? Pour quelles raisons ?

Production écrite

5 ▎ Selon vous, quel est le but de l'éducation ?

B ▎ L'éducation a remplacé la richesse 14

Monique Dagnaud
Jean-Laurent Cassely

Génération surdiplômée

Les **20 %** qui **transforment** la **France**

Odile Jacob

> « Cette course au diplôme ne s'arrête jamais. »

Compréhension orale

1ʳᵉ écoute (du début à 0'56")

1 ▎ Selon les auteurs, qu'est-ce qui représente la vraie richesse ? Citez les trois verbes qui sont mentionnés.

2 ▎ Selon Jean-Laurent Cassely, qui admire-t-on aujourd'hui ?

2ᵉ écoute (de 0'57" à la fin)

3 ▎ Quel paradoxe est soulevé par la journaliste ?

4 ▎ Pourquoi ne s'applique-t-il pas en France ?

5 ▎ Que transmettent les parents des milieux favorisés à leurs enfants, en plus de l'argent ?

6 ▎ Quelle est la particularité des enfants d'enseignants ?

7 ▎ Aujourd'hui, dans la course aux diplômes, quel diplôme peut-on chercher à obtenir en plus d'un Bac + 5 ?

C I L'apprentissage en entreprise

1 Après une prépa PTSI, au lycée polyvalent de Cachan, Alessandro Giannelli intègre Arts et Métiers en cursus apprenti. Son premier choix !
5 Lui qui en avait assez de la théorie souhaitait intégrer une formation concrète, découvrir le monde du travail sans attendre et pouvoir valoriser son expérience professionnelle sur
10 son CV. Le programme Grande École en cursus apprenti est pour lui l'occasion d'appliquer directement les compétences acquises à Arts et Métiers au service de la SNCF.

15 **Une formation qui répond à un besoin des entreprises.** Alessandro est rattaché au service Méthodes du site d'Achères, un site d'une grande diversité où sont gérés les maintenances des
20 lignes L et J Transilien, l'entretien des locomotives pour la ligne normande et les activités fret.
Ses missions : adapter des fiches de maintenance nationale au site sur le-
25 quel il opère, répartir les tâches entre les agents, et concevoir des pièces pour améliorer le site de maintenance. « L'enjeu est d'essayer de réduire le temps de maintenance, de diminuer
30 la fatigue des agents et les risques. Je travaille, par exemple, à la conception d'un pont ou d'une potence qui permettrait de soulever les matériels pour permettre aux agents de tra-
35 vailler au sol et non en hauteur », explique Alessandro.

Un rythme qui demande de la rigueur. Alessandro passe un mois en entreprise et un mois à l'école. Ce rythme lui
40 permet de se focaliser sur ses missions à la SNCF et ensuite de se remettre dans le bain des cours. L'apprentissage mérite cependant de la rigueur, « il faut savoir bien gérer son temps entre les
45 missions en entreprise et le travail des cours. C'est un investissement personnel assez important mais très riche ! ». Alessandro et son tuteur ont des points réguliers pour suivre l'état d'avance-
50 ment de ses missions. Quand Alessandro n'est pas en cours, il travaille en présentiel sur le site.

Une application concrète des enseignements. « Au début d'une mission,
55 l'approche terrain est très importante. On se voit régulièrement et Alessandro rencontre aussi les agents et les responsables de service pour mieux appréhender le métier d'ingénieur »,
60 précise Xavier Cappe de Baillon, son tuteur. Ce qui est intéressant, c'est de permettre à l'étudiant de mettre en application certains préceptes de la formation. « Ce rythme alterné permet à
65 l'apprenti d'avoir un pied directement dans l'entreprise, et à la fin de son cursus de bien appréhender le monde professionnel ».

Des missions qui évoluent. Pendant
70 3 ans Alessandro verra ses missions évoluer, c'est un gage de confiance entre lui et l'entreprise. Pour son

tuteur : « L'objectif c'est qu'il puisse monter en compétences sur les trois
75 années. Il travaille actuellement sur des missions courtes mais nous souhaitons qu'il devienne autonome sur de nouvelles tâches comme suivre un projet d'industrialisation de A à Z. Au
80 bout des trois ans, notre ambition est qu'il ait acquis le métier d'ingénieur Méthode. »

Un gain de maturité. Pour Alessandro, c'est tout l'intérêt du cursus apprenti.
85 Acquérir de l'expérience et travailler sur des missions variées pour répondre aux besoins de l'entreprise. « Pour moi, le gain de maturité est le point fort de ce cursus. Nous avons
90 de belles responsabilités qui ont un impact sur la vie de l'entreprise, c'est très valorisant. »

Témoignage d'Alessandro,
Arts et Métiers, 11 mars 2021

 ## Compréhension écrite

Entrée en matière

1 I Selon vous, qu'est-ce qu'un cursus en alternance ?

Lecture

2 I Quel est le parcours d'Alessandro dans l'éducation supérieure ?

3 I Pourquoi a-t-il choisi cette formation ?

4 I Quels sont selon lui le principal intérêt et la difficulté majeure de ce cursus ?

5 I Qu'est-ce qui est géré sur le site où Alessandro travaille ?

6 I Quelles sont ses missions actuelles ? Quel est leur objectif principal ?

7 I Qui encadre son travail ?

8 I Les missions d'Alessandro sont-elles amenées à évoluer ? Justifiez votre réponse en donnant un exemple.

 ## Production orale

9 I Les cursus en apprentissage existent-ils dans votre pays ? Si oui, quels secteurs concernent-ils ? Sont-ils valorisés ?

10 I Que pensez-vous de ce type de cursus ? En avez-vous déjà suivi un ? Aimeriez-vous en suivre un ? Pourquoi ?

Unité 3

Grammaire

Exprimer le but

Échauffement

1 ▪ Quel est le rôle des énoncés soulignés ?
a. <u>Le but</u> de l'éducation est de nous faciliter l'accès au marché du travail.
b. On s'éduque <u>pour devenir</u> de meilleures personnes et <u>pour rendre</u> notre société meilleure.
c. <u>L'objectif</u> c'est qu'il puisse monter en compétences.
d. <u>Notre ambition</u> est qu'il ait acquis le métier d'ingénieur.
e. <u>L'enjeu</u> est d'essayer de réduire le temps de maintenance.
f. Il rencontre les agents et les responsables <u>pour mieux appréhender</u> le métier d'ingénieur.

Fonctionnement

2 ▪ Complétez les listes suivantes en classant les énoncés soulignés dans la bonne catégorie.

Pour exprimer le but, on peut utiliser :			
des noms	**des verbes**	**des conjonctions suivies du subjonctif**	**des prépositions suivies de l'infinitif**
• la destinée • la fin • l'intention • le projet • la visée	• atteindre un but • avoir pour but / pour objectif • destiner à • faire tout pour que • poursuivre / suivre un but • viser à • faire en sorte de	• afin que • pour que • de façon que • de manière que • de sorte que *Ces trois dernières locutions peuvent être suivies de l'indicatif (conséquence) ou du subjonctif (but).*	*Si c'est le sujet du verbe principal qui accomplit l'action exprimée par le verbe :* • afin de • dans le but de • dans l'intention de • en vue de • dans le dessein de • de façon à • de manière à • histoire de (*fam.*) ....
des locutions	**des prépositions suivies d'un nom**		
• à cette fin • à ce but	• pour • en vue de		

Entraînement

3 ▪ Complétez les phrases suivantes en utilisant une expression de but différente à chaque fois.
a. Cette formation a pour .... de faire acquérir un métier.
b. Nous avons pris des mesures .... favoriser la réussite des étudiants.
c. Elle suit une formation en alternance .... développer théorie et pratique.
d. Les études sont gratuites .... les plus méritants puissent s'inscrire.
e. Elle refait son CV .... un changement de travail.

4 ▪ Présentez le but de chacune de ces actions en utilisant des expressions variées.
Exemple : Reprendre des études → J'ai repris des études <u>afin d'obtenir une promotion</u>.
a. prêter ses cours
b. faire un séjour linguistique
c. choisir l'alternance
d. écrire à son tuteur
e. obtenir un double diplôme

Entraînez-vous !

Cahier
d'activités

Documents

D I Grandes écoles et mixité 15

> Rien n'a changé depuis quinze ans.

Compréhension orale

1re écoute (en entier)

1 I Quelle est la profession des intervenants ?

2 I Quelles sont les trois caractéristiques que Julien Grenet étudie chez les étudiants des grandes écoles ?

3 I Quand on observe ces critères, qui est sur-représenté dans les grandes écoles ?

4 I Quel est le principal reproche que Julien Grenet adresse aux dispositifs d'aide qui existent ?

2e écoute (en entier)

5 I De quand datent les dispositifs mis en œuvre en France ?

6 I Citez deux dispositifs existants. Combien d'élèves concernent-ils ?

7 I Où sont concentrées les principales classes préparatoires et grandes écoles ?

8 I Quelles sont les propositions concrètes qui sont formulées ?

Production orale

9 I Connaissez-vous des dispositifs qui permettent de favoriser la mixité scolaire ? Pensez-vous que cela soit important d'agir en ce sens ? Pourquoi ?

E I Les écoles de la 2e chance

Qui peut entrer dans une école de la deuxième chance ?
Les écoles de la deuxième chance accueillent des jeunes de 16 à 25 ans qui sont sortis du système scolaire
sans qualification et sans diplôme. Elles font partie des
10 dispositifs mis en œuvre pour les aider à accéder à une formation qualifiante et à intégrer le marché du travail.

Un parcours et un accompagnement individualisé
Les écoles de la deuxième chance proposent un parcours qui repose sur 3 volets : une remise à niveau des savoirs
15 de base (français, mathématiques, culture générale, bureautique, savoir-être), des stages en entreprise (près de la moitié du temps du parcours) et des activités culturelles et sportives. La durée du parcours au sein d'une E2C varie de 4 mois à 2 ans selon le niveau du jeune à son entrée et

20 du projet établi. À la fin de son parcours, le stagiaire reçoit une attestation de compétences acquises.

Comment intégrer une « E2C » ?
Il existe plus d'une centaine de sites-écoles, réparties sur le territoire. Pour entrer dans une E2C, le seul critère de
25 sélection est la motivation. À l'entrée, les écoles procèdent à des entretiens individuels avec un jury pour détecter chez les candidats une réelle envie de s'engager. Vous pouvez intégrer une E2C tout au long de l'année.

Après l'E2C, quelles solutions pour les jeunes ?
30 Les écoles de la deuxième chance privilégient les sorties vers la formation qualifiante et en alternance (préparation d'un CAP, d'un bac professionnel). Mais dans tous les cas, les jeunes doivent sortir des E2C avec un projet professionnel abouti et réaliste en terme d'emploi, quitte
35 à développer plusieurs projets parallèles pour s'assurer le succès d'au moins l'un d'entre eux.

Onisep, 6 septembre 2021

Compréhension écrite

Lecture

1 I À qui s'adressent les écoles de la 2e chance ?

2 I Quel est l'objectif des E2C ?

3 I Quelles sont les matières étudiées et les activités proposées ?

4 I À la fin de son parcours, le stagiaire obtient-il un diplôme ? Justifiez votre réponse en citant une phrase du texte.

5 I Quelle épreuve permet de sélectionner les candidats ?

6 I Que doivent impérativement réaliser tous les jeunes inscrits en E2C avant leur sortie ?

Production écrite

7 I Que pensez-vous de ce dispositif ?

Unité **3**

Vocabulaire

Jouez avec les mots !
p. 10 « Une histoire en équ...

La formation et les études

La formation
- l'acquisition (*f.*), acquérir
- s'améliorer, améliorer la société
- l'apprentissage (*m.*), apprendre
- l'autonomie (*f.*)
- la culture, se cultiver
- évoluer
- l'insertion professionnelle
- l'instruction (*f.*) / s'instruire

L'accès à l'enseignement supérieur
- l'aide (*f.*) à la mobilité
- la bourse
- le capital culturel
- la composition sociale
- le cursus
- la diffusion de l'information
- la discrimination positive
- le dispositif d'aide
- l'exonération (*f.*) des frais d'inscription
- le mérite
- la mixité sociale
- l'origine (*f.*) géographique
- la répartition filles-garçons

1 ı À quel mot des deux listes précédentes correspond chaque définition ?
- **a.** Épanouissement d'un être humain correspondant généralement à l'âge adulte.
- **b.** Dispenser de payer quelque chose.
- **c.** Capacité de décider et d'agir par soi-même.
- **d.** Somme donnée par un organisme à un élève.
- **e.** Tenter, par un travail assidu, de développer ses qualités et ses connaissances.

 Production orale

2 ı Pensez-vous qu'il est important que l'accès aux études soit gratuit ?

Les établissements de formation
- le centre de formation
- le centre de formation d'apprentis (CFA)

- la classe préparatoire, la prépa
- l'école de la 2e chance
- la grande école
- le lycée
- l'université (*f.*)

Les personnes
- l'apprenti(e)
- le boursier / la boursière
- l'enseignant(e)
- l'étudiant(e)
- le formateur / la formatrice
- le / la lycéen(ne)
- le / la stagiaire
- le tuteur / la tutrice

L'organisation des enseignements
- l'alternance (*f.*)
- le contrat d'apprentissage
- le cours
- le cours magistral
- la conférence
- la convention de stage
- la discipline
- la matière
- l'option (*f.*), optionnel
- le parcours
- la pratique
- le programme
- le séminaire
- le stage
- la théorie
- les travaux dirigés (TD)
- les travaux pratiques (TP)

3 ı Complétez le texte avec les mots manquants :
théorie – pratique – tutrice – stage – classe préparatoire – alternance – grande école.
Après deux années en .... , Théo a choisi de suivre une formation en .... dans une .... : il apprend la .... en classe et fait de la .... pendant son .... , où il est suivi par sa ....

L'évaluation
- le certificat
- la compétence
- le concours

- le contrôle
- le crédit
- le critère
- le diplôme, obtenir son diplôme
- la dissertation
- le double diplôme
- l'échec (*m.*), échouer
- l'épreuve (*f.*)
- manquer, sécher les cours
- la mention
- le partiel
- préparer, passer, réussir son examen
- la qualification
- rater son examen
- le rattrapage
- le redoublement, redoubler
- la réussite
- réviser
- la sélection
- le succès

4 ı Dans la liste ci-dessus, rechercher le ou les synonyme(s) de :
- **a.** préparer son examen
- **b.** se présenter à un examen
- **c.** échouer à son examen
- **d.** ne pas aller en cours
- **e.** refaire la même année de cours

 Production écrite

5 ı Vous souhaitez changer de vie professionnelle et vous inscrire dans une formation courte qui vous permettra d'apprendre un nouveau métier. Choisissez le métier qui vous intéresse, puis écrivez une lettre au responsable de la formation pour lui expliquer votre motivation et démontrer que vous êtes capable de suivre et de réussir la formation.

Entraînez-vous !

Cahier d'activités

Cultures

Devenir volontaire

F | Recrutement en service civique

1 | D'après ces documents, que permet le volontariat ?

2 | Partagez-vous ces points de vue ?

3 | Avez-vous déjà vécu une expérience de bénévolat ou de volontariat ? Si oui, que vous a-t-elle apportée ? Et qu'avez-vous apporté aux autres ?

4 | Dans quels domaines aimeriez-vous vous investir comme bénévole ou volontaire ? Pour quelles raisons ?

G | Foulematou, volontaire malienne en France

1 Foulematou a 24 ans, est malienne et rêve de devenir réalisatrice de cinéma. Dans le cadre de la Saison Africa2020 et d'un partenariat entre l'Institut français et France volontaire, elle réalise une mission de service 5 civique au sein de L'Échangeur, une association artistique à Château-Thierry. Elle nous raconte son expérience.

Peux-tu te présenter et présenter ton parcours ?
Je me nomme Foulematou Natalia Sylla, je suis malienne, j'ai 24 ans. J'ai une licence pro en mise en scène théâtre et j'ai suivi des formations accélérées 10 dans la réalisation cinéma et télé.

Que signifie le volontariat pour toi ?
Être volontaire pour moi, c'est de donner son temps, ses expériences et son amour dans un domaine choisi.

Quelles ont été tes motivations pour partir en tant que volontaire ?
15 La découverte d'un nouveau monde et la recherche d'expérience dans un univers différent.

Peux-tu présenter ta structure ?
Ma structure se nomme Blonba, c'est une structure culturelle qui accueille des artistes en spectacle. J'y ai effectué un stage de janvier à décembre 2020. 20 Pendant mon stage, j'ai assisté Alioune Ifra dans la mise en scène de ses spectacles théâtraux. J'ai aussi aidé à la planification, l'organisation et la mise en place des spectacles.

Quelles sont les compétences que tu acquiers en ce moment dans ta mission, et qui te semblent importantes pour tes projets futurs ?
25 Mon expérience dans le domaine du montage se développe, je découvre et j'apprends des techniques de montage et des logiciels essentiels dans le domaine de la vidéo.

Qu'est-ce qui te plaît dans ta vie en France, ou au contraire, qu'est-ce que tu trouves difficile, étrange, inattendu ?
30 L'expérience acquise dans ma mission est pour moi primordiale et importante, les rencontres et les échanges sont pour moi un moyen d'apprentissage, d'approfondissement de connaissance sur différentes personnalités des Hommes. Cela me permet d'être plus performante dans mon domaine de scénarisation. L'aspect difficile se trouve au niveau de la distance avec ma famille, et le froid qui est un point climatique légèrement insupportable.

Témoignage de Foulematou, *France Volontaires*, 8 septembre 2021

Unité 3

Documents

H ▎Questions insolites en entretien

1 « Quel animal me mettriez-vous sur la tête ? », « Vous préféreriez être un radis ou un artichaut ? », « Que feriez-vous si vous étiez enfermé dans un piano ? »,
5 « Comment auriez-vous réagi si nous n'étions pas venus à l'entretien ? » Non, ces questions ne viennent pas d'un jeu, mais bien d'entretiens d'embauche animés par des recruteurs un
10 peu loufoques ou provocateurs.

Quand le recruteur cherche à tester vos soft skills*

« Dessine-moi la maison de mes rêves. » C'est la dernière question posée par le
15 co-fondateur d'une start-up française à Marina, qui postulait comme Office Manager. « J'ai été prise au dépourvu. Il m'a tendu un feutre, m'a montré un tableau blanc, et je me suis lancée. J'ai
20 commencé à dessiner une longue allée, bordée d'arbres et de spots lumineux. Puis une jolie maison, remplie de personnages aux visages souriants. Je me suis retournée, plutôt satisfaite, et il a
25 rapidement cassé mon enthousiasme. Il m'a expliqué qu'il était très sensible à la lumière, allergique au pollen et qu'il aimait être au calme quand il rentrait chez lui. Aïe ! J'ai compris que j'étais
30 tombée dans le piège : j'ai dessiné la maison de MES rêves à moi, sans l'interroger sur ses envies à lui. »

Quand le recruteur cherche à connaître votre personnalité

35 « J'étais en vacances d'été, quand une grande entreprise m'a recontactée pour me faire passer une série d'entretiens, rapporte Justine. Dès la première étape, j'ai compris que ce ne serait pas
40 un recrutement comme les autres : « Si tu avais une baguette magique, tu commencerais par faire quoi pour changer le monde ? » Whaou, pas facile ! J'ai répondu que j'utiliserais ce pouvoir pour
45 assembler des Lego en forme de maison et permettre à chacun d'avoir un toit. La recruteuse a acquiescé et m'a dit que c'était créatif. Ouf, première étape passée ! »

50 Parfois, un peu d'humour, plutôt qu'une réponse argumentée, peut vous permettre de vous tirer de la situation avec brio ! C'est l'option qu'a choisi Gatien, à la question « Quel animal se-
55 riez-vous ? ». « Je ne sais pas, mais en tout cas je ne serais pas un blaireau », rétorque-t-il à l'époque, alors qu'il candidate pour un poste de responsable marketing dans une jeune start-up. Un
60 trait d'esprit qui fait rire les fondateurs et leur fait comprendre qu'il ne se laissera pas désarçonner par leurs questions. De l'avis de Justine et Gatien, ces questions offrent une nouvelle manière de
65 se démarquer, ou se challenger. Et c'est bien leur objectif. Car les recruteurs savent que vous vous êtes préparé(e) aux questions classiques. Alors pour juger de qui vous êtes réellement, ils
70 sortent des sentiers battus. Et heureusement, à ce type de question, pas vraiment de mauvaise réponse.

Quand le recruteur cherche à vous déstabiliser

75 Il arrive que les questions deviennent trop personnelles, agressives, intrusives. Elles jouent généralement avec les limites, voire sont interdites. À vous de juger si vous souhaitez y répondre,
80 mais rien ne vous y oblige et vous êtes en droit de le faire remarquer à votre recruteur. Quoi qu'il arrive, demandez-vous si vous êtes prêt(e) à travailler avec une personne comme celle-ci...
85 ou dans une entreprise qui cautionne ces méthodes de recrutement.

Marlène MOREIRA,
Welcome to the jungle, 10 juin 2020

* compétences non-techniques, liées à la personnalité

 ## Compréhension écrite

Entrée en matière

1 ▎Avez-vous déjà passé des entretiens d'embauche ? Si oui, quel type de questions vous a-t-on posé ?

Lecture

2 ▎Dans quel objectif les recruteurs posent-ils des questions insolites ?

3 ▎Relevez les six questions insolites citées dans l'article.

4 ▎Lequel des candidats n'a pas su répondre correctement à la question posée ? Justifiez votre réponse.

5 ▎Comment la recruteuse réagit-elle à la réponse de Justine ?

6 ▎Pourquoi la réponse de Gatien montre aux recruteurs qu'il n'est pas déstabilisé par leur question ?

7 ▎D'après le journaliste, est-on obligé de répondre à ce type de questions ? Justifiez votre réponse en citant une phrase du texte.

Vocabulaire

8 ▎Trouvez dans le texte le synonyme des termes suivants : fou, être surpris, une remarque subtile.

9 ▎Expliquez les expressions suivantes : « sortir des sentiers battus », « être intrusif », « cautionner quelque chose ».

 ## Production écrite

10 ▎Imaginez des exemples de questions insolites qu'un recruteur pourrait poser.

I ▎ Les cuistots migrateurs

3 Compréhension audiovisuelle

Entrée en matière

1 ▎ Observez la capture d'écran : quel est le sujet du reportage ?

1er visionnage (en entier)

2 ▎ Quelle est la particularité des cuisiniers qui travaillent dans cette entreprise ?

3 ▎ Pourquoi les fondateurs de l'entreprise ont-ils choisi la cuisine ?

4 ▎ Quel est le type de contrat qui est proposé aux salariés ?

5 ▎ Grâce à leur travail, que parviennent-ils à faire ?

2e visionnage (en entier)

6 ▎ Dans quel objectif ont-ils choisi de travailler avec ces personnes ?

7 ▎ Proposent-ils des plats originaux ? Justifiez votre réponse en citant une phrase du reportage.

8 ▎ Louis Jacquot a-t-il toujours été quelqu'un d'engagé ?

9 ▎ Comment caractérise-t-il ses employés ?

10 ▎ Qu'est-ce que cela apporte, personnellement, à Louis Jacquot ?

Production orale

11 ▎ Et vous, travaillez-vous dans le secteur de l'économie sociale et solidaire ? Si oui, qu'est-ce qui vous a poussé à le faire ? Sinon, aimeriez-vous le faire ?

Amadou HABA HAIDARA, entrepreneur malien

» En direct sur ⓡ SAVOIRS

J ▎ Investir dans son pays d'origine 16

> " Il s'est positionné sur le marché des fruits tropicaux. "

Compréhension orale

1re écoute (en entier)

1 ▎ Quelle est la profession de Maurice Coulibaly ?

2 ▎ Combien d'entrepreneurs sont cités ?

3 ▎ Est-ce que le programme fonctionne bien ? Justifiez votre réponse.

4 ▎ Combien d'entrepreneurs ont été sélectionnés depuis le début du projet ?

2e écoute (en entier)

5 ▎ Quels sont les projets cités ?

6 ▎ Selon Maurice Coulibaly, quelle est la motivation de ces entrepreneurs ?

Production orale

7 ▎ Seriez-vous prêt(e) à créer votre entreprise ? Pourquoi ? Si oui, quel type d'entreprise créeriez-vous ?

Activité complémentaire
ⓡ SAVOIRS

Unité 3

Grammaire

L'expression de l'hypothèse

Échauffement

1 | À quel temps les verbes sont-ils conjugués dans les phrases suivantes ? Qu'expriment-elles ?
- **a.** Si j'avais une baguette magique, j'utiliserais ce pouvoir pour permettre à chacun d'avoir un toit.
- **b.** Comment auriez-vous réagi si nous n'étions pas venus à l'entretien ?

Fonctionnement

L'hypothèse exprime un fait irréel ou difficilement réalisable. On peut utiliser différentes constructions, qui permettent d'apporter des nuances de sens.

2 | Associez chacune de ces phrases à sa valeur.
- **a.** Si j'avais pu faire un autre métier, je ne serais pas cuisinier aujourd'hui.
- **b.** Si je faisais cette formation, je changerais de métier.
- **c.** Si vous n'étiez pas venus à l'entretien, j'aurais fait un scandale.

> **Rappel**
>
> La condition s'exprime avec SI + présent.
> *Si tu démissionnes il faut écrire / il faudra écrire / écris au directeur.*

- **Si + imparfait + conditionnel présent** : l'action projetée est une éventualité, cela se réalisera ou non. Phrase : ....
- **Si + plus-que-parfait + conditionnel présent** : la situation actuelle aurait pu être différente, cela exprime le regret ou le reproche. Phrase : ....
- **Si + plus-que-parfait + conditionnel passé** : la situation passée aurait pu être différente, cela exprime le regret ou le reproche. Phrase : ....

Le conditionnel passé se forme avec l'**auxiliaire avoir ou être conjugué au conditionnel suivi du participe passé :** *J'aurais aimé être un artiste, tu aurais aimé, il / elle / on aurait aimé, nous aurions aimé, vous auriez aimé, ils / elles auraient aimé.*	On peut aussi exprimer l'hypothèse :		
	avec des conjonctions : en admettant que, à supposer que, à condition que, à moins que + subjonctif *Ex : En admettant que tu réussisses tes examens, que ferais-tu l'an prochain ?* au cas où, dans l'hypothèse où + conditionnel *Ex : Il faudrait préparer un nouveau recrutement, au cas où il démissionnerait.*	**avec des prépositions :** à condition de, à moins de, faute de + infinitif *Ex : Faute de venir au bureau à l'heure lundi, vous serez licencié.* en cas de, avec, sans, en l'absence de + nom *Ex : En l'absence d'instructions contraires, j'enverrai le courrier tel quel.*	**avec d'autres structures :** verbe au conditionnel + verbe au conditionnel *Ex : Tu serais à ma place, qu'est-ce que tu ferais ?* verbe au gérondif + verbe au conditionnel *Ex : En suivant cette formation, tu développerais de nouvelles compétences.*

Entraînement

3 | Conjuguez le verbe à la forme correcte : plusieurs réponses sont parfois possibles.
- **a.** S'ils (*obtenir*) .... un financement, ils (*s'inscrire*) .... à cette formation.
- **b.** En cas de grève du personnel, vous y (*participer*) .... ?
- **c.** Si je (*être*) .... toi, je (*changer*) .... de travail.
- **d.** Si nous (*avoir*) .... les moyens, nous (*prendre*) .... une année sabbatique.
- **e.** En regardant les choses du bon côté, tu (*s'épanouir*) .... dans ce métier.

 Production écrite

4 | Et vous, que feriez-vous si vous aviez une baguette magique ?

5 | 🎧 17 Intonation

Les phrases avec Si. Associez chaque phrase à ce qu'elle exprime : une justification, un regret, une excuse, un reproche, un remerciement ou une hypothèse.

Entraînez-vous !

Cahier d'activités

Documents

K ▎ Le « phygital » fusionne télétravail et présentiel

1 Dans la foulée d'une année 2020 où l'entreprise a dû se réinventer, le « phygital », fondé sur l'aller-retour entre distanciel et présentiel, facilite la personnalisation du rapport au travail. Certaines personnes n'aiment pas
5 choisir. Pour ne plus être tiraillé, Jean-Pascal a décidé de ne plus choisir entre retrouver ses collègues et télétravailler : par cet acte fondateur, il vient d'entrer dans la matrice du « phygital ».
Le mot-valise a des airs de voyage entre deux mondes
10 que tout oppose : « physique » versus « digital », matériel versus immatériel, bureau versus télétravail…
Il provient du marketing et fut déposé en 2013 par l'agence australienne Momentum. Un magasin phygital, c'est un point de vente physique plus rentable, car il intègre les
15 méthodes du digital. Un écran tactile pour mieux se repérer dans un centre commercial tentaculaire, une borne de commande dans un fast-food, un QR code sur certains produits pour savoir s'ils contiennent plutôt des sulfites ou des nitrites, une commande en « *click and collect* »… Cet
20 aller-retour, inimaginable il y a dix ans, est devenu courant. En management aussi le phygital défend l'idée que les contraires peuvent s'accorder en toute harmonie et permettre aux salariés d'être plus efficaces. Si l'on voit le verre à moitié plein, il s'agit d'extraire le « meilleur
25 des deux mondes » en créant une cohérence. Selon la professeure de management Isabelle Barth, le phygital permet d'« offrir au salarié une qualité de vie au travail
30 augmentée ».
Sa force serait l'adaptation et sa capacité à personnaliser le travail selon les compétences et affinités de chacun. Il y a des travaux chez moi ? Je vais au bureau. Oh, mais il y a déjà trop de monde au bureau aujourd'hui ? Aucun souci,
35 j'irai dans un espace de coworking ! Le choix du mode de travail peut aussi se faire en fonction de l'activité du salarié : par exemple, un commercial n'a pas forcément besoin de la présence de ses collègues pour être efficace. Reste à trouver l'équilibre. Il y a peu, le « tout-bureau »
40 avec une once de télétravail était la norme. La logique semble s'être inversée, posant la question de l'intérêt du physique.
Imaginons-nous alors un salon coloré, minutieusement créé par Sandra, la « *chief phygital officer* » (oui, ce métier
45 existe), où les salariés en télétravail ne viendraient que pour se retrouver sur des poufs et échanger en mode informel. Alors, véritable moment de convivialité ou goutte d'eau dans un océan devenu plus digital que physique ? L'avenir nous dira si le phygital bascule dans un camp ou un autre.

Jules THOMAS, *Le Monde*, 26 avril 2021

📄 Compréhension écrite

Entrée en matière

1 ▎ Comment est formé le terme « phygital » ? Que signifie-t-il ?

Lecture

2 ▎ Donnez un exemple de service présent dans un magasin phygital.

3 ▎ Selon les managers, quel est l'intérêt du phygital pour les salariés ?

4 ▎ Selon quels critères peut-on décider de travailler en présentiel ou en distanciel ?

5 ▎ Quel est le risque soulevé par l'auteur ?

6 ▎ Quel exemple de tâche réalisée par la « *chief phygital officer* » est mentionné ?

💬 Production orale

7 ▎ Aimez-vous étudier ou travailler à distance ? Quels sont les avantages par rapport à l'activité en présence ? Quels sont les inconvénients ?

✏️ Production écrite DELF B2

8 ▎ Le directeur de votre entreprise a décidé de fermer entièrement les bureaux. Au nom de vos collègues, vous écrivez un mail pour exiger que le travail en présence reste possible : vous expliquez quels sont les risques que représente la fermeture et quel est l'intérêt de pouvoir disposer d'un lieu de travail.

▶ **Pour** exprimer le temps

• Vous nous annoncez que la fermeture aura lieu **mercredi en huit ; mercredi en quinze**.
• **Auparavant**, il était inenvisageable d'obliger le salarié à travailler depuis chez lui.
• Nous espérons recevoir votre réponse **dans les meilleurs / dans les plus bref délais ; sous huitaine ; sous huit jours**.

▶ **Pour** exprimer le lieu

• Vous trouverez **ci-joint** les recommandations du Ministère du Travail.
• Dans la liste **ci-contre / ci-dessous**, vous trouverez les noms de l'ensemble des signataires.

Unité **3**

Vocabulaire

Jouez avec les mots !
> p. 10 > « Les phrases loufoc

Le monde du travail

Le travail
- l'activité (f.)
- le (petit) boulot
- la boîte (fam.)
- la branche
- le CDD (Contrat à Durée Déterminée)
- le CDI (Contrat à Durée Indéterminée)
- les cotisations sociales (f.)
- le distanciel
- la fiche de paie
- la fonction
- le (co-)fondateur / la (co-)fondatrice
- la mission d'intérim
- la population active
- le poste
- le présentiel
- le secteur
- la tâche
- le télétravail
- le travail à mi-temps / à temps partiel / à plein temps

L'entreprise
- l'auto-entrepreneur(e)
- le / la cadre
- le / la commercial(e), commercialiser
- concurrencer, la concurrence, le(la) concurrent(e)
- un(e) entrepreneur(e)
- l'espace (m.) de convivialité
- investir, l'investissement (m.), l'investisseur (m.)
- la rentabilité, rentable
- se positionner sur le marché
- la start-up

1 ı Créez une définition pour faire deviner un mot de la liste précédente.

Les secteurs d'activités
- l'administration (f.)
- l'agriculture (f.)
- l'animation (f.)
- l'artisanat (m.)
- la banque, la finance
- le bâtiment
- la communication
- la culture
- l'éducation (f.)
- l'hôtellerie-restauration (f.)
- l'industrie (f.)
- le médico-social
- le numérique
- les services (m.)
- le social
- le tourisme
- les transports
- la vente

🗨 Production orale

2 ı Dans quels secteurs avez-vous déjà travaillé ? Est-il facile de trouver un emploi dans ce secteur ?

3 ı Dans quel secteur aimeriez-vous ou auriez-vous aimé travaillé ?

La recherche d'emploi
- avoir, passer un entretien
- le cabinet de recrutement
- la candidature spontanée
- la compétence
- le CV (Curriculum Vitae)
- le / la DRH (directeur / directrice des ressources humaines)

- embaucher
- l'entretien d'embauche / de recrutement (m.)
- envoyer, poser sa candidature
- la lettre de motivation
- le marché du travail
- obtenir, décrocher un emploi
- l'offre d'emploi (f.)
- la reconversion
- le recruteur, la recruteuse
- les soft-skills

Les conditions de travail
- l'amélioration des conditions de travail (f.)
- l'arrêt de travail (m.)
- le burn-out
- le gel des salaires
- le / la gréviste
- la revendication
- se mettre en grève

Le départ d'une entreprise
- le chômage
- démissionner
- donner sa démission
- être renvoyé, viré (fam.)
- le licenciement, licencier
- mettre à la porte
- la mutation, être muté(e)
- le plan social
- la retraite, prendre sa retraite
- rompre son contrat

4 ı Complétez le texte avec des mots des trois listes précédentes.

Mes relations avec mon directeur étaient extrêmement mauvaises et j'ai fait un .... J'ai été convoqué à un entretien par le ...., j'ai été .... et depuis je suis au .... Tous les jours, je regarde les .... et j'envoie des .... Demain je vais passer .... et j'espère être .... Sinon, je vais suivre .... pour monter en ....

Expressions
- avoir un travail fou / dingue
- bâcler un travail
- un boulot alimentaire
- bosser (fam.) / travailler au noir / au black
- crouler sous le travail
- un gagne-pain

5 ı Associez chaque définition à une expression de la liste précédente.
- **a.** être débordé(e)
- **b.** travailler illégalement
- **c.** négliger un travail
- **d.** faire un travail sans passion

📝 Production écrite

6 ı Faites la liste de tout ce que vous aimez et de tout ce que vous n'aimez pas dans votre travail. Observez le résultat : y a-t-il plus de points positifs ou négatifs ? Comment serait-il possible de changer les aspects négatifs ?

Entraînez-vous !

Cahier d'activités

Grammaire/Vocabulaire

1 | Reformulez les énoncés soulignés pour exprimer le but d'une autre manière.

a. Favoriser la mixité : c'est <u>à cette fin</u> que ce dispositif a été conçu.

b. Elle s'est ré-inscrite à l'université <u>en vue d'</u>une réorientation professionnelle.

c. Avec l'économie sociale et solidaire, on <u>fait en sorte de</u> créer une société plus juste.

d. Les recruteurs posent ces questions <u>dans le but de</u> déstabiliser les candidats.

2 | Répondez aux questions en utilisant si + imparfait + conditionnel présent.

a. Que se passerait-il si les bureaux n'existaient plus ?

b. Que se passerait-il si la formation professionnelle était gratuite et obligatoire ?

c. Que se passerait-il si les réunions étaient limitées à 15 minutes ?

d. Que se passerait-il s'il n'y avait plus de chômage ?

e. Que se passerait-il si les CDI étaient généralisés ?

3 | Transformez les éléments suivants en phrase avec :

si + plus-que-parfait + conditionnel présent (conséquence actuelle),

si + plus-que-parfait + conditionnel passé (conséquence dans le passé).

Pensez à faire les transformations nécessaires (négation notamment).

Exemple : il a suivi une formation
– il a changé de métier
– il est épanoui aujourd'hui
S'il n'avait pas suivi de formation, il n'aurait pas changé de métier
et il ne serait pas épanoui aujourd'hui.

a. Elle est allée au Mali
 – elle a monté son entreprise
 – ses parents sont fiers d'elle

b. Il est devenu cuisinier
 – il a trouvé un travail
 – il se sent bien en France

c. Elle a accepté de travailler pour cette entreprise
 – elle a déménagé
 – elle est malheureuse

d. Elle a bénéficié d'une bourse
 – elle a fait de bonnes études
 – elle est heureuse dans son travail

e. Il est allé dans une E2C
 – il a monté un projet professionnel
 – il est autonome

4 | 📱18 Écoutez les énoncés suivants et dites dans quelle situation ils ont été prononcés.

5 | Complétez le texte avec les mots suivants :

start-up – entrepreneur – bourse – boîte – semestre – commercialise – compétences – investisseurs – rentable – concurrents – grande école – diplômé.

J'ai fait mes études dans une .... Grâce à une ...., j'ai pu faire un .... dans une université étrangère et améliorer ainsi mes .... en langue. Je suis .... depuis 3 mois et je travaille maintenant dans une .... qui .... des objets recyclés. Il s'agit d'une .... qui a été créée par un jeune .... Nous avons de nombreux .... mais pour le moment, l'entreprise est .... et nous trouvons tous les jours de nouveaux ....

Participer à une réunion de travail

» Objectifs
- Prendre la parole en réunion.
- Faire avancer la discussion en invitant autrui à s'y joindre.
- Recadrer une discussion, faire le point.

1 | Situation

Au sein d'une entreprise, la direction veut consulter les salariés pour décider si elle doit ou non garder des bureaux. Les salariés se réunissent pour déterminer une position commune.

2 | Mise en œuvre

▷ **En deux grands groupes, puis en sous-groupes.**

- Constituez deux grands groupes : la moitié de la classe est pour la suppression totale des bureaux, l'autre moitié est contre. Individuellement, chacun rédige ses arguments.

- Associez-vous ensuite avec d'autres élèves qui partagent votre opinion. Formez des petits groupes de 4 ou 5 et attribuez à chaque membre du groupe un trait de caractère dominant : bavard, colérique, diplomate, blagueur, distrait, etc.

- Les groupes ainsi constitués vont pouvoir préparer la réunion : chacun peut choisir quelques phrases qu'il est susceptible de dire en s'appuyant sur les exemples donnés ci-dessous.

- Rapprochez-vous d'un groupe qui défend l'opinion inverse à la vôtre, puis organisez la discussion. Afin de s'assurer que chacun prend la parole de manière équitable, un participant ne peut reprendre la parole que si tous les autres membres de son groupe ont déjà participé.

» Stratégies   **Favoriser la coopération**

- **Pour lancer une discussion, vous pouvez inviter les autres à se joindre à la discussion :**
  - Laura, tu aimerais démarrer ?
  - On s'y met ?

- **Pour faciliter le développement de la discussion, vous pouvez répéter ou faire des remarques à propos de déclarations faites par d'autres :**
  - Une question importante a été soulevée, il est fondamental d'y revenir.
  - Nous pouvons revenir sur ce point s'il-vous-plaît ?
  - Voyons si j'ai bien tout saisi.
  - Alors, ce que vous voulez dire c'est que...

- **Pour recadrer une discussion, vous pouvez peser l'intérêt de certains points :**
  - Nous n'avons pas le temps de voir ça maintenant.
  - Recadrons la réunion et recentrons-nous sur le problème qui nous intéresse.
  - Et si nous passions à autre chose ? On ne va pas s'éterniser sur cette question.
  - C'est un autre sujet me semble-t-il.

- **Pour dresser le bilan d'une discussion, vous pouvez proposer un résumé :**
  - Je crois que nous avons fait le tour de la question : notre conclusion est qu'il est préférable d'abandonner le projet.
  - En résumé, on peut dire que les avis sont mitigés.

Être connecté ou ne pas être

Objectifs

- Écrire une lettre pour sensibiliser à l'illectronisme (DELF)
- Témoigner de son usage des émojis
- Exprimer son inquiétude concernant la surexposition des enfants sur les réseaux sociaux
- S'exprimer sur la cyberdépendance

 Les écrans ne montrent pas toujours la réalité.

Documents

PÉDAGOGIE

MAIS SI, C'EST FACILE : TU CLIQUES LÀ, ENSUITE LÀ, TU DESCENDS, TU CLIQUES DROIT ICI, TU APPUIES SUR ‹ENTRER›, LÀ TU METS TON ADRESSE MAIL, ENSUITE TON MOT DE PASSE...

A ▮ Illectronisme

1 L'illectronisme caractérise toutes les personnes qui ne sont pas autonomes avec les outils du numérique, parce qu'elles n'ont pas la compétence technique ou parce qu'elles ressentent un malaise dès qu'elles doivent réaliser une démarche[1] en ligne. Pour les premiers, l'explication
5 est simple : ils ne savent pas utiliser un ordinateur, un smartphone ou une tablette. La situation des seconds est plus complexe : ils savent utiliser les outils, mais ils ressentent un malaise, parfois incapacitant, dès qu'il s'agit
10 de réaliser une démarche sur Internet, comme un achat ou une procédure administrative. La peur de commettre une erreur et l'inaccessibilité du site Internet sont alors souvent la cause de ce malaise. En effet, certains sites ne sont pas intuitifs ou peu ergonomiques. Pour une personne dont les
15 compétences numériques sont déjà fragiles, la navigation sur le site devient alors très difficile. Et si la démarche est importante (déclaration d'impôt ou demande de carte grise), cette personne risque d'abandonner et se censurer au moment où elle devra commencer une nouvelle démarche.
20 Aujourd'hui, le quotidien des personnes en situation d'illectronisme est fortement affecté car les compétences numériques sont de plus en plus indispensables dans la vie de tous les jours. Au même titre que d'autres savoirs fondamentaux, comme la lecture ou l'écriture, le numérique
25 est devenu un vecteur de citoyenneté et d'inclusion sociale car de nombreux services, notamment publics[2], sont dématérialisés, c'est-à-dire disponibles en ligne.

La dématérialisation des services

Depuis une dizaine d'années, les gouvernements succes-
30 sifs ont d'ailleurs engagé un vaste mouvement de déma-térialisation de certains services publics. La plupart des démarches, qui avant devaient être réalisées à un guichet, les jours de semaine en heures ouvrables, peuvent main-tenant être effectuées en ligne à n'importe quel moment.

35 C'est un gain de temps considérable pour l'usager, qui peut accéder depuis son domicile à tous les services publics, donc à ses droits, sept jours sur sept, vingt-quatre heures sur vingt-quatre. Ce sont aussi des économies budgétaires pour toute la société puisque la disponibilité des services en ligne rend
40 moins nécessaire le maintien de guichets et réduit la pape-rasse administrative. Ce mouvement de dématérialisation administrative a été initié car il correspond à une véritable demande des utilisateurs. Nombre d'entre eux ont délaissé les guichets, leur préférant leur version numérique. Face à
45 l'évolution de ces usages, les pouvoirs publics ont dû adap-ter l'offre : pour proposer un service en ligne de qualité, les guichets peu fréquentés ont été fermés. Mais c'est bien parce que les pratiques ont évolué que l'offre de service public s'est adaptée, et non l'inverse. Toutefois, cette dématérialisation
50 ne doit pas se faire au détriment des plus fragiles et des plus vulnérables ni des personnes en situation d'illectronisme. Ce sont elles qui souffrent le plus des fermetures des gui-chets, notamment en zone rurale où la problématique des usages est aggravée par celle de la connexion à Internet et
55 de la qualité du réseau. 11 millions de personnes sont au-jourd'hui éloignées du numérique, se sentent en difficulté ou n'utilisent pas Internet. C'est pourquoi, le gouvernement, en lien avec les collectivités locales, les entreprises et des associa-tions proposent des solutions concrètes contre cette fracture
60 numérique qui est un facteur d'exclusion sociale.

Extrait du livre blanc « Contre l'illectronisme », réalisé par le syndicat de la Presse Sociale, www.sps.fr/illectronisme, 2019

1. Une démarche est un acte administratif. Par exemple : réaliser une déclaration d'impôt, faire une demande de passeport, etc.

2. Un service public est un service de l'État. Par exemple : la Sécurité sociale, l'Éducation nationale, etc.

 ## Compréhension écrite

Entrée en matière

1 ▮ Observez le dessin. Qu'est-ce qui est drôle dans la situation ?

2 ▮ Selon vous, l'illectronisme concerne-t-il uniquement les séniors ?

Lecture

3 ▮ Pourquoi certaines personnes ne sont-elles pas à l'aise avec le numérique ?

4 ▮ Pourquoi l'illectronisme peut-il représenter un problème majeur dans la vie quotidienne de nos jours ?

5 ▮ Quelles sont les conséquences de la dématériali-sation des services publics pour les usagers ?

6 ▮ Selon l'auteur, qu'est-ce qui est à l'origine de ce mouvement de dématérialisation ?

7 ▮ Qui est le plus durement touché par la dématérialisation ?

8 ▮ Où souffre-t-on particulièrement de la fermeture des guichets d'accueil ? Pour quelles raisons ?

Vocabulaire

9 ▮ Que signifient :
   a. l'usager (l. 35)
   b. la paperasse administrative (l. 40)
   c. la fracture numérique (l. 59)

 ## Production orale

10 ▮ Dans votre pays, les services administratifs sont-ils dématérialisés ? Est-ce un problème ?

B ı Le pass numérique

Qu'est-ce que c'est ?

Ce sont des chèques donnés aux Français exclus du numérique pour bénéficier de séances d'initiation informatique gratuitement. Ce dispositif, qui se matérialise par des carnets de plusieurs coupons, donne aux bénéficiaires le droit d'accéder à des services d'accompagnement numérique.

COMMENT ÇA FONCTIONNE ?

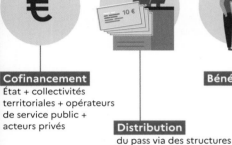

Cofinancement
État + collectivités territoriales + opérateurs de service public + acteurs privés

Distribution
du pass via des structures locales (mairies, missions locales, CAF, Pôle Emploi, ...)

Bénéficiaire

Utilisation du pass
auprès d'un lieu de médiation numérique de proximité

Formation dans une association, une médiathèque, tiers-lieux...

Agence Nationale de la Cohésion des territoires, 2020

Compréhension écrite

Lecture

1 ı Sous quelle forme se présente le pass numérique ?

2 ı Qui peut le recevoir ?

3 ı Où peut-on l'obtenir et où peut-on l'utiliser ?

4 ı Est-il gratuit ? Qui le finance ?

Production écrite

DELF_{B2}

5 ı Vous habitez dans un village où vivent des personnes âgées, souvent en décalage ou exclues du monde numérique. Écrivez une lettre au maire de votre village pour sensibiliser sur la situation de ces personnes et proposer la mise en place de solutions d'accompagnement afin de les aider dans leurs démarches en ligne.

C ı Sauvegarder ses documents 19

> Bye bye le papier.

Compréhension orale

1re écoute (en entier)

1 ı Quel est le sujet de la chronique *L'Instant conso* ?

2 ı Quels secteurs la dématérialisation concerne-t-elle ?

2e écoute (en entier)

3 ı Quelles sont les conditions à respecter pour qu'un contrat numérique ait la même valeur qu'un contrat papier ?

4 ı Pourquoi faut-il conserver les documents au format numérique ?

5 ı Sur quels supports est-il conseillé de télécharger les documents reçus par mail ?

Production orale

6 ı Vous participez à une table ronde sur la dématérialisation et vous intervenez pour donner votre avis. Quels sont les avantages et les inconvénients de la dématérialisation des documents ?

Unité 4

Grammaire

La cause et la conséquence

Échauffement

1 | Soulignez, dans les phrases suivantes, les structures qui expriment la cause et la conséquence.

a. La peur de commettre une erreur et l'inaccessibilité du site Internet sont alors souvent la cause de ce malaise. En effet certains sites ne sont pas intuitifs ou peu ergonomiques.

b. Ce sont aussi des économies budgétaires pour toute la société puisque la disponibilité des services en ligne rend moins nécessaire le maintien de guichets.

c. Dématérialiser c'est donc s'affranchir du papier !

Fonctionnement

2 | Dans les phrases suivantes, ces structures sont-elles suivies d'un nom (N), d'un verbe (V) ou d'une proposition (P) ?

Exemple : Par manque de connaissance, il a du mal à se servir des outils numériques. (cause N)

a. Certaines personnes ont des difficultés avec le numérique, d'où l'importance de les accompagner.

b. Je fais une demande de visa en ligne, de peur de faire longtemps la queue au consulat.

c. Faute de temps, elle n'a pas envoyé ce courriel important.

d. Il a tellement travaillé sur son écran d'ordinateur qu'il a mal aux yeux.

La cause	
Verbes	• avoir pour origine, découler de, être causé par, être dû à, provenir de, être provoqué par, résulter de
Structures suivies d'une proposition	• car, c'est que, d'autant (plus) que, dès l'instant où, dès lors que, du fait que, étant donné que, maintenant que, du moment que / où, à présent que, à partir du moment où, sous prétexte que (ou **+ conditionnel**), vu que **+ indicatif** • ce n'est pas que, de crainte que, de peur que **+ subjonctif** • à force de, de crainte de, de peur de **+ infinitif** • pour **+ infinitif passé**
Structures suivies d'un nom	• avec, étant donné, du fait de, faute de, grâce à, par manque de, pour, sous le prétexte de, à la suite de, vu

La conséquence	
Verbes	• causer, entraîner, occasionner, permettre, produire, résulter, susciter
Structures suivies d'une proposition	• à tel point que, ainsi, alors, aussi, c'est pourquoi, de ce fait, donc, en conséquence, par conséquent, si bien que, tant (de)... que, tellement (de)... que **+ indicatif** • assez... pour, au point de, trop... pour **+ infinitif**
Structures suivies d'un nom	• de là, d'où

Entraînement

3 | Complétez les phrases suivantes avec la structure correcte.

de là – maintenant que – grâce aux – à force de – à tel point que – car

a. .... expliquer et de réexpliquer cette démarche à ma mère, je crois qu'elle a enfin compris.

b. Je continue à faire ma déclaration d'impôt sur papier .... le processus est trop compliqué en ligne.

c. Elle ne parvient pas à acheter son billet de train sur Internet, ... son énervement.

d. .... services en ligne, je trouve facilement des informations.

e. .... il a un ordinateur, il n'a plus besoin de se rendre à la mairie pour réaliser ses démarches administratives.

f. Je perds souvent patience en aidant mon grand-père sur Internet, ... il a fini par se décourager.

4 | Transformez les phrases en y introduisant les expressions entre parenthèses.

a. Les guichets d'accueil ferment. Les administrations économisent beaucoup d'argent. *(avec)*

b. Il n'est pas sur les réseaux sociaux, alors il est souvent injoignable. *(sous prétexte que)*

c. Un grand nombre de personnes sont exclues du numérique, il est temps que le gouvernement réagisse. *(vu)*

d. Il a de la chance. Il a gagné un ordinateur. *(tellement de ... que)*

e. Je suis physiquement séparé de mes amis, mais je garde le contact avec WhatsApp. *(permettre)*

5 | 🎧 **20** **Intonation**
Répétez les phrases suivantes. Relevez les expressions qui expriment la cause et celles qui expriment la conséquence.

Entraînez-vous !

Cahier d'activités

Documents

D ▎L'émoji qui pleure de rire est devenu ringard

1 À tous ceux qui utilisent l'émoji qui pleure de rire plus de dix fois par jour : il faut arrêter. Très utilisé par les millennials (nés dans les années 5 1980-90), il n'est désormais plus cool du tout selon la génération Z (née à partir de 2000). C'est en tout cas ce qu'affirment plusieurs internautes sur TikTok, ultra-populaire chez les 10 ados, rapporte CNN Business.

« J'utilise tout sauf l'émoji qui pleure de rire, affirme Walid Mohammed, 21 ans. J'ai arrêté de l'utiliser il y a quelque temps parce que je voyais 15 des personnes plus âgées l'utiliser, comme ma mère, mes frères et sœurs. » Un autre jeune interviewé par la chaîne de télévision le qualifie de « fade », avant d'affirmer que 20 « peu de personnes » de son âge l'utilisent.

L'émoji similaire, appelé « *rolling on the floor laughing* », littéralement « se rouler par terre de rire », 25 est également considéré comme rin-gard. « Ma mère ne l'utilise même pas », lâche une adolescente.

Victime de son succès

Le smiley qui rit et pleure « a été 30 victime de son propre succès », ana-lyse Gretchen McCulloch, linguiste spécialiste du langage Internet. « Si vous indiquez le rire numérique de la même manière pendant des an-35 nées et des années, cela commence à paraître peu sincère. L'hyperbole s'épuise à force d'être utilisée. » La génération Z chercherait donc de nouvelles façons de signaler qu'elle 40 rit de différentes manières.

À la place de l'émoji qui pleure de rire, la nouvelle génération préfère celui qui représente une tête de mort, traduction imagée des expres-45 sions très tendances « je suis mort » ou « je meurs ». L'émoji qui pleure ou tout simplement écrire « lol », mot qu'on pensait dépassé, sont également plus acceptables.

50 « Les générations plus âgées ont tendance à utiliser les émojis litté-ralement, tandis que les plus jeunes deviennent plus créatifs », affirme Jeremy Burge, le responsable d'Emo-55 jipedia, un dictionnaire d'émojis. Des jeunes de la génération Z ont d'ail-leurs affirmé à CNN qu'ils aimaient donner leur propre signification à un smiley. Par exemple, celui repré-60 sentant un cow-boy ou une personne debout servent tous les deux à expri-mer la gêne.

L'émoji qui rit et pleure est encore le plus utilisé sur Twitter selon Emoji-65 tracker, un site web qui montre l'uti-lisation des émojis en temps réel sur le réseau social. Cela laisse encore un peu de temps avant de le bannir complètement des conversations.

Juliette THÉVENOT, *Slate*,
15 février 2021

 ## Compréhension écrite

Entrée en matière

1 ▎Quelles émotions expriment les émojis sur la photo ?

2 ▎Utilisez-vous souvent ces émojis ? Pourquoi ?

Lecture

3 ▎Selon les jeunes, pourquoi l'émoji qui pleure de rire est-il devenu « ringard » ?

4 ▎Comment la linguiste Gretchen McCulloch analyse-t-elle ce phénomène ?

5 ▎Contrairement aux générations plus âgées, quels émojis préfère utiliser la génération Z ? Pourquoi ?

6 ▎Écrire « lol » est-il démodé ?

7 ▎Qu'est que « Emojitracker » ? À quoi cela sert-il ?

Vocabulaire

8 ▎Relevez tous les émojis cités dans l'article et associez-les à une émotion.

 ## Production orale

9 ▎Quels émojis sont populaires dans votre pays ?

 ## Production écrite

10 ▎

WEBCULTUREJOURNAL

Accueil   Info   Autres   Contact   Recherche

Votre témoignage nous intéresse !

Quel est votre usage des émojis ? Les intégrez-vous dans votre communication ?

Aujourd'hui, certains prétendent qu'on ne sait plus écrire de longs messages : on tweete, on s'échange des messages avec plus d'émojis que de mots. Ils craignent un appauvrissement de la langue.

Pour d'autres, les émojis sont perçus comme une richesse complémentaire à la langue française car ils permettent d'intégrer le langage non-verbal, de faire passer nos émotions. Et vous, qu'en pensez-vous ?

Unité **4**

Vocabulaire

La communication digitale

> p. 10 — Jouez avec les mots ! « Le mot mystère »

Les outils du numérique
- l'application (f.) mobile
- l'écran (m.)
- l'objet (m.) connecté
- l'ordinateur, le smartphone, la tablette
- la plateforme, le site Internet
- le réseau social (Instagram, TikTok, Twitter, Facebook…)

1 ı Complétez avec les mots suivants : *ordinateur – réseaux sociaux – numérique – écran – applications – smartphone*

Pas une heure ne passe sans que je regarde un …….. : celui de mon …….. ou de mon …….. monopolise toute mon attention. J'ai aussi de plus en plus recours au …….. : télétravail, organisation de réunions, webinaires, conférences, achats en ligne. Grâce à des …….. mobiles, je réalise de nombreuses tâches et actions quotidiennes, et avec les …….. , j'entretiens mes relations familiales, amicales ou professionnelles. Ma vie est devenue de plus en plus virtuelle.

Les utilisations
- créer un compte, un mot de passe
- faire un copier-coller
- installer un logiciel
- naviguer sur un site
- publier une photo, une story, une vidéo…
- se connecter ≠ se déconnecter
- télécharger une appli, un document, un fichier…

 **Production orale**

 **Solidarité Numérique**

La plateforme d'aide pour vos besoins numériques du quotidien

Appelez-nous au **01 70 772 372**
appel non surtaxé partout en France

Agence Nationale de la Cohésion des territoires, 2021

2 ı Par deux, vous avez besoin de remplir un dossier administratif en ligne sur un site français. Appelez le numéro de *Solidarité numérique* pour demander de l'aide à un professionnel de la médiation numérique.

Le rapport au numérique
- l'addiction (f.), la dépendance, l'usage (m.) compulsif
- avoir ≠ manquer de compétences techniques
- être à l'aise ≠ mal à l'aise avec le numérique
- être déconnecté(e), prudent(e), accro
- être en situation d'illectronisme
- être un geek
- se sentir en difficulté, exclu(e)
- ne pas utiliser Internet

3 ı Complétez avec les mots suivants : *addict – déconnexion – numérique – geek – déconnecter – web – technologies*

Un jour, Bilal a décidé de se …….. d'Internet. …….. , connecté jour et nuit sur les réseaux sociaux, il a été victime d'une overdose …….. . Bien que blogueur influent, expert en nouvelles …….. , il a quitté la toile pendant six mois, pour se ressourcer. Aujourd'hui, l'ancien …….. a pris du recul avec l'activité qu'il avait sur le …….. . Il raconte sa nouvelle vie de …….. totale dans un livre : *Coupé d'Internet*.

Les risques en ligne
- le cyber-harcèlement
- l'inaccessibilité (f.) d'un site Internet
- la mauvaise qualité du réseau
- le piratage
- le phishing
- la publication gênante
- l'usurpation (f.) d'identité

4 ı Associez une définition à un mot de la liste ci-dessus.
a. le fait de se faire passer pour une autre personne
b. l'intrusion dans des systèmes informatiques

c. les commentaires violents et répétés d'internautes malveillants
d. le hameçonnage dans le but de récupérer des données personnelles

La dématérialisation des services
- accéder à des services en ligne
- la fracture numérique
- numériser des documents papiers
- réaliser une démarche sur Internet
- réduire les coûts
- sauvegarder ses données sur une clé USB, un disque dur, dans un coffre-fort numérique
- signer électroniquement des documents

5 ı Parlez-vous high-tech ? Par deux, tentez de franciser ces termes.
a. un hacker
b. une newsletter
c. un spam
d. lol
e. un cookie
f. un buzz

6 ı Émojis et émotions. Associez chaque émoji à une expression.

1. 2. 3. 4. 5.

a. Je broie du noir.
b. Je n'en crois pas mes yeux.
c. Je suis hors de moi.
d. J'ai les jetons.
e. Je suis aux anges.
f. J'ai le cafard.
g. Ça me prend la tête.

Entraînez-vous !

 Cahier d'activités

Culture Cultures

Les nouveaux émojis

E ❘ Naissance d'un émoji

1 Le nombre d'émojis ajoutés chaque année est réduit (une trentaine en moyenne). Faire valider sa proposition est donc loin d'être simple. La présidente du comité Unicode
5 conseille de bien lire les recommandations sur la manière de proposer un nouvel émoji. Par exemple :
- L'émoji proposé peut-il être utilisé de manière métaphorique ou symbolique ?
10 • De quelle manière cet émoji peut-il être combiné avec d'autres émojis pour faire passer un message inédit ?
- Cet émoji représente-t-il quelque chose qui n'est pour l'heure pas représenté ?
15 • La fréquence d'usage de cet émoji sera-t-elle élevée ?

De nombreuses propositions sont par exemple refusées car elles sont trop spécifiques. « Nous ne pouvons pas ajouter
20 chaque type de fleurs, chaque race de chien, chaque couleur de boisson », explique Jennifer Daniel.

Anne Cagan, *Numerama*, 19 avril 2021

F ❘ Représenter sa culture

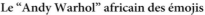

1 O'Plérou Grebet est un artiste, graphiste et illustrateur connu pour avoir conçu des centaines d'émojis qui dépeignent la culture ouest-africaine. Ses émojis sont
5 utilisables sur WhatsApp.

Le "Andy Warhol" africain des émojis
O'Plérou Grebet a été influencé autant par les grands noms de la peinture occidentale que par des artistes ivoiriens. On y voit foutou et garba (plats populaires ivoiriens), peigne Kwêkwê,
10 calebasse, bissap (jus d'hibiscus), groto (yaourt sur bâtonnet), worô-wôro (taxis communaux d'Abidjan), monuments, coiffures, masques, mais aussi personnages caractéristiques. Toutes ces illustrations rappellent le patrimoine gastronomique, vesti-
15 mentaire, culturel des Africains…

Laurent Filippi, *France TV*, 27 octobre 2019

G ❘ Refléter la diversité de sa communauté

1 Après les émoticônes, place aux Bitmoji inclusifs ! Le réseau social Snapchat, très populaire auprès des générations Y et Z, lance ses premiers avatars en fauteuil roulant. Son ambition ? « Refléter la diversité de notre
5 communauté. » Depuis plusieurs années, les émojis se veulent plus authentiques, mettant en lumière différentes teintes de peaux, de cheveux, de handicap (article en lien ci-dessous)… Des initiatives qui peuvent sembler symboliques mais permettent d'ancrer le sujet de l'in-
10 clusion dans l'esprit de tous, et ce, dès le plus jeune âge.

Cassandre Rogeret, handicap.fr, 2021

---

1 ❘ Vous reconnaissez-vous dans les émojis de votre smartphone ? Est-ce important pour vous ?

2 ❘ Quels émojis aimeriez-vous voir apparaître pour refléter la réalité de votre culture ? Pourquoi ?

3 ❘ Quelles sont les tendances qui se dégagent en terme de représentation de la société depuis plusieurs années ? Qu'en pensez-vous ?

Documents

H I Besoin de décrocher ?

4 Compréhension audiovisuelle

1er visionnage (avec le son)

1 I Quel est le thème de ce reportage ?

2 I Où est Sandrine et comment s'oriente-t-elle dans la ville ? Pourquoi ?

2e visionnage (avec le son)

3 I De quel geste lui semble-t-il difficile de se déshabituer ?

4 I Quel sentiment provoque chez elle la scène devant les maisons colorées ? Pourquoi ?

5 I Selon Michaël Stora, comment s'explique le besoin de parler de soi sur les réseaux sociaux ?

Vocabulaire

6 I Relevez les termes ayant un lien avec le numérique.

Production orale

7 I Que pensez-vous de l'attitude de Sandrine ?

8 I Quels outils numériques utilisez-vous au quotidien ? Pourriez-vous vous passer d'Internet ? Pourquoi ?

I I Les jeunes et les réseaux sociaux

À quoi leur servent les réseaux sociaux ?

85% à discuter avec leurs amis

74% à passer le temps

73% à s'informer

58% à se détendre

Combien de temps passent-ils sur les réseaux sociaux ?

48% moins de 2h

38% entre 3h et 5h

14% 5h ou plus

diplomeo.com

Production orale

1 I Êtes-vous surpris(e) par les résultats de ce sondage ?

2 I Et vous, utilisez-vous les réseaux sociaux ? De quelle façon ?

3 I Quel réseau social est le plus populaire dans votre pays ?

4 I D'après vous, quels sont les risques des réseaux sociaux pour les jeunes ?

J I Jamais sans mon portable 21

Compréhension orale

Entrée en matière

1 I Quand avez-vous eu votre premier téléphone portable ? Était-ce le bon moment selon vous ?

1re écoute (en entier)

2 I D'après vous, quel est le lien entre les deux personnes ?

3 I Quelle est la situation ?

2e écoute (en entier)

4 I Quelles utilisations Julie et sa famille font-elles du portable ?

5 I Pourquoi les portables sont-ils devenus un problème dans cette famille ?

6 I Quels sont les sentiments successifs de Julie et Laurent ?

Vocabulaire

7 I Relevez les verbes déclaratifs (les verbes qui introduisent les paroles de quelqu'un).

Production écrite

8 I Vous décidez d'écrire un mail à Julie afin de lui donner des conseils pour l'aider à reprendre le contrôle dans l'utilisation du téléphone portable.

Vocabulaire

Les déclaratifs

> p. 10
Jouez avec les mots !
> « Une histoire en équipe »

Les verbes « déclaratifs »

Dans le discours rapporté, ces verbes sont suivis d'un subordonnée introduite par que :
Il affirma que sa grand-mère avait un secret.

· affirmer	· bégayer	· dire	· insister sur	· se plaindre	· répliquer
· ajouter	· certifier	· entendre dire	le fait	· préciser	· répondre
· annoncer	· chuchoter	· s'exclamer	· jurer	· prétendre	· révéler
· apprendre	· confier	· expliquer	· mentionner	· prévenir	· souligner
· assurer	· confirmer	· faire remarquer	· murmurer	· promettre	· supplier
· avertir	· constater	· hurler	· nier	· raconter	
· avouer	· crier/hurler	· indiquer	· noter	· rappeler	
· bafouiller	· déclarer	· informer	· objecter	· reconnaître	
· balbutier	· démontrer	· insinuer	· observer	· répéter	

---

1 ı Quels verbes correspondent aux définitions suivantes :
considérer, chuchoter, se plaindre, répliquer, exiger, préciser, indiquer, confier

a. donner une information : ....
b. demander avec autorité : ....
c. donner un avis : ....
d. donner des détails : ....
e. dire un secret : ....
f. s'exprimer à voix basse : ....
g. répondre vivement : ....
h. exprimer un mécontentement : ....

> **» Remarque**
> Ne pas confondre *demander si* (question) et *demander de* + infinitif ou *que* + subjonctif (ordre) : *Il m'a **demandé si** je venais* ≠ *Il m'a **demandé de** venir.*

2 ı Associez les verbes de sens voisins.

a. crier
b. assurer
c. remarquer
d. chuchoter
e. bafouiller
f. insister
g. démontrer
h. mentionner

1. prouver
2. noter
3. hurler
4. bégayer
5. citer
6. certifier
7. souligner
8. murmurer

3 ı Quels noms correspondent aux verbes ?
Exemple : démontrer → la démonstration

a. annoncer
b. chuchoter
c. confier
d. confirmer
e. constater
f. hurler
g. déclarer

h. expliquer
i. indiquer
j. observer
k. promettre
l. rappeler
m. répéter
n. révéler

Paroles
· l'allusion (*f.*)
· l'aveu (*m.*)
· le bavardage
· le bégaiement
· le commérage
· la déclaration
· le discours
· l'engueulade (*f., fam.*)

· l'exclamation (*f.*)
· l'exposé (*m.*)
· l'injure (*f.*)
· l'interrogatoire (*m.*)
· la promesse
· des ragots (*m.*)
· la réplique
· la rumeur
· le serment

Production orale

4 ı Pour engager une discussion, les Français évoquent souvent la météo, l'actualité, la politique, le cinéma, le sport. Abordez-vous les mêmes sujets dans votre pays ? Selon vous, est-ce facile de trouver des sujets de discussion ? Pourquoi ?

5 ı Quels sont vos sujets de conversation favoris avec vos proches ? Parlez-vous de la même chose avec votre famille, vos amis, vos collègues ?

Expressions
· C'est du blabla/ du baratin/ du bluff.
· C'est un moulin à paroles.
· Il/elle a le mot sur le bout de la langue.
· Il/elle a la tchatche (*fam.*).
· Il/elle a une langue de vipère.
· Il/elle délire complètement !
· Il/elle a mis les pieds dans le plat.
· Il/elle ne sait pas tenir sa langue.

6 ı Associez les expressions de même sens.

a. C'est un moulin à paroles.
b. Il a mis les pieds dans le plat.
c. Il délire complètement.
d. Il baratine.
e. Il dit du mal des autres.
f. Il ne sait pas tenir sa langue.

1. Il dit importe quoi.
2. Il a une langue de vipère.
3. Il cherche à séduire.
4. Il a dit ce qu'il ne fallait pas dire.
5. Il ne sait pas garder un secret.
6. Il a la tchatche.

Autres verbes de parole (non suivis d'une proposition)

· commenter	· hésiter	· taquiner
· dévoiler	· mentir	· tchatcher
· exposer	· questionner	(*fam.*)
· formuler	· réclamer	· (se) vanter

Entraînez-vous !

Cahier d'activités

Unité **4**

K ▪ La mise en scène de soi

Le roman traite de la disparition de la petite Kimmy Diore. Kimmy et Sammy sont ce qu'on appelle des enfants influenceurs. Ils sont les héros d'une chaîne YouTube créée par Mélanie, leur mère, qui les filme en permanence depuis qu'ils sont tout petits. Kimmy (6 ans) est vue, admirée et aimée par des millions d'abonnés. Clara et Cédric, policiers, enquêtent sur l'enlèvement de la petite.

1 À vingt-et-une heures, alors qu'elle commençait tout juste à écrire une lettre à Thomas, Clara reçut un message de Cédric l'incitant à allumer sa télévision. Sur France 2, un reportage consacré aux enfants stars de YouTube était
5 rediffusé. Elle s'exécuta et se cala dans son canapé.

À en juger par la taille des enfants, le magazine datait de quelques années. Il était question de plusieurs chaînes, mais l'essentiel de l'enquête était consacré à Happy Récré. Kimmy devait avoir quatre ans et Sammy six. La journaliste
10 et le caméraman les avaient suivis dans un grand centre commercial où ils étaient attendus par plusieurs centaines d'enfants. Ravissante poupée vêtue de rose, Kimmy avançait au côté de son frère, soucieuse de marcher au même rythme que lui. Tel un jeune garde du corps, Sammy ne la
15 quittait pas des yeux. Les images montraient leur arrivée dans l'espace de rencontre, applaudie à grand bruit, puis la séance de dédicaces et de selfies, qui avait duré plusieurs heures. Pendant tout ce temps, Mélanie surveillait et orchestrait l'ensemble, gérant la file d'attente et les priorités,
20 attentive aux plus petits et soucieuse que personne ne s'attarde au-delà de la durée autorisée.

Avant de repartir, elle avait accepté une courte interview. Oui, bien sûr, elle se félicitait de leur succès et remerciait surtout les happy fans pour leur enthousiasme et leur fidélité.
25 La journaliste lui demandait si elle comprenait que certaines personnes, y compris parmi les plus jeunes, puissent être choquées de voir des enfants ainsi exposés. Mélanie hochait tristement la tête en signe d'incompréhension, puis répondait d'une voix douce, posée. En tant que mère, elle savait bien ce
30 qui était bon ou pas pour ses enfants. D'ailleurs, c'étaient ses enfants, précisait-elle, insistant sur le pronom. Et ses enfants étaient très heureux comme ça. La journaliste se tournait ensuite vers eux pour recueillir leurs impressions. D'une voix lente, telle une poupée activée à distance dont les piles
35 commençaient à faiblir, Kimmy expliquait qu'elle trouvait ça génial de faire plaisir aux happy fans et de « voir le bonheur dans leurs yeux ». Avec plus de conviction, Sammy affirmait que c'était son rêve et qu'il voulait en faire son métier. Radieuse, Mélanie ajoutait : « C'est leur version, que dire
40 de plus ? »

Et puis dans un sourire épanoui, rassurant, elle concluait : « Vous savez, chez nous, les enfants sont rois. »

Delphine DE VIGAN, *Les enfants sont rois*, 2021

 ## Compréhension écrite

Entrée en matière

1 ▪ Observez la photo et décrivez-la.

2 ▪ Quels types de publication postez-vous et aimez-vous consulter sur les réseaux sociaux ?

Lecture

3 ▪ Qui est Clara et que fait-elle ? Pourquoi ?

4 ▪ Qu'est-ce que Happy Récré ?

5 ▪ Où se trouvent Kimmy et Sammy ? Que font-ils ?

6 ▪ Quelle est la réaction de Mélanie à la question de l'exposition de ses enfants sur Internet ?

7 ▪ Comment réagissent ses enfants par rapport à leur « travail » d'influenceurs ?

Vocabulaire

8 ▪ Reformulez l'énoncé suivant : « Vous savez, chez nous, les enfants sont rois. »

 ## Production écrite

9 ▪ Votre ami(e) diffuse sans cesse des photos, vidéos et stories de ses enfants sur les réseaux sociaux. Vous pensez qu'il / elle devrait protéger ses enfants plutôt que de mettre en scène leur vie quotidienne. Vous lui écrivez un message pour exprimer votre désapprobation et l'avertir des conséquences que cette surexposition pourrait avoir sur ses enfants.

> **» Pour** exprimer sa désapprobation
> - C'est regrettable.
> - C'est inadmissible / intolérable / inacceptable.
> - C'est absurde / injuste de…
> - C'est une honte.
> - Ce n'est pas correct.

Grammaire

L'expression du temps dans le discours rapporté

Échauffement

1 ı Lisez les phrases suivantes. Sont-elles au discours direct ou rapporté ?

La journaliste lui demandait si elle comprenait que certaines personnes, y compris parmi les plus jeunes, puissent être choquées de voir des enfants ainsi exposés. Mélanie répondait qu'en tant que mère, elle savait bien ce qui était bon ou pas pour ses enfants. D'ailleurs, c'étaient ses enfants et ils étaient très heureux comme ça, précisait-elle. Kimmy expliquait qu'elle trouvait ça génial de faire plaisir aux happy fans et Sammy affirmait que c'était son rêve et qu'il voulait en faire son métier.

2 ı Qu'observez-vous quand les verbes introducteurs sont conjugués au passé ?

Fonctionnement

La concordance des temps	
• **présent** → **imparfait**	*J'**écris** un SMS.* → *Il a dit qu'il **écrivait** un SMS.*
• **passé composé** → **plus-que-parfait**	*J'**ai caché** son portable.* → *Il m'a dit qu'il l'**avait caché**.*
• **futur simple** → **conditionnel présent** • **futur antérieur** → **conditionnel passé**	*Quand j'**aurai envoyé** ce courriel, j'**appellerai** Éli.* → *Il m'a dit qu'il **appellerait** Éli quand il **aurait envoyé** ce courriel.*
• **impératif** → **infinitif présent**	***Donne**-le moi* → *Il m'a demandé de le lui **donner**.*
• Les autres temps et modes sont inchangés : le conditionnel reste un conditionnel, l'imparfait un imparfait, le subjonctif un subjonctif.	*Il regrette que tu aies publié cette photo.* → *Il m'a dit qu'il regrettait que tu aies publié cette photo.*
À noter que l'imparfait peut subsister ou bien devenir, dans certains cas, un plus-que-parfait. *« Hier, j'étais malade mais aujourd'hui ça va. »* – *Il m'a dit qu'il avait été / était malade la veille…*	

3 ı Récrivez le texte de l'échauffement sous la forme d'un dialogue.

La journaliste : Comprenez-vous que certaines personnes, y compris parmi les plus jeunes, puissent être choquées de voir des enfants ainsi exposés ?

Mélanie : ....

Kimmy : ....

Sammy : ....

Production écrite

4 ı Continuez l'interview entre la journaliste et Mélanie, puis racontez-la au discours rapporté.

┌─ Discours direct → Discours rapporté ─
- la semaine dernière → la semaine précédente/d'avant
- il y a trois jours → trois jours avant/auparavant/plus tôt
- avant-hier → l'avant-veille
- hier → la veille
- aujourd'hui → ce jour-là
- en ce moment → à ce moment-là
- ce matin → ce matin-là/le matin
- ces jours-ci → ces jours-là
- cette semaine → cette semaine-là
- ce mois-ci → ce mois-là
- demain → le lendemain
- après-demain → le surlendemain
- dans trois jours → trois jours après/plus tard
- la semaine prochaine → la semaine suivante/d'après

Entraînement

5 ı Mettez les phrases suivantes au discours rapporté, avec le verbe introducteur au passé.

Exemple : Le père à son fils : « Non, je ne te prêterai plus ma tablette. » → Il a prévenu son fils qu'il ne lui prêterait plus sa tablette.

a. Une dame âgée à un passant : « Où se trouve la mairie ? » (*demander*)

b. Le maire : « Le conseil municipal valide la demande de subventions de l'association. » (*déclarer*)

c. Sophie : « Je te répondrai demain sur Insta. » (*promettre*)

d. Le fils à sa mère : « Il faut d'abord créer un mot de passe. » (*expliquer*)

e. Léa : « Oui, c'est vrai, je suis accro aux réseaux sociaux. » (*reconnaître*)

f. Chloé à sa fille : « Passe-moi ce téléphone ! » (*demander*)

g. Alex : « J'ai décidé de quitter les réseaux sociaux. » (*affirmer*)

h. Henri : « Tu pourras venir avec moi la semaine prochaine ? » (*demander*)

Entraînez-vous !

Cahier d'activités

Unité **4**

L ▮ Besoin d'une "digital détox" ?

Les Français et les écrans en quelques chiffres

- Un adulte passe en moyenne **5 heures 7 minutes par jour** devant les écrans.
- Selon une étude Ipsos[1], 44% des Français passent plus de **2 heures par jour sur leur téléphone** mobile. Et chez les 16-24 ans, la durée journalière s'envolerait bien au-delà.
- Quant à la télé, si le temps passé devant la petite lucarne chaque semaine a diminué de 2 h entre 2016 et 2018, il reste tout de même de **18 heures hebdomadaires**.
- Notre téléphone contient en moyenne 98 applications et nous en utilisons **34 tous les mois**[2].

ADDICTION !

C'EST TOI QUI VIENS DE M'ENVOYER UN MESSAGE ?

OUI ! JE T'AI SOUHAITÉ UNE BONNE NUIT !

GAB

5 signes qui prouvent que vous avez besoin d'une *"digital détox"*

1 **Votre smartphone est votre interlocuteur n°1**
La preuve ? Vous y « jetez un dernier œil » tous les soirs, avant de fermer les yeux… et c'est aussi à lui que vous pensez en premier, dès votre réveil (surtout si c'est justement lui qui fait office de réveil !).

2 **Si vous vous réveillez au cours de la nuit et vous allumez machinalement l'écran de votre portable…**
même si c'est « juste » pour vérifier l'heure.

3 **Combien de fois avez-vous consulté votre smartphone aujourd'hui ?** Regarder l'heure, les mails, Facebook, Instagram, la messagerie pro, vérifier votre itinéraire, l'horaire d'ouverture de la piscine, envoyer des dizaines de SMS… Du mal à compter ?

4 **Pour vous, une journée sans série est une journée ratée**
Variante : vous avez dévoré la dernière saison de *Game of Thrones/Stranger Things* en 1 journée (ou nuit). *La Casa de Papel, House of Cards, Gossip Girl, Peaky Blinders, Narcos, Black Mirror, 13 reasons why, Sherlock, The Handmaid's Tale…* C'est vrai que les tentations sont nombreuses !

5 **Vous souffrez de nomophobie**
La terreur des personnes atteintes de ce mal ? Être séparé de leur téléphone portable. Rien que l'idée d'oublier votre téléphone à la maison, toute une journée, en partant travailler, vous rend malade ? Rassurez-vous vous n'êtes pas seul ! Si vous vous reconnaissez dans ces 5 points, il est grand temps d'entamer une détox digitale et d'apprendre à se déconnecter. Mais comme la plupart des addictions, encore faut-il en avoir vraiment envie !

Lily Sèbe, *Avantages*, 19 juillet 2019

1. étude Ipsos pour SFAM du 31 janvier au 4 février 2019
2. étude « Digital en 2019 » par Hootsuite & We Are Social

▤ Compréhension écrite

Lecture

1 ▮ Lisez les statistiques sur « Les Français et les écrans ». De quels écrans s'agit-il ?

2 ▮ Quel écran les Français regardent-ils de moins en moins depuis quelques années ?

3 ▮ Lisez le texte. À quoi sert une "digital détox" ?

4 ▮ À quels signes peut-on voir que l'on est cyberdépendant ?

▤ Production orale

5 ▮ « Êtes-vous concerné par la cyberdépendance ? »
Par deux, préparez un questionnaire pour déterminer si les étudiants de votre classe sont dépendants ou non aux nouvelles technologies. Interrogez-les, analysez les réponses obtenues puis rapportez les résultats de votre enquête à la classe.

❯ En direct sur ▥ SAVOIRS

M ▮ Addiction aux écrans 22

▤ Compréhension orale

1ʳᵉ écoute (en entier)

1 ▮ Que savez-vous des personnes qui parlent ?

2 ▮ Quel constat Pierre Poloméni fait-il ?

2ᵉ écoute (en entier)

3 ▮ Quelles addictions mentionne-t-il ?

4 ▮ Quel comportement caractérise les personnes vulnérables aux addictions ?

5 ▮ Dans tous les risques liés aux addictions, quels sont les trois risques mentionnés ?

6 ▮ Quels sont les risques sanitaires de la dépendance aux écrans ?

▤ Production écrite

7 ▮ Les écrans sont omniprésents dans notre quotidien. Or, leurs effets néfastes sont multiples : accidents, problèmes de sommeil, de concentration, etc. Faites part de votre expérience sur le site de l'émission.

Activité complémentaire

▥ SAVOIRS

Grammaire/Vocabulaire

1 ▎ Complétez le texte avec les mots suivants en faisant les accords nécessaires :
informatique – ordinateur – numérique – démarche – technologie – Internet – connexion – dématérialisation – équipement

Consulter le site de sa banque, faire ses courses en ligne, utiliser la télémédecine, acheter un billet de train : avec la multiplication des démarches en ligne et la .... de nombreux services, avoir accès à .... est devenu indispensable. Pourtant des millions de Français ne savent pas utiliser un .... Si le smartphone est le premier objet de .... à Internet, son utilisation ou celui d'une tablette est compliqué pour certains.
Pour lutter contre la fracture .... , il ne suffit pas d'équiper les individus en nouvelles ....
Il faut aussi les former à leur utilisation en leur proposant des espaces dédiés avec des .... pour se connecter à Internet, des ateliers d'initiation .... , et des activités ciblées autour des .... administratives.

2 ▎ Choisissez le verbe introducteur approprié parmi les trois proposés.
- **a.** Claude **a chuchoté/a voulu savoir/a juré** : « Ne faisons pas de bruit. »
- **b.** « Qui pourrait m'aider en informatique ? » **bavarda/injuria/interrogea** Ali.
- **c.** Justine **a demandé /a répliqué /a réclamé** : « Non je n'ai pas envie de regarder cette série. »
- **d.** « Pardon, je ne comprends vraiment rien sur ce site » **demanda/s'excusa/se vanta** Henriette.
- **e.** Le touriste **déclarait/admettait/voulait savoir** où se trouvait le cybercafé.
- **f.** « Arrête de consulter ton portable toutes les cinq minutes ! » **s'est exclamé/a menti/a promis** Léon.
- **g.** « Pour la dernière fois, donne-moi ce portable » **constata/exigea/plaisanta** Simon.
- **h.** « S'il te plaît, explique-moi comment envoyer un SMS » **avoua/informa/implora** la grand-mère à sa petite fille.

3 ▎ Mettez les phrases suivantes au discours rapporté, avec un verbe introducteur au passé.
Exemple : Je me sens tout nu sans portable, je suis perdu. (dire) → Il a dit qu'il se sentait tout nu sans portable, qu'il était perdu.
- **a.** Que signifie « lol » ? *(demander)*
- **b.** Il a peur de manquer un truc important s'il ne consulte pas Twitter. *(admettre)*
- **c.** J'ai fait très peu de démarches sur Internet hier. *(affirmer)*
- **d.** Pourquoi recharges-tu ton téléphone trois fois par jour ? *(vouloir savoir)*
- **e.** Si on créait un site ? *(proposer)*
- **f.** Ne publie pas de photos trop personnelles sur les réseaux sociaux. *(conseiller)*
- **g.** Je veux pouvoir discuter avec un guichetier le jour où j'aurai un problème en ligne. *(expliquer)*

4 ▎ 23 a. Écoutez cette conversation et relevez les mots et expressions en rapport avec le monde numérique et Internet.
- **b.** Réécoutez l'enregistrement et prenez des notes afin de faire un résumé de la conversation des deux amis au discours rapporté au passé.
Charlotte a expliqué à Jules que dans le cadre de son mémoire pour son Master, elle devait interviewer des volontaires pour une enquête. Elle a demandé à Jules...

5 ▎ Complétez ces phrases en exprimant une cause ou une conséquence.
- **a.** Laissez-moi votre courriel car ....
- **b.** J'ai désactivé toutes les notifications sur mon téléphone. Par conséquent ....
- **c.** Mon frère est accro aux réseaux sociaux si bien que ....
- **d.** Elle était tellement en colère que ....
- **e.** Je pense qu'il n'est pas possible de construire du lien social à distance, c'est pour cela que ....
- **f.** J'ai oublié mon mot de passe pour me connecter au wifi donc ....
- **g.** Marcel fait peu de démarches sur Internet alors il ....

Unité 4

Atelier médiation

Proposer des services d'aide au numérique

Objectifs
- Échanger des idées pour proposer des services
- Rassembler des idées communes
- Expliquer un concept

1 Situation

Comment réduire la fracture numérique au niveau local ?
Pour accompagner les personnes exclues ou en difficulté avec le numérique autour de chez vous, vous avez décidé de mettre à profit vos compétences en informatique en vue de proposer des services d'accompagnement numérique.

2 Mise en œuvre

▷ **En groupes**

- Listez les besoins des personnes en difficulté. Par exemple : prendre en main un ordinateur, utiliser des logiciels, faire des démarches en ligne (remplir un dossier administratif, payer ses impôts...), installer et utiliser des applis sur un smartphone, échanger avec ses proches...
Un modérateur distribue les tours de parole.

- Listez les compétences en informatique des membres du groupe.
Un rapporteur prend note des compétences de chacun.

- Faites correspondre les besoins et les services. Décidez sous quelle forme vous allez proposer vos services : des ateliers, des conseils pour l'achat de matériel, une application mobile utile aux séniors, etc.
Un rapporteur prend note des idées proposées.
Échangez au sein du groupe sur les services qui vous semblent le plus utiles et dites pourquoi. Pensez à préciser comment vous allez transmettre votre savoir à ce type de public.

- Présentation des services.
Un porte-parole résume les idées de son groupe devant la classe.

Stratégies **Expliquer un nouveau concept**

Dans cet exercice de médiation, vous allez :

- **Établir des liens** avec votre savoir, vos connaissances et ce que vous voulez transmettre.

  Pour expliquer des informations nouvelles, vous aiderez les destinataires de votre concept à faire appel à ce qu'ils/elles savent déjà en :
  - leur posant des questions pour les encourager à réactiver leurs savoirs préalables ;
  - faisant des comparaisons entre le nouveau savoir et le savoir préalable ;
  - donnant des exemples.

- **Adapter votre langage :** expliquer, simplifier, adapter votre discours pour rendre plus accessible et compréhensible la terminologie technique du concept.

- **Décomposer les informations compliquées :** présenter les informations l'une après l'autre, sous la forme d'une liste par exemple.

DELF B2

Stratégies — Compréhension des écrits

Ces stratégies sont utiles pour préparer et réussir le DELF B2 (cf. épreuve blanche p. 189). L'épreuve dure 1 heure.

Ces stratégies vous seront utiles pour réussir au mieux les exercices de compréhension écrite du livre et pour préparer l'épreuve du DELF B2.

L'épreuve de compréhension écrite du DELF B2 comporte trois exercices.

- Dans les exercices 1 et 2, vous devrez comprendre et analyser deux types de textes : informatif et argumentatif d'une longueur de 425 à 450 mots chacun.
Dans l'exercice 1, il s'agit d'un texte à caractère informatif ou argumentatif du domaine public.
Dans l'exercice 2, d'un texte à caractère argumentatif du domaine éducationnel ou professionnel.
Les deux textes, souvent des articles de journaux, seront suivis d'un questionnaire de compréhension sous forme de QCM (7 QCM à 3 choix de réponse).
Chaque exercice est noté sur 9 points.

- Dans l'exercice 3, vous devrez identifier les points de vue de trois personnes sur un même thème, traité dans trois textes de 100 à 120 mots chacun.
Les trois textes seront suivis de 6 QCM à 3 choix de réponse. Pour chaque QCM, un point de vue est proposé. Le candidat doit retrouver l'identité de l'individu qui a émis ce point de vue (individu 1 / individu 2 / individu 3).
L'exercice est noté sur 7 points.

Pour être prêt(e) le jour de l'épreuve

Lisez régulièrement la presse francophone et entraînez-vous selon ces principes :

- lors de la première lecture d'un article, identifiez le thème, l'idée principale, la fonction et le ton général ;

- à la deuxième lecture, relevez les points d'information précis et significatifs et identifiez les points de vue, les enjeux exprimés ;

- enfin, recherchez les points de lexique ou de syntaxe en relation avec le thème du document. Certains relèvent d'une langue standard, d'autres énoncés peuvent avoir un double sens, un sens métaphorique, etc. Entraînez-vous à les reformuler.

Il est nécessaire de vous entraîner à ce type de lecture car il vous faudra être rapide lors de l'épreuve. En effet, vous n'aurez que 20 minutes par exercice.

La variété des textes issus de la presse francophone ainsi que les différentes activités de compréhension écrite proposées dans le livre vous permettront de vous préparer efficacement à cette épreuve.

Unité 4

Exercice 3   Comprendre le point de vue d'un locuteur francophone

Vous lisez l'opinion de ces trois personnes sur un forum français dont le sujet est « utiliser les réseaux sociaux pour la recherche d'emploi est-il indispensable ? »

Éli

Pour l'anecdote, l'été dernier, j'avais partagé sur Facebook une photo de moi avec une pancarte : « Je recherche un job, merci de partager la photo. » Résultat : J'ai trouvé un job en quelques heures ! Il faut donc oser prendre des initiatives. Je crois qu'on doit accepter l'idée que les employeurs utilisent de plus en plus les réseaux sociaux pour recruter. En étant présent sur le Web, on augmente sa visibilité et donc la possibilité de trouver un emploi. Selon moi, cela permet aux recruteurs de s'intéresser à notre style de vie, nos loisirs, nos voyages… Tous ces éléments ne rentreraient pas dans un CV classique, c'est un plus.

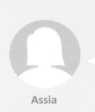

Charlotte

Même si notre présence sur un réseau social multiplie nos chances, je trouve ça très intrusif que les employeurs consultent notre profil Facebook, par exemple. À mon avis, ces infos sur notre vie privée ne les concernent pas, elles ne devraient pas être décisives au moment de faire un choix entre plusieurs candidats. Parfois, je me sens dépassée par le numérique. Tout va trop vite. En plus de chercher un travail, il faut aussi de se construire une e-réputation irréprochable ! En effet, si un recruteur tape notre nom sur un moteur de recherche, des photos, des vidéos peuvent apparaître et parfois nous compromettre. Je n'ai pas besoin des réseaux pour montrer ma motivation et mon sérieux.

Assia

Être présente sur les réseaux sociaux me permet de découvrir des offres d'emploi que je ne trouverais pas dans les petites annonces d'un journal, par exemple.
De toute façon, trouver du travail a toujours été une histoire de réseaux. Internet les a simplement élargis : tous nos contacts ont des contacts qui ont eux-mêmes des contacts. On multiplie donc nos chances à l'infini de dénicher un emploi. Cela joue en notre faveur ! Dans mon domaine, la pub, Facebook et Instagram sont mes porte-folios : j'y fais la démonstration de mon savoir-faire, je montre mes projets, je fais ma propre promotion. C'est une sorte de CV virtuel qui me permet d'interagir avec mes contacts sur la possibilité de nouvelles opportunités professionnelles.

**À quelle personne associez-vous chaque point de vue ?
Pour chaque affirmation, cochez la bonne réponse.**

1 | Les contenus privés publiés sur les réseaux sociaux peuvent nuire à l'image d'un candidat.

    A ☐ Éli   **B** ☐ Charlotte   **C** ☐ Assia   *0,5 point*

2 | Les réseaux sociaux permettent aux professionnels créatifs de montrer leurs compétences.

    A ☐ Éli   **B** ☐ Charlotte   **C** ☐ Assia   *1,5 point*

3 | Candidater d'une manière originale peut se révéler efficace sur les réseaux sociaux.

    A ☐ Éli   **B** ☐ Charlotte   **C** ☐ Assia   *1 point*

4 | Les réseaux sociaux élargissent le cercle des contacts et les possibilités de trouver un travail.

    A ☐ Éli   **B** ☐ Charlotte   **C** ☐ Assia   *1,5 point*

5 | Les informations personnelles sur un candidat ne reflètent pas sa valeur d'un point de vue professionnel.

    A ☐ Éli   **B** ☐ Charlotte   **C** ☐ Assia   *2 points*

6 | La mise en valeur des activités extra-professionnelles des candidats sur les réseaux sociaux est un avantage par rapport à une candidature classique.

    A ☐ Éli   **B** ☐ Charlotte   **C** ☐ Assia   *0,5 point*

Histoire au passé et au présent

Objectifs

» Faire le portrait d'une figure importante de l'Histoire dans un article

» Rédiger la biographie d'une héroïne

» Écrire une lettre de candidature à un centre d'accueil pour migrants (DELF)

» Commenter des données sur l'expatriation

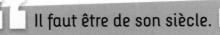 Il faut être de son siècle.

A | Les « Merlinettes », héroïnes oubliées de la Seconde Guerre mondiale

1 **PORTRAIT L'histoire les a occultées. Pourtant, un millier de Françaises ont répondu à l'appel du général Merlin, en 1943, pour servir dans le corps féminin des transmissions. À 98 ans, Colette Escoffier-Martini serait**
5 **la dernière volontaire encore en vie.**

Colette Escoffier-Martini faisait partie du millier de volontaires qui intégrèrent en 1943 le corps féminin des transmissions. Elle fut de celles qui contribuèrent à libérer leur pays. Mais qui s'en souvient ? Elles ont bel et bien
10 été oubliées, biffées* de l'histoire, ces braves qu'on avait surnommées les « Merlinettes ».

À 98 ans, Colette Escoffier-Martini a passé l'âge de la gloriole et, hélas, celui des souvenirs. « C'est loin, tout ça », dit-elle.

Sa fille et sa petite-fille sont à ses côtés. Lors d'un déména-
15 gement, Roselyne et Céline Digoix ont retrouvé les papiers militaires de Colette Escoffier-Martini. « Elle ne parlait pas de ce qu'elle avait fait », explique Roselyne Digoix.

Colette Martini est née le 1er novembre 1922 à Rabat. Son père, Sylvestre, est un instituteur d'origine corse qui, dans
20 les tranchées de 1914-1918, a gagné la Légion d'honneur et perdu une jambe. Sa mère, Suzanne, était infirmière pendant la Grande Guerre, comme sa grand-mère pendant celle de 1870. Après le débarquement allié en Afrique du Nord, en novembre 1942, Colette veut suivre leur exemple.
25 Elle est en deuxième année de médecine, plaque ses études et postule comme ambulancière dans les rangs de la France combattante. À la fin de 1942, un colonel, Lucien Merlin, a proposé d'intégrer des femmes dans le service des transmissions. En leur confiant ces postes, son idée est de libérer
30 des hommes qui seront plus utiles dans d'autres fonctions. Les candidates affluent et sont donc surnommées, en référence à leur concepteur, les « Merlinettes ».

Colette Martini est volontaire pour cette mission à haut risque : la durée d'activité – et de vie – des opérateurs
35 radio, pourchassés par la Gestapo, est faible, elle le sait. Qu'importe ! Elle suit une formation spécifique à la clandestinité, au camouflage et au codage. De la dizaine de femmes qui seront ainsi parachutées en zone occupée, six seront capturées et cinq périrent.

40 Elle est en février 1944 en Corse, premier territoire français libéré. Puis elle débarque à Naples, en mars, et prend part, au sein du corps expéditionnaire français, à la fin de la campagne d'Italie. Elle participe ensuite à la préparation du débarquement en Provence et, en août 1944, est au mi-
45 lieu des soldats qui sautent sur la plage de Saint-Tropez, toujours comme opératrice radio.

Retour brutal à la vie civile
Colette Martini a 24 ans quand elle est démobilisée, en février 1946. L'armée n'a plus besoin d'elle. Le retour à la vie
50 civile est brutal. Les quelques « Merlinettes » qui ont témoigné raconteront ce sentiment d'abandon et d'inutilité soudaine. « Hier femmes soldats que tous doivent respecter, puissent-elles être demain des épouses et des mères heureuses », déclarait le général Merlin à la fin de la guerre. On ne saurait
55 être plus ouvertement renvoyée dans ses foyers…

Colette Martini renonce à reprendre ses études et se marie avec un lieutenant, René Escoffier, un veuf plus âgé qu'elle. Elle élève les trois enfants nés du premier mariage de cet homme et les quatre que le couple aura ensuite ensemble.
60 Une fois ses enfants devenus grands, Colette Escoffier-Martini se consacre à des œuvres humanitaires et notamment l'aide aux SDF de sa région. Il faudra attendre 2017 pour que l'armée se souvienne d'elle quand une école militaire choisit de donner son nom à une promotion.
65 Maigre consolation pour cette soldate inconnue.

Benoît HOPQUIN, *Le Monde*, 13 mai 2021

*rayées, éliminées

Compréhension écrite

Entrée en matière

1 | Observez la photo, lisez le titre et le chapô. À votre avis, qui sont les Merlinettes ?

Lecture

2 | Quelle période de l'histoire cet article aborde-t-il ?

3 | Pourquoi le journaliste s'intéresse-t-il aujourd'hui à Colette Escoffier-Martini ?

4 | Comment la fille et la petite-fille de Colette ont-elles découvert son passé héroïque ?

5 | Quels membres de sa famille ont influencé Colette dans son engagement ?

6 | Que s'est-il passé entre 1942 et 1946 pour certaines femmes ?

7 | Quelles missions Colette a-t-elle réalisées pendant cette période ? Quels risques encourait-elle ?

8 | Décrivez la situation des « Merlinettes » à la fin de la guerre. L'armée a-t-elle été reconnaissante ?

9 | Qu'est devenue Colette ?

Production orale

10 | Connaissez-vous des exemples d'engagement de femmes dans l'histoire de votre pays ?

B | Les sœurs Paulette et Jane Nardal

5 Compréhension audiovisuelle

1er visionnage (en entier)

1 | À quelle occasion ce reportage a-t-il été tourné ?

2 | D'où venaient les sœurs Paulette et Jane Nardal ?

2e visionnage (en entier)

3 | Où ont-elles décidé de faire leurs études ? En quoi étaient-elles des pionnières ?

4 | Quels membres de leur famille sont présents dans le reportage ?

5 | Où se trouve Manuela lorsqu'elle raconte l'anecdote au sujet de la copie de Jane ?

6 | Qui côtoient les deux sœurs pendant leurs études et dans leur salon littéraire ?

7 | Quel a été le rôle tenu par les sœurs Nardal ?

8 | Combien de temps a-t-il fallu pour reconnaître leurs talents ?

9 | Quel monument parisien apparaît à l'écran à la fin du reportage. Pour quelles raisons ?

Vocabulaire

10 | Expliquez ou trouvez des synonymes aux énoncés suivants.

a. ces deux femmes d'exception

b. cette université prestigieuse

c. on le fait sans amertume

Production écrite

11 | Choisissez une figure importante dans l'histoire de votre pays, puis rédigez un article sur elle.

> **Pour** situer dans le temps :
> - Pendant son enfance, il/elle avait appris à…
> - Dès qu'on le lui permettait, il/elle allait…
> - Il/Elle aurait tout fait pour partir à cette période, mais…
> - À ce moment-là, la situation était plutôt difficile…

C | À la conquête de l'égalité

Compréhension écrite

1 | En quelle année les femmes ont-elles obtenu le droit de vote dans les pays francophones ?

2 | Quelle image cette infographie donne-t-elle des droits des femmes dans l'histoire de France, et de leur place dans ses institutions ?

Production orale

3 | Dans votre pays, y a-t-il un véritable partage du pouvoir entre les femmes et les hommes ? Dans quelles institutions politiques les femmes sont-elles les plus présentes ? Existe-t-il une loi de parité ?

4 | Quelle est la représentation des femmes dans les sphères administratives, économiques et sociales de votre pays ?

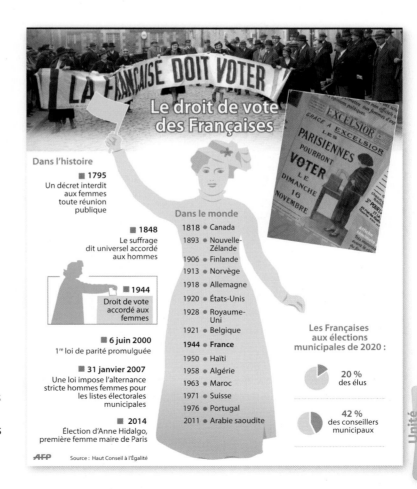

LA FRANÇAISE DOIT VOTER

Le droit de vote des Françaises

Dans l'histoire

■ 1795
Un décret interdit aux femmes toute réunion publique

■ 1848
Le suffrage dit universel accordé aux hommes

■ 1944
Droit de vote accordé aux femmes

■ 6 juin 2000
1re loi de parité promulguée

■ 31 janvier 2007
Une loi impose l'alternance stricte hommes femmes pour les listes électorales municipales

■ 2014
Élection d'Anne Hidalgo, première femme maire de Paris

Dans le monde

1818 ● Canada
1893 ● Nouvelle-Zélande
1906 ● Finlande
1913 ● Norvège
1918 ● Allemagne
1920 ● États-Unis
1928 ● Royaume-Uni
1921 ● Belgique
1944 ● France
1950 ● Haïti
1958 ● Algérie
1963 ● Maroc
1971 ● Suisse
1976 ● Portugal
2011 ● Arabie saoudite

Les Françaises aux élections municipales de 2020 :

20 % des élus

42 % des conseillers municipaux

AFP   Source : Haut Conseil à l'Égalité

Unité 5

Grammaire

Les temps du passé

Échauffement

1 | Dans les phrases suivantes, quel est l'infinitif des verbes soulignés ?
Quel est le temps de ces verbes ?

a. Colette Escoffier-Martini faisait partie du millier de volontaires qui <u>intégrèrent</u>
en 1943 le corps féminin des transmissions. Elle <u>fut</u> de celles qui <u>contribuèrent</u>
à libérer leur pays.

b. Paulette et Jane <u>furent</u> parmi les figures les plus importantes du milieu ultramarin
parisien de l'entre-deux-guerres.

Fonctionnement

2 | Qu'est-ce que ce temps exprime ? Quel temps emploierait-on à l'oral ?

Le passé simple

Le passé simple exprime un fait passé ponctuel, considéré de son début à sa fin. Il ne marque aucun contact entre ce fait et le présent. Il est maintenant utilisé uniquement dans la langue écrite littéraire, universitaire ou journalistique (en général à la 3e personne). Dans la langue orale et dans la langue écrite non littéraire, il est remplacé, depuis le xxe siècle, par le passé composé.

Conjugaison	Il y a 4 conjugaisons différentes :			
	j'allai	je lus	je finis	je vins
	tu allas	tu lus	tu finis	tu vins
	il alla	il lut	il finit	il vint
	nous allâmes	nous lûmes	nous finîmes	nous vînmes
	vous allâtes	vous lûtes	vous finîtes	vous vîntes
	ils allèrent	ils lurent	ils finirent	ils vinrent
Formation	Le passé simple se construit en général sur la forme du participe passé :			
	parler : parlé → je parlai	partir : parti → je partis	savoir : su → je sus	avoir : eu → j'eus
Exception	– les verbes en -andre / -endre / -erdre / -ompre / -ondre / -ordre : il perdit / il rendit / il interrompit			
	– les verbes en –attre : il combattit			
	– les verbes en –indre : il peignit / il craignit / il rejoignit			
	– les verbes en -frir et en –vrir : il couvrit / il découvrit / il offrit / il ouvrit / il souffrit			
	– les verbes en –uire : il conduisit / il cuisit			
Et aussi	convaincre → il convainquit	être → il fut	naître → il naquit	venir → il vint
	écrire → il écrivit	faire → il fit	tenir → il tint	vêtir → il vêtit
		mourir → il mourut	vaincre → il vainquit	voir → il vit

Entraînement

3 | Mettez ce texte au passé simple.

Les femmes <u>sont</u> nombreuses à avoir joué un rôle clé dans la marche de l'histoire. L'une d'entre elles, Marie Marvingt, <u>meurt</u> oubliée de tous en 1963 à Nancy. Pourtant cette aventurière <u>est</u> la femme la plus décorée de l'histoire de France. Elle <u>compte</u> trente-quatre décorations, dont la Légion d'honneur. Elle <u>naît</u> en 1875 à Aurillac. En 1909, elle <u>rejoint</u> l'Angleterre depuis Nancy avec un ballon dirigeable. Durant la Première Guerre mondiale, déguisée en homme, elle <u>se bat</u> dans les tranchées. Ses exploits <u>se poursuivent</u> jusqu'à ses 80 ans lorsqu'elle <u>effectue</u> un Paris-Nancy à bicyclette.

Entraînez-vous !

Cahier d'activités

Production écrite

4 । Rédigez la biographie d'une héroïne de votre pays.

RAPPEL : les temps du passé

Le passé composé	
• une action passée ponctuelle	*Hier, j'**ai visité** le musée d'Orsay.*
• le résultat passé ou présent d'une action passée	*Il était en retard : il **a raté** le début la visite guidée.*

L'imparfait	
• le cadre d'une action, un état, une situation passés	*Quand il **était** jeune, il **vivait** sur une base militaire.*
• une description	*Hier, le conférencier **semblait** fatigué.*
• une action passée ponctuelle	*Quand elle avait vingt ans, elle **étudiait** à la Sorbonne.*
• une action en cours d'accomplissement dans le passé, généralement en relation avec un passé composé ou un passé simple (= être en train de)	*Quand je suis entré, il **lisait** une biographie de Simone Veil.*

Le plus-que-parfait	
• un fait terminé antérieur à un autre fait au passé	*Quand je suis arrivé, il **avait** déjà **parlé** au professeur.*

> **Remarque**
>
> La distinction entre passé composé et imparfait existe aussi pour :
> – un sentiment, un état d'esprit : *Le soldat **avait** très peur de combattre ;*
> – une réaction : *Quand le professeur **est tombé** de sa chaise, nous **avons eu** peur.*

5 । Mettez ce texte au passé sans utiliser le passé simple.

En 1767, Jean Barret, 26 ans, embarque à bord d'un navire qui prend le départ pour le premier voyage officiel français d'exploration scientifique autour du monde. Le domestique Jean Barret accompagne son maître, le botaniste Philibert Commerson… dont il est amoureux ! Car Jean s'appelle en réalité Jeanne. Elle est entrée au service du botaniste quatre ans plus tôt. Celui-ci est malade et la veut à ses côtés pendant le voyage. Mais les femmes sur un bateau sont interdites car leur présence porte malheur. Jeanne se fait alors passer pour un homme. La supercherie fonctionne près de deux ans. À bord, Jeanne veille sur Philibert. En Amérique du Sud, elle porte le matériel et collecte des plantes. Le soir, dans la cabine du navire, les amants répertorient ensemble les plantes récoltées. Mais un jour, la double vie de Jeanne est découverte et le couple est débarqué sur l'île Maurice. Quand Philibert meurt en 1773, l'aventurière rapporte en France avec elle pas moins de cinq mille espèces de plantes pour le Jardin du roi. Louis XVI lui donne alors une rente en remerciement.

6 । Racontez cette période de l'histoire contemporaine en vous aidant de la chronologie et des repères historiques en bas de la frise.

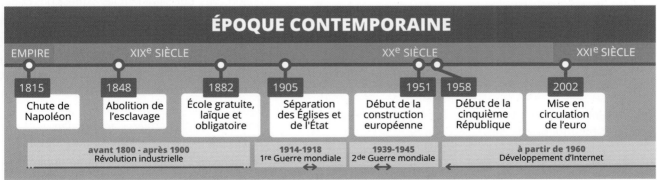

ÉPOQUE CONTEMPORAINE

EMPIRE	XIXᵉ SIÈCLE			XXᵉ SIÈCLE		XXIᵉ SIÈCLE
1815	1848	1882	1905	1951	1958	2002
Chute de Napoléon	Abolition de l'esclavage	École gratuite, laïque et obligatoire	Séparation des Églises et de l'État	Début de la construction européenne	Début de la cinquième République	Mise en circulation de l'euro

avant 1800 - après 1900
Révolution industrielle

1914-1918
1re Guerre mondiale

1939-1945
2de Guerre mondiale

à partir de 1960
Développement d'Internet

 Production orale

7 । Racontez à votre tour une période de l'histoire contemporaine de votre pays en une dizaine de dates clés.

Entraînez-vous !

Cahier d'activités

Unité 5

Vocabulaire

L'Histoire

 Jouez avec les mots ! > p. 10 « Les devinettes »

La période
- la Préhistoire
- l'Antiquité (f.)
- le Moyen Âge
- la Renaissance
- la Révolution
- l'Empire (m.)
- la République

1 Associez les événements suivants à une période de l'Histoire.
- **a.** Louis XIV devient roi à 4 ans.
- **b.** Emmanuel Macron est élu Président.
- **c.** Les hommes inventent l'écriture.
- **d.** La prise de la Bastille.
- **e.** Clovis est le premier roi de France.

Chronologie
Au Moyen Âge
- la société féodale
- la Guerre de Cent Ans

Des Temps modernes à la Révolution (1498-1789)
- les grandes découvertes
- les grandes inventions
- le Siècle des Lumières

Au XIXᵉ siècle
- la révolution industrielle
- la modernisation
- le progrès technique

Au XXᵉ siècle
- La Première Guerre mondiale
- La Seconde Guerre mondiale
- Les Trente Glorieuses

2 À quelle époque correspondent ces moments de l'Histoire ?
- **a.** L'industrialisation : ......
- **b.** La Renaissance : ......
- **c.** Les Années folles : ......
- **d.** Les croisades : ......
- **e.** La construction européenne : ......

Les acteurs de l'Histoire
- la hiérarchie militaire : le soldat, le lieutenant, le colonel, le général...
- le héros
- le pionnier
- le volontaire

3 Féminisez les mots suivants : le héros, le pionnier, le volontaire, le soldat.

En cas de conflit
- être mobilisé ≠ démobilisé
- être pourchassé, capturé par l'ennemi
- libérer un territoire, son pays
- servir dans l'armée
- le combat
- la défaite
- l'invasion (f.)
- le retour à la vie civile
- la révolution
- la victoire

4 Trouvez les verbes qui correspondent aux cinq derniers mots de la liste précédente.

Mettre à l'honneur
- la cérémonie
- la commémoration
- l'inauguration (f.)
- la Légion d'honneur
- la reconnaissance
- rendre (un) hommage
- reposer au Panthéon

5 Complétez avec les mots manquants : *la Légion d'honneur, reconnaissante, rendre hommage, le Panthéon, reposer*. Conjuguez les verbes.
Depuis 1890, ... abrite les tombes des personnes ayant servi la France. En effet, ce monument ...... à des héros et héroïnes français. Le président de la République décide quelles personnalités auront leur tombe au Panthéon. Par exemple, des scientifiques comme Pierre et Marie Curie et des écrivains comme Voltaire ou Victor Hugo y .... Nombre d'entre eux ont reçu .... Le fronton du Panthéon porte la célèbre inscription : « Aux grands Hommes, la patrie .... »

6 🎧 24 Intonation
Écoutez ces citations historiques célèbres puis répétez-les.

Expressions
- le chevalier servant
- des dépenses pharaoniques
- monter sur le trône
- perdre le fil de l'histoire
- une vie de château

Production orale

7 Selon vous, que signifient les expressions ci-dessus ?

8 Quelle est la période historique qui vous intéresse le plus ? Dans quel pays ?

9 Quels sont les personnages historiques les plus importants de l'histoire de l'humanité selon vous ? Présentez-en trois rapidement.

10 Quel est l'événement historique qui vous a le plus marqué ces dix dernières années dans votre pays, sur la planète ?

11 À quelle époque auriez-vous aimé vivre ?

Entraînez-vous !

 Cahier d'activités

Cultures

Reconstruire les monuments historiques

D ▌ Viollet-le-Duc et la flèche de Notre-Dame

1 Peut-on être architecte sans avoir fait des études d'architecture ? Eugène Viollet-le-Duc, né en 1814, en est l'exemple le plus éclatant. À l'enseignement des 5 Beaux-Arts, il préfère les routes. Il explore la France dans ses moindres recoins puis effectue en 1836 un séjour en Italie. De ces voyages, il tire des centaines de dessins de sites et monuments.

10 « Et une flèche de Notre-Dame ? » demandait Viollet-le-Duc. Cette question aurait bien fait rire un Parisien de 1842… et pleurer les Français d'aujourd'hui ! À l'époque, 15 aussi invraisemblable que cela puisse paraître, Notre-Dame était orpheline de sa flèche… Après des décennies d'incurie, 20 on recommence à peine à s'intéresser à la vénérable cathédrale, et le mérite en revient au roman de Victor Hugo, *Notre-*

Dame de Paris, paru en 1831. Grâce 25 à Esmeralda, Frollo et Quasimodo, le vaisseau de pierre en décrépitude attire un nouveau regard. Ses pierres noircies par le temps, sa flèche absente depuis 30 1792, sa célèbre galerie sculptée des rois (pris pour des monarques français alors qu'ils sont bibliques) abîmée, son portail central agrandi au XVIIIᵉ siècle par Jacques-Germain Soufflot, l'architecte 35 en chef de Notre-Dame… la belle du seigneur est en souffrance ! Louis-Philippe Iᵉʳ, « bon roi des Français », se rend à l'évidence : il faut sauver la plus belle église de France. Pour ce faire, il lance en 1842 un concours, remporté

par Jean-Baptiste-Antoine Lassus (conservateur des édifices diocésains de Paris) et Viollet-le-Duc, qui n'a pas encore 30 ans. Le duo fait merveille, le 45 chantier ouvre en 1844. En 1857, Lassus meurt, laissant Viollet-le-Duc seul maître à bord. Jusqu'en 1865, il peaufine son Moyen Âge idéal, peuplant les parties hautes de gargouilles, de 50 chimères et d'apôtres, lui-même prêtant une nouvelle fois ses traits à saint Thomas (un apôtre incarnant l'incrédulité religieuse). Dévorée par les flammes lors du dramatique incendie 55 dont a été victime Notre-Dame les 15 et 16 avril 2019, la cathédrale est à nouveau orpheline de sa flèche. Quand renaîtra-t-elle de ses cendres ? Sera-t-elle une réplique à l'identique du chef-d'œuvre de Viollet-le-Duc et de maître Bellu…

Dominique ROGER, *Secrets d'Histoire,* Hors Série n°1, 7 décembre 2020

E ▌ Notre-Dame de Paris en flammes

" On veut garder un maximum de traces du passé. "

1 ▌ Écoutez l'émission de radio. Selon vous, est-ce important de reconstruire la cathédrale Notre-Dame à l'identique ? Cela a-t-il toujours été le cas dans l'histoire de sa restauration ?

2 ▌ Comment les monuments sont-ils restaurés dans votre pays ?

3 ▌ À votre avis, faut-il garder toutes les traces du passé ? Faut-il en effacer certaines ? Pourquoi ?

4 ▌ Aujourd'hui, tout est mis en œuvre pour restaurer les centres historiques des villes. La muséification ne risque-t-elle pas de transformer les villes en décor ?

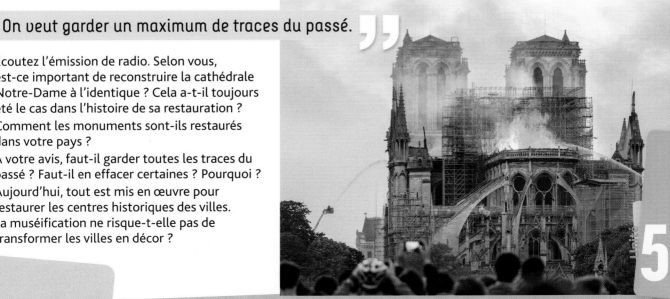

5

F | Du Congo à l'Alberta

Histoire d'immigration : le rappeur 2Moods vit sa francophonie au pluriel

1 Originaire de la République démocratique du Congo, le slameur et rapeur Dennis Ndala, dit 2Moods, s'est installé à Edmonton en juillet 2012. Il avait alors 17 ans. Près de 9 ans plus tard, l'artiste revient sur son atterrissage en Alberta.

5 **Deux familles**
Ayant pu profiter du programme d'immigration canadien de regroupement familial, ce n'est pas une, mais bien deux familles qu'a retrouvées l'artiste dans la capitale albertaine : un frère d'un côté, la francophonie de l'autre.

10 **L'identité comme atout**
Dennis Ndala s'excuse presque de ne pas avoir connu de racisme à son encontre. « En toute honnêteté, je n'ai jamais eu à faire face à de la discrimination personnellement », déclare-t-il. Bien sûr, il lui est arrivé de l'entendre autour
15 de lui, mais il préfère se concentrer sur le positif. Il insiste notamment sur ses années au Campus Saint-Jean, où il a pu rencontrer des professeurs issus de l'immigration. « C'est important pour les étudiants d'origines étrangères de voir qu'au Canada, on peut aussi devenir professeur », confie-t-il.

20 **Messager d'une francophonie multiculturelle**
Malgré une intégration réussie, il lui arrive d'avoir la mélancolie du pays. Un sentiment que 2Moods aime exprimer dans ses chansons. « J'ai beaucoup parlé d'amour dans mes chansons », mais depuis son deuxième passage au concours
25 de musique Polyfonik d'Edmonton, en Alberta, il essaie d'enrichir ses textes de messages plus politiques et historiques. L'artiste évoque l'esclavage, ses racines congolaises et cette vie colorée qu'il a quittée. Poète, slameur, c'est dans le rap qu'il s'émancipe.

30 **Danger de se replier sur toi-même**
L'œuvre se veut un message pour ses amis de Kinshasa : « À Kinsha-
35 sa, on n'a pas besoin de trop pour être heureux », rappellent les paroles de *Réalité*. Des mots auxquels il faut s'accrocher, d'après le rapeur. « Quand tu arrives du
40 Congo, avec tes valeurs d'amitié et de solidarité, ce n'est pas simple de s'y retrouver. Ici, tout le monde a une vie professionnelle, ses occupations. Alors toi aussi, tu deviens peu à peu sédentaire, replié sur toi-même et le matériel devient source de bien-être. »
45 Il s'attriste de la monotonie du quotidien albertain, qui est loin de faciliter les échanges avec les autres. À l'inverse, il salue la solidarité financière mise en place par le gouvernement canadien qui n'existe pas, là-bas, en RDC, dit-il. « Pas de salaire minimal, pas d'allocation familiale », continue la
50 chanson. Une réalité africaine qui évoque pour 2Moods la débrouillardise et la fraternité, mais aussi souvent la misère.

Les immigrants veulent participer
Finalement, Dennis Ndala espère contribuer à dénoncer les préjugés. « Les immigrants ne sont pas au Canada pour
55 vivre des aides de l'État, ils sont là pour participer à la société et rendre à leur communauté. »
Il souhaite profiter de la stabilité de sa vie canadienne pour faire naître l'espoir chez ceux qui aujourd'hui arrivent au pays, tout en leur montrant le chemin de la francophonie
60 en milieu minoritaire.

Arnaud BARBET, pour le compte de *Francopresse*, 27 mars 2021

 Compréhension écrite

Entrée en matière

1 | Lisez le chapô. D'où vient Denis Ndala et où vit-il ? Quel est son nom de scène ?

Lecture

2 | Par quel biais Denis Ndala a-t-il émigré au Canada ?

3 | Se sent-il bien intégré dans son pays d'accueil ? Pourquoi ?

4 | Quels sont les thèmes abordés dans ses chansons ?

5 | De quelles différences parle-t-il quand il évoque la vie dans ses deux pays ?

6 | De quel message est-il porteur finalement ?

Vocabulaire

7 | Expliquez les énoncés suivants :
   a. faire face à de la discrimination (l. 13)
   b. avoir la mélancolie du pays (l. 21)
   c. c'est dans le rap qu'il s'émancipe (l. 28)
   d. le matériel devient source de bien-être (l. 43)

 Production orale

8 | Avez-vous déjà vécu à l'étranger ? Sinon dans quel pays aimeriez-vous vivre ? Pourquoi ?

9 | Seriez-vous tenté(e) par une expatriation dans un pays francophone ? Pour quelles raisons ?

10 | Racontez un souvenir de malentendu culturel que vous avez vécu dans un pays étranger.

G ┃ Les Haïtiens de Montréal 26

Les Haïtiens de Montréal et du Québec ne vivent pas en vase clos.

Compréhension orale

Entrée en matière

1 ┃ Quelle est la langue commune en Haïti et au Québec ?

1ʳᵉ écoute (en entier)

2 ┃ Quel est le thème de ce reportage ?

2ᵉ écoute (en entier)

3 ┃ Où la journaliste suit-elle Dorothy et Camille au début du reportage ?

4 ┃ Comment Dorothy et sa grand-mère se sont-elles imprégnées de la culture québécoise ?

5 ┃ Qu'est-ce que « Mémoire d'encrier » ? Quand ce lieu a-t-il été fondé ?

6 ┃ D'où viennent les auteurs publiés par Rodney Saint-Eloi ?

7 ┃ Que connaît-on dans les réserves pour Amérindiens selon lui ?

8 ┃ Qui est Frantz Benjamin ? En quoi a-t-il un esprit fédérateur ?

9 ┃ Les Québécois sont-ils séduits par la culture haïtienne ? De quelle manière ?

Vocabulaire

10 ┃ Comment comprenez-vous l'expression « *Les Haïtiens de Montréal et du Québec ne vivent pas en vase clos* » ?

Activité complémentaire
rfi **SAVOIRS**

H ┃ Entre le Burkina Faso et Paris 📱27

1 Roukiata Ouedraogo : « *Est-ce que je suis faite pour vivre ici ? Est-ce que je vais m'adapter ?* »

Entre deux cultures

Depuis que je suis en France, quand je rentre au Burkina
5 Faso, je suis assaillie par les petits marchands de rue comme une touriste. J'ai beau porter des boubous et des foulards sur la tête, il y a quelque chose en moi de parisien. C'est subtil, difficile à définir. La dernière fois, tonton Théophraste m'a dit : « Ma fille, quand tu marches, on dirait que tu cours !
10 Ralentis un peu, tu es au pays, ici, tu n'as pas un métro à prendre ! »

L'équilibre précaire entre deux cultures

Tenez, c'est bien simple, quand le soleil cogne, je ne bronze plus, je cloque. Il y a des signes comme ça. Avoir un pied
15 dans deux cultures, deux pays, c'est une richesse, tout le monde en conviendra. Enfin, la plupart des gens. Mais c'est aussi un équilibre précaire, c'est avoir littéralement
20 le cul entre deux chaises. Et si nous, les immigrés, avons du mal à définir cet entre-deux, les Français voient vite ce qu'il y a d'africain en moi et les Africains ce qu'il y a de français.
25 Autant dire qu'on me repère de loin.

Le Monde, 1ᵉʳ août 2019

Roukiata Ouedraogo, humoriste

 ## Compréhensions orale et écrite

Lisez le texte puis écoutez l'enregistrement.

1 ┃ D'où vient Roukiata et où vit-elle maintenant ? Depuis quand ?

2 ┃ À son arrivée à Paris, qu'est-ce qui étonne Roukiata sur son logement, le climat et le métro ?

3 ┃ Pourquoi apprécie-t-elle le quartier de Barbès ?

4 ┃ A-t-elle pensé à retourner en Afrique ? Pour quelles raisons ?

5 ┃ Quel travail a-t-elle trouvé à son arrivée ? Pourquoi était-ce important pour elle ?

6 ┃ Se sent-elle africaine et/ou française ? Expliquez.

Production écrite

7 ┃ Réécoutez le témoignage de Roukiata. En vous aidant également du texte, écrivez un article sur le parcours de la jeune femme : de son arrivée à Paris jusqu'à sa vie actuelle, en intégrant ses anecdotes sur les différences culturelles.

Unité 5

Grammaire

La concession et l'opposition

Échauffement

1 | Quel est le rôle des énoncés soulignés ?

a. <u>Malgré</u> une intégration réussie, il lui arrive d'avoir la mélancolie du pays.

b. Il s'attriste de la monotonie du quotidien. <u>À l'inverse</u>, il salue la solidarité financière mise en place par le gouvernement canadien.

c. <u>J'ai beau</u> porter des boubous et des foulards sur la tête, il y a quelque chose en moi de parisien.

d. Avoir un pied dans deux cultures, deux pays, c'est une richesse, tout le monde en conviendra. <u>Mais</u> c'est aussi un équilibre précaire.

Fonctionnement

2 | Comment se construisent les énoncés ci-dessus ?

L'opposition	
Conjonctions de subordination	alors que / tandis que + indicatif
Prépositions	contrairement à / à l'opposé de + nom contrairement à ce que, ce qui / à l'opposé de ce que, ce qui + indicatif **au lieu de** + infinitif
Adverbes et conjonctions	mais / or / cependant / néanmoins par contre / en revanche / au contraire / à l'inverse

La concession	
Conjonctions de subordination	même si + indicatif bien que / quoique / encore que + subjonctif
Prépositions	malgré / en dépit de + nom
Adverbes et conjonctions	mais / pourtant / cependant / néanmoins / toutefois / or quand même / tout de même / malgré tout
Expressions	avoir beau + infinitif ça n'empêche pas que / il n'empêche que + indicatif

> **Remarque**
>
> À l'oral, on utilise souvent **quand même** pour renforcer *mais, même si, malgré*.
> À l'écrit, on utilise plutôt **tout de même**, plus formel.

Entraînement

3 | Dans les phrases suivantes, quels éléments expriment une opposition ? Une concession ?

a. Sandra veut s'installer à Montréal tandis que son mari préférerait s'expatrier au Mexique.

b. Tu ferais mieux de préparer notre départ au Canada au lieu de jouer à tes jeux vidéo.

c. Il a un pied en France et un autre en Afrique, ça n'empêche pas qu'il se sent plus africain.

d. Roukiata a beau porter un boubou sur la tête, il y a quelque chose en elle de parisien.

e. Simon adore son expérience d'expatrié à Madrid. Pourtant il souhaite rentrer à Lyon.

4 | Mettez le verbe entre parenthèses au temps qui convient.

a. Contrairement à ce que les gens (dire) ...., Léopold est guadeloupéen et non martiniquais.

b. Je suis couverte chaudement de la tête aux pieds. N'empêche que l'hiver canadien (être) .... rude !

c. Bien qu'il (être) .... canado-haïtien, l'auteur Dany Lafferière réside surtout en France.

d. Denise préfère parler français en famille, tandis que sa mère (tenir) .... à parler créole.

e. Même s'il (essayer) .... de s'accoutumer aux habitudes locales, il a du mal à s'intégrer.

5 | Terminez ces phrases en introduisant une idée d'opposition ou de concession en variant les tournures autant que possible.

a. Ma décision est prise, je vais quitter mon pays ....

b. Avoir une double culture est une richesse ....

c. Ces réfugiés rêvent de vivre en Europe ....

d. Adopter un nouveau mode de vie, une nouvelle langue est difficile ....

Entraînez-vous !

Cahier d'activités

Documents

> Ces migrations sont souvent de proximité.

Le Grand Van Gogh, sculpture de Bruno Catalano.

I | Histoire de l'immigration en France 28

Compréhension orale

Entrée en matière

1 | Observez la sculpture. Que vous évoque cet homme ?

Deux écoutes (en entier)

2 | Quels obstacles naturels les femmes et les hommes traversent-ils pendant leurs voyages ?

3 | Qu'est-ce qui caractérise les migrants de l'intérieur ?

4 | Qui étaient Mazarin et Necker ?

5 | Dans quels secteurs les étrangers sont-ils indispensables ?

6 | Dans quel domaine les migrants italiens s'illustrent-ils ?

7 | Quelles sont les professions des plus modestes ?

8 | En quoi la fin du xviiie marque-t-elle un tournant ?

9 | Depuis la Révolution, à qui la « qualité » de Français est-elle accordée ?

10 | Avec l'ère industrielle, les migrations s'intensifient-elles ou se réduisent-elles ?

Vocabulaire

11 | Définissez les mots : migrant, étranger et citoyen.

Production orale

12 | De quelles parties du monde les immigrés de votre pays viennent-ils ?

13 | Quelle est leur place dans la société de votre pays ?

J | Migrations internationales : faits et chiffres

Si la migration est un fait social évident, le développement des moyens de transport et de communication au siècle dernier a facilité ce déplacement de personnes à grande échelle et continue à jouer un grand rôle dans le rapprochement géographique. **L'écrasante majorité des personnes qui migrent le font à l'intérieur de leur propre pays.** Le programme des Nations Unies pour le développement (PNUD) estime qu'il y aurait 740 millions de migrants internes dans le monde. Les migrants internationaux représentent eux 200 millions de personnes, **soit 3 % de la population mondiale.** Le nombre total de migrants internationaux s'est accru ces dix dernières années, passant d'environ 150 millions de personnes en 2000 à 214 millions de personnes aujourd'hui. En revanche, le pourcentage du nombre de migrants par rapport à la population mondiale est resté stable ces cinquante dernières années.

Parmi les migrants internationaux, seul un tiers s'est déplacé d'un pays en développement vers un pays développé. En effet, contrairement à ce que les discours actuels portent à croire, **la majorité des migrations ne s'effectuent pas du Sud vers le Nord.** En réalité, seules 37 % des migrations dans le monde ont lieu d'un pays en développement vers un pays développé. La plupart des migrations s'effectuent entre pays de même niveau de développement : 60 % des migrants se déplacent entre pays développés ou entre pays en développement.

Par ailleurs, 7 % des migrants dans le monde (soit 15 millions de personnes) sont des réfugiés, la plupart vivant à proximité du pays qu'ils ont fui.

La Cimade

Compréhension écrite

Lecture

1 | Quel est le thème de cette étude ?

2 | Quel résumé pouvez-vous en faire ?

3 | Relevez les expressions utilisées pour présenter et commenter ces données chiffrées.

Production écrite DELF B2

4 | Votre ville vient d'ouvrir un centre d'accueil pour migrants et recherche des bénévoles afin d'accompagner les migrants dans leurs démarches, de leur fournir des adresses utiles (cours de français, hébergement, démarches administratives, etc.). Vous décidez de leur proposer votre aide. Dans une lettre de candidature, vous exposez vos motivations au responsable du centre d'accueil.

Unité 5

vocabulaire

Les données chiffrées

Jouez avec les mots !
p. 10 « Les mots préférés »

Commenter un tableau
· Ces données/statistiques font apparaître que...
· L'étude montre/indique...

Indiquer un nombre
· Cela représente 200 millions de personnes.
· Le chiffre de la migration interne dans le monde s'élève à 740 millions.
· Le nombre (total) de migrants internationaux est de...
· La population mondiale était estimée à 7,8 milliards en mars 2020.
· Le total/la somme représente...

Indiquer une quantité
· Plus ou moins 7 % des migrants dans le monde sont des réfugiés.
· Le pourcentage du nombre de migrants...
· L'écrasante majorité des personnes...
· Le double/Le triple de ...
· On estime un doublement du nombre de réfugiés d'ici 10 ans.
· Si on additionne les chiffres de 2021 et ceux de 2022, on obtient...

Indiquer une fraction
· La part des migrations internationales s'est accrue ces dernières années.
· Les proportions sont respectivement de 27 % et 16 %.
· La moitié/Le tiers/Le quart/Un cinquième des migrants...
· Les deux tiers/Les trois quarts des réfugiés...
· Les migrants internationaux représentent 3 % de l'ensemble de la population mondiale.
· Plus d'un tiers des Européens, soit 80 millions, ...
· Parmi les migrants internationaux, seul un tiers...

Indiquer une majorité ou une minorité
· La plupart des migrations s'effectuent entre pays de même niveau de développement.
· La part des migrations internes est majoritaire/prépondérante, celle des migrations internationales minoritaire.

Pour moduler un chiffre
· environ/approximativement un quart
· près de/presque la moitié

Pour comparer
· Par rapport à 2012, la situation de 2022...
· Ils sont 27 % en 2012, contre 13 % en 2022.
· L'écart entre le chiffre officiel et le nombre réel est important/considérable.
· La différence est minime/faible/négligeable.
· La part des réfugiés environnementaux sera trois fois plus importante d'ici 2050.

1 | Commentez l'infographie suivante.

1 685 638 inscrits au Registre des Français établis hors de France au 1er janvier 2021

Répartition par âge et par genre

50% de femmes   50% d'hommes

16,21 % plus de 60 ans
49,12 % entre 25 et 60 ans
34,67 % moins de 25 ans

Où sont installés les Français ?

Europe (UE et hors UE) :	49,24 %
Amériques :	20,10 %
Afrique du Nord et Moyen-Orient :	14,61 %
Asie-Océanie :	8,06 %
Afrique subsaharienne et Océan indien :	7,98 %

Les 5 premiers pays d'accueil

Suisse	176 425
États-Unis	148 468
Royaume-Uni	144 084
Belgique	109 885
Allemagne	101 048

2 | Vos compatriotes s'installent-ils facilement dans un pays étranger ? Dans quels pays s'expatrient-ils majoritairement ? Pour quelles raisons ?

Entraînez-vous !

Cahier d'activités

l'essentiel

Grammaire/Vocabulaire

1. Introduisez une idée d'opposition ou de concession dans les phrases ci-dessous en variant les tournures autant que possible.

a. Il parle espagnol couramment. Son patron ne veut pas l'envoyer travailler à Madrid.

b. Ce réfugié est malade, il veut traverser la France pour rejoindre l'Angleterre.

c. Anna est arrivée en France en 2019, son mari est resté en Pologne.

d. Il veut absolument faire son master d'Histoire au Canada. Les études y sont coûteuses.

e. J'aurais aimé vivre au Moyen Âge et ma femme au XIXᵉ siècle.

f. Vivre entre deux pays et deux cultures, c'est une richesse. C'est aussi parfois compliqué.

g. Elle déteste la neige et le froid. Elle va s'expatrier à Montréal.

2. Complétez les phrases avec les mots suivants :

château – Première Guerre – Lumières – trône – Antiquité – croisade – Renaissance

a. L'amphithéâtre du Colisée à Rome est un vestige datant de l'........ romaine.

b. La .... constitue un pont entre le Moyen Âge et l'époque moderne.

c. La princesse mène une vie de ....

d. La Belle Époque est une période s'étendant de la fin du XIXᵉ siècle au début de la .... mondiale.

e. « Napoléon sur le .... » est un tableau peint par Ingres.

f. Au long du XVIIIᵉ siècle, l'esprit des .... influença une partie de la noblesse française.

g. La .... est une institution militaire féodale.

3. Mettez ce texte au passé simple.

Simone de Beauvoir, philosophe et femme de lettres, naît en 1908 et meurt à l'âge de 78 ans. Petite fille, puis adolescente, elle ne veut jamais suivre le chemin tracé pour elle. Elle marque son époque par son engagement et son indépendance. En 1929, elle rencontre Jean-Paul Sartre et obtient son agrégation de philosophie. Elle se fait connaître grâce à la publication de son essai, *Le Deuxième Sexe*, en 1949. Quelques années plus tard, elle publie *Mémoire d'une jeune fille rangée*. Devenue une femme de lettres à succès, elle remporte le Prix Goncourt pour *Les Mandarins*, en 1954. Simone de Beauvoir est considérée comme la précurseure du mouvement féministe français.

4. 🎧29 **a.** Écoutez cet enregistrement une première fois et trouvez un titre à cette enquête. Titre : ....

b. Réécoutez l'enregistrement et complétez le graphique avec les données chiffrées manquantes.

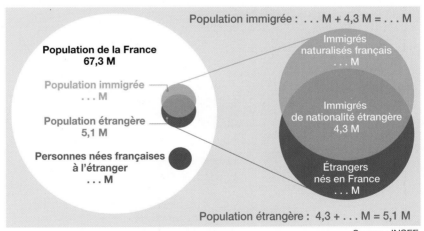

Source : INSEE

5. Complétez avec les mots suivants.

environ – nombre – par rapport – près de – un tiers – parmi

Parmi les immigrés d'âges actifs (15-64 ans) arrivés en France à l'âge de 15 ans ou plus, ... la moitié (49 %) déclarent avoir émigré pour des raisons familiales.

L'immigration féminine s'est accrue au fil des années : le .... de femmes venant étudier en France est désormais équivalent au nombre d'hommes. De plus, ... au siècle dernier, la population immigrée est de plus en plus diplômée.

Quatre immigrés sur dix ne parlaient pas ou peu le français lors de leur premier emploi en France. .... un tiers de ceux qui sont en emploi considèrent qu'ils sont surqualifiés.

.... les immigrés arrivés en France à l'âge de 15 ans ou plus, ... de ceux devenus français ont acquis la nationalité dans les cinq ans qui ont suivi leur arrivée.

Unité **5**

Présenter une infographie

Objectifs du projet
- Échanger sur le thème de l'Histoire
- Interpréter et présenter par écrit des informations détaillées issues de diagrammes
- Comparer des données chiffrées

1 Situation

Vous présenterez l'ensemble des données sur *Les Français et l'Histoire* sous forme d'article en les comparant avec celles de votre pays.

2 Mise en œuvre

▷ **En groupes**

- En groupes, prenez connaissance des infographies sur *Les Français et l'Histoire* et commentez-les. *Un modérateur distribue les tours de parole.*
- Individuellement, recherchez le même type de données concernant votre pays.
- Rédigez votre article en comparant vos données avec celles sur *Les Français et l'Histoire*.

Stratégies **Expliquer des données**

- Pour rédiger votre article, vous devrez :
  - comprendre et interpréter les points importants de données présentées dans des graphiques ;
  - relever des informations concrètes dans différents histogrammes et les commenter ;
  - exploiter les indices langagiers : les nombres, les noms propres, les illustrations, etc.

Documents médiation

Les Français et l'Histoire

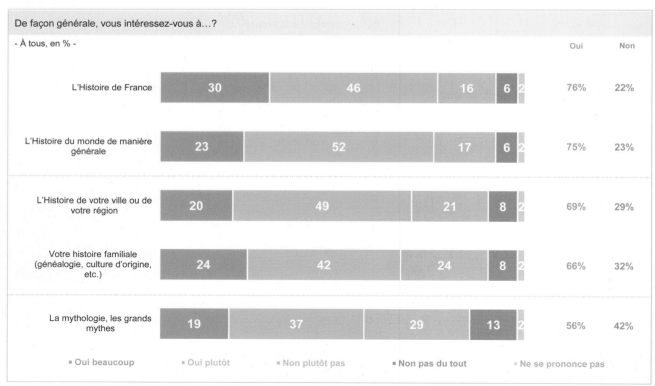

Source : rapport Harris Interactif sur les Français et l'Histoire pour *Historia*, mars 2019

LE COSTUME 3 PIÈCES-CUISINE
POUR RESTER CHEZ SOI MÊME EN VOYAGE

Lever l'ancre

Objectifs

- Exprimer ses attentes au sujet d'un voyage
- Décrire un site naturel
- Créer une brochure touristique plurilingue
- Exprimer sa capacité à participer à une expédition sportive (DELF)

" Ça vaut le détour ! "

Documents

A | Choisir sa destination

Vacances entre amis : comment bien choisir sa destination (et garder ses potes) ? Les vacances commencent bien en amont du jour du départ, avec les préparatifs.

Des vacances qui feront date

Comme pour tout, le mieux est donc d'élaborer un plan de bataille. La première chose sur laquelle il est nécessaire de se mettre d'accord, est évidemment la date des congés concernés, car elle pourrait influer sur la destination. Si l'on rêve d'une semaine à la plage et au soleil mais qu'on n'est disponible qu'à partir de la mi-octobre, on peut considérer que la France, comme le reste de l'Europe seront alors à proscrire (sauf si se baigner en eau froide, potentiellement avec des phoques, ne pose pas de problème). « Les dates des vacances peuvent forcément jouer sur le choix de la destination, reconnaît Philippe Gloaguen, cofondateur du *Guide du Routard*. Si on a des enfants par exemple, on est coincés par les vacances scolaires. »

No limit versus all inclusive

Place maintenant à la seconde étape très importante de ce magnifique projet communautaire. Si l'on est bien disponible sur les mois d'été par exemple, mais que le budget fait défaut pour partir au soleil en haute saison, c'est également un élément non négligeable à prendre en compte. Si les disparités financières s'avéraient trop importantes… le projet pourrait bien tourner court avant le départ.

Il est absolument indispensable d'aborder la question AVANT de partir et d'établir le budget maximum que chacun compte mettre sur la table pour la durée du séjour.

Dis-moi qui tu es, je te dirai où partir.

Le dernier élément essentiel indissociable des deux premiers facteurs à absolument prendre en considération est bien évidemment le style de vacances que chacun souhaite passer. Difficile de concilier la tournée des boîtes de nuit berlinoises ou d'Ibiza avec une semaine nature dans le Périgord ou des envies de randos en montagne avec une semaine de farniente à la mer.

Partir, c'est choisir

« Le choix de la destination est évidemment lié à la personnalité des membres du groupe », observe Philippe Gloaguen. On peut adorer certains amis en sachant très bien qu'on ne partira jamais en vacances avec eux car on n'a pas les mêmes centres d'intérêt, au moins en congés. Mieux vaut se montrer réaliste sur ce point avant de partir. Ils adorent le camping quand vous détestez ça ? Vous ne jurez que par les plages de l'Atlantique quand ils rêvent de faire du vélo en Lozère ? Votre peau (ou vous) ne supporte que les climats frais alors que vos amis passent leur journée à bronzer au soleil ? Inutile de se forcer et de passer de mauvaises vacances, cela vaudra mieux pour tout le monde.

Destination finale ?

D'autant que sur place, une fois qu'on a (bien) choisi sa destination, d'autres questions qui fâchent nous attendent : « Il faut savoir si l'on va à l'hôtel ou bien si l'on va dans des gîtes. Si l'on choisit le gîte, qui cuisinera ? Qui fera les courses ? Ces deux points doivent être réglés avant de partir en vacances », conseille Philippe Gloaguen.

Florence FLOUX, *20 Minutes*, 16 juillet 2021

 Compréhension écrite

Entrée en matière

1 | Quelle a été votre dernière destination de vacances ? Avec qui êtes-vous parti(e) ?

Lecture

2 | Dans la 1ʳᵉ étape de préparation des vacances, quels sont les deux aspects sur lesquels il faut se mettre d'accord ? Expliquez pourquoi ils sont liés.

3 | D'après le journaliste, quel point doit-on aborder dans la 2ᵉ étape de préparation ?

4 | D'après lui, peut-on partir en vacances avec n'importe lequel de nos amis ? Pourquoi ?

 Production écrite

5 | Vous décidez de partir en vacances avec un groupe d'amis. Pour que tout se déroule bien, vous écrivez les règles à suivre pour passer des vacances en harmonie.

> **Pour exprimer clairement ses attentes**
>
> • **Il est attendu de chacun qu'**il respecte le sommeil des autres.
> • **Il est demandé à** tous **de** participer à la réalisation des repas.
> • **Nous nous engageons à** nettoyer la maison à tour de rôle.

B | Randonnée en famille 📱30

« Là on est à 2 500 mètres. »

🎧 Compréhension orale

Entrée en matière

1 | Aimez-vous voyager dans des lieux isolés ?

1ʳᵉ écoute (en entier)

2 | Quelle est l'attitude de la jeune fille ?

3 | Comment la mère réagit-elle ?

4 | Pour quelles raisons la famille a-t-elle choisi cette destination ?

5 | Le jeune garçon apprécie-t-il ses vacances ? Justifiez votre réponse.

2ᵉ écoute (en entier)

6 | Relevez les éléments de description cités par le père et le fils.

C | Les plus beaux villages de France

1 **Séguret, le charme de Montmirail**

Voici le genre de petit village de carte postale dont les murs en pierre de taille, les toits de tuile rouge et les cyprès semblent comme suspendus à la colline. Au pied des sublimes dentelles de Montmirail, entre Vaison-la-Romaine et le mont Ventoux, Séguret surplombe la vallée du Rhône et ses vignes à perte de vue avec fierté. Il faut se garer au pied du village, grimper dans ses ruelles escarpées pour découvrir de petites maisons charmantes, aux microjardins ombragés, un lavoir du Moyen
15 Âge, une très belle fontaine, un ancien beffroi. La chapelle Sainte-Thècle, construite au XVIIIᵉ siècle, accueille de jolies expositions de peinture en été, et de santons en hiver. Les enfants aimeront se cacher dans les ruines du
20 château féodal, d'où la vue sur les Alpilles et les Cévennes, au loin, est à tomber. Place des Arceaux, on profitera de l'ombre des platanes centenaires, en écoutant les boulistes papoter. Mais c'est les jeudis soirs d'été que Séguret est le plus agréable : le temps d'un marché
25 nocturne, les artisans et producteurs locaux proposent à manger et à boire, et on dîne sous les lampions, autour de grandes tablées, de fromages et de vins du pays.

Saint-Jacut-de-la-Mer, le village aux 11 plages

Un village… et onze plages ! Qui dit mieux ? Posé sur une
30 langue de terre, au cœur d'un paysage sans cesse transformé par les marées, Saint-Jacut-de-la-Mer est un petit bijou de la Côte d'Émeraude. Depuis cet ancien village de pêcheurs, duquel l'architecture des maisons n'a pas bougé depuis le XIXᵉ siècle, tous les chemins mènent à la
35 Manche ! Chaque jour, on peut découvrir une nouvelle plage. Notre préférence va à celle du Rougeret, qui fait face à l'archipel des Ébihens. À marée basse, tentez la traversée de l'estran* jusqu'à ce chapelet d'îles. Ne manquez pas non plus la visite de la très belle abbaye de Saint-Ja-
40 cut ; fondée au IVᵉ siècle, restaurée en 1875. L'été, l'abbaye redevient pension de famille où il fait bon se poser.

Yoanna SULTAN-R'BIBO,
François BOSTNAVARON
et Thomas DOUSTALY,
Le Monde, 17 mai 2020

* partie du littoral parfois recouverte par la marée.

📄 Compréhension écrite

Lecture

1 | Où est situé chacun de ces villages ?

2 | Qu'est-ce qui caractérise l'architecture de leurs maisons ?

3 | Quelle végétation trouve-t-on à Séguret ?

4 | Quels monuments sont cités dans l'article ?

5 | Quelle vue a-t-on depuis le village de Séguret ?

6 | Où est situé l'archipel des Ébihens ?

7 | Quelles sont les activités conseillées par les journalistes ?

💬 Production orale

8 | Choisissez un lieu que vous aimez beaucoup et réalisez le script d'un reportage vidéo de 2 minutes environ. Vous commencerez par situer géographiquement le lieu, puis vous expliquerez ce qui le caractérise et ce qu'on peut y faire.

Unité **6**

Grammaire

Exprimer le lieu

Échauffement

1 | Soulignez les prépositions et les locutions de lieu.

a. Séguret se trouve au pied des sublimes dentelles de Montmirail, entre Vaison-la-Romaine et le mont Ventoux.

b. La vue sur les Alpilles et les Cévennes, au loin, est à tomber.

c. On dîne sous les lampions, autour de grandes tablées.

d. Le village est situé au cœur d'un paysage sans cesse transformé par les marées.

e. Notre préférence va à la plage du Rougeret, qui fait face à l'archipel des Ébihens.

f. Tentez la traversée de l'estran jusqu'à ce chapelet d'îles.

Fonctionnement

2 | Complétez le tableau avec les expressions de lieu issues des phrases ci-dessus.

On peut utiliser, pour indiquer :	
Le centre d'un lieu : au centre de, au milieu de, ...	*Phrase ....*
L'extérieur d'un lieu : hors de, au / en dehors de, à l'extérieur de	*Les vignes se trouvent en dehors du village.*
L'intérieur d'un lieu : dans, à l'intérieur de	*L'exposition est à l'intérieur de la chapelle.*
La périphérie : à la périphérie de, ...	*Phrase ....*
La proximité : près de, auprès de, aux / dans les alentours de, aux / dans les environs de, à proximité de, du côté de, à côté de	*Nous pique-niquerons du côté du marché.*
La distance : loin de, au-delà de, ...	*Phrase ....*
Un intervalle :	*Phrase ....*
Une destination : à, pour, vers, ...	*Phrase ....*
Le passage : par, à travers	*Le chemin serpente à travers les champs.*
Ce qui se trouve en haut : sur, en haut de, au sommet de, au-dessus de	*Nous sommes arrivés au sommet de la colline.*
Ce qui se trouve en bas : sous, en bas de, au-dessous de, ...	*Phrase ....*
Ce qui se trouve devant : devant, à l'avant de, en face de, ...	*Phrase ....*
Ce qui se trouve derrière : derrière, à l'arrière de	*La fontaine se trouve derrière le château.*

Entraînement

3 | Reformulez les phrases suivantes en utilisant d'autres expressions de lieu.
Attention, elles doivent conserver le même sens.

a. Le lavoir se trouve dans le village.

b. Le refuge est situé en haut de la montagne.

c. J'ai passé mes vacances près de chez toi.

d. La cour est cachée derrière le château.

e. Il se repose au pied d'un arbre.

Production écrite

4 | Où aimeriez-vous passer vos vacances : en ville, à la campagne, à la mer, à la montagne, dans le désert, dans la jungle, dans la savane ? Écrivez un texte qui décrit le lieu de vos rêves.

Entraînez-vous !

Cahier
d'activités

Documents

D ▎En finir avec les navires de croisière ?

1 Ces quelques arguments vous inviteront à embarquer, ou à rester à quai.

Oui.

L'argument écolo. Ces barres d'immeubles flottantes sont
5 des catastrophes écologiques. Selon un rapport de France
Nature Environnement, un navire moyen émet par jour
l'équivalent d'un million de voitures en particules fines.
Rien qu'à Marseille, l'ensemble des paquebots qui font
escale serait responsable de 10 % de la pollution atmos-
10 phérique.

L'argument économique et social. L'industrie des croi-
siéristes n'en finit pas d'encourager un dumping social
mondialisé. La plupart des paquebots naviguent en effet
sous des pavillons de complaisance qui ont le suprême
15 avantage de ne pas être très regardant en matière de légis-
lation sociale. Résultats : les 2 000 membres d'équipage de
ces géants des mers sont embauchés dans des conditions
(temps de travail, salaire...) très largement en dessous des
minima européens.

20 **L'argument touristique.** Le simple fait que ces poubelles
géantes fragilisent les fondations de Venise devrait suffire
à les interdire jusqu'à la nuit des temps. L'industrie de la
croisière bon marché est en train de transformer de nombreuses villes du bassin méditerranéen en escales d'un im-
25 mense parc à thème : en plein été, il est tout simplement
impossible de visiter Dubrovnik, Cagliari ou Palerme sans
être englouti par ces paquets de touristes.

Non.

Le contre-argument écolo. Certes le paquebot pollue. Mais
30 il faut raison garder. D'abord le secteur des transports n'est
que le deuxième contributeur mondial d'émission de CO_2
(autour de 24 %) derrière celui de la production d'énergie.
Ensuite, la part du transport maritime est faible (11 %) com-
parée à celle de la route (74 %). Enfin, quand on sait que les
35 croisières ne représentent que 1 % du transport maritime
mondiale, on conclut que l'avenir de la planète ne dépend
pas d'une petite balade en Méditerranée.

Le contre-argument économique et social. Quel secteur
français peut se prévaloir d'une renommée mondiale ? Il
40 faudrait être maso pour tuer l'industrie hexagonale du paquebot. Pour répondre à un carnet de commande qui n'a
jamais été aussi bien rempli (14 paquebots à livrer avant fin
2026), les Chantiers de l'Atlantique ont embauché près de
1 000 personnes en six ans. Aujourd'hui ce sont un peu plus
45 de 6 000 personnes qui travaillent sur ce site de Saint-Nazaire.

Le contre-argument touristique. Qui peut s'offrir, une fois
dans sa vie, un lever de soleil sur le Stromboli ou une arrivée au couchant dans la baie de Dubrovnik ? Les fortunés
propriétaires d'un bateau... ou ceux qui voyagent en paque-
50 bot. Car, en basse saison, pour moins de 400 € semaine, en
pension complète, vous pouvez vous payer une croisière en
Méditerranée. La démocratisation de ce tourisme de masse
est une réalité mondiale : de 2007 à 2017, le nombre de pas-
sagers a augmenté de 60 % pour atteindre 26 millions.

Grégoire BISEAU, *Le Monde*, 9 novembre 2019

Compréhension écrite

Entrée en matière

1 ▎Avez-vous déjà fait une croisière ?

Lecture

2 ▎Relevez dans le texte les arguments et contre-arguments écologiques,
économiques, et sociaux et touristiques. Associez-leur des exemples.
Pour plus de clarté, vous pouvez organiser vos réponses dans un tableau.

E ▎Démarketing dans les calanques 📱31

 Compréhension orale

❝ Surtout, surtout, n'y allez pas ! ❞

Entrée en matière

1 ▎En quoi consiste selon vous le « démarketing » ?

1re écoute (du début à 1'30")

2 ▎Quel problème rencontre-t-on aujourd'hui dans les calanques ?

3 ▎Comment le parc national lutte-t-il face à ce problème ?

4 ▎Citez des exemples de points négatifs mis en avant.

2e écoute (de 1'31" à la fin)

5 ▎Relevez les trois exemples d'actions concrètes citées.

Unité 6

Uocabulaire

La géographie

Jouez avec les mots!
> p. 10 « Le Pictionary »

La montagne
- l'alpage (m.)
- les Alpes
- les Alpilles
- l'altitude (f.)
- à perte de vue
- au pied de
- l'avalanche (f.)
- les Cévennes
- la chaîne
- le col
- la colline
- la crête
- culminer à
- dominer
- s'élever à
- le glacier
- les gorges (f.)
- la grotte
- le Jura
- le massif
- le Massif central
- le mont
- le pâturage
- le pic
- le plateau
- les Pyrénées
- le refuge
- le sommet
- surplomber
- la vallée
- le versant
- les Vosges

La végétation
- le bois
- la bruyère
- le champ
- le désert
- le cyprès
- la forêt
- la jungle
- le mélèze
- l'oasis (f.)
- l'ombre (f.)
- le platane
- la savane
- la steppe
- la vigne

1 | Associez chaque définition à un mot des deux listes précédentes.
- **a.** Vaste étendue de terrain couverte d'arbres.
- **b.** Formation végétale arborée qui prospère sous un climat chaud et humide avec une courte saison sèche.
- **c.** Endroit d'un désert qui présente de la végétation.
- **d.** Espace allongé entre deux zones plus élevées.
- **e.** Pâturage de haute montagne.
- **f.** Vaste prairie des régions tropicales, pauvre en arbres et en fleurs et recouverte de hautes herbes.
- **g.** Région du globe très sèche, marquée par l'absence de végétation.

La mer
- l'archipel (m.)
- la baie
- le bassin méditerranéen
- la calanque
- le cap
- la côte
- la croisière
- le détroit
- la dune
- la falaise
- l'île (f.)
- le littoral
- la marée basse / haute
- le paquebot
- la péninsule
- le phare
- la plage
- le port
- la presqu'île
- le rivage

Les cours d'eau
- l'amont (m.)
- l'aval (m.)
- le canal
- la cascade
- la chute d'eau
- le courant
- le débit
- le delta
- l'embouchure (f.)
- l'estuaire (m.)
- l'étang (m.)
- le fleuve
- se jeter dans
- le lac
- le marais
- la rive
- la rivière
- le ruisseau
- la source
- le torrent

2 | Associez chaque définition à un mot des deux listes précédentes.
- **a.** Groupe d'îles.
- **b.** Région entourée par la mer de tous les côtés sauf un.
- **c.** Lieu où un cours d'eau se jette dans un lac, une mer ou un océan.
- **d.** Cours d'eau de montagne à débit irrégulier.
- **e.** Mouvement d'un liquide dans tel ou tel sens.

3 | Associez chaque adjectif au nom qui lui correspond.
- **a.** montagneux
- **b.** forestier
- **c.** ombragé
- **d.** insulaire
- **e.** marin
- **f.** côtier
- **g.** fluvial
- **h.** boisé

Les bâtiments anciens
- le beffroi
- le château féodal
- les fondations (f.)
- le lavoir
- le mur en pierre de taille
- restaurer
- la ruelle escarpée
- les ruines (f.)

 **Production écrite**

4 | Présentez un paysage typique de votre pays.

Entraînez-vous!

 Cahier d'activités

Raconter l'aventure

F ▮ Le FIFAV

L'association du FIFAV a pour vocation l'organisation annuelle du **Festival International du Film et du Livre d'Aventure de La Rochelle**, ainsi que le développement de projets culturels, le partage de contenus et la programmation de rencontres autour des thèmes **Voyage et Aventure, Exploration et Découverte**.

G ▮ Aller au bout du monde

1 Je suis parti fin novembre. À l'arrache. Juste après avoir peint « Yvinec » en lettres vertes d'un côté de la coque. Pas le temps de faire les deux. J'ai emporté le
5 pochoir et le pot de peinture, j'arrangerai ça à la première escale. À la vue de mon rafiot, n'importe quel marin m'aurait dit : « Mais tu es fou, ne fais pas ça, c'est de l'inconscience ! » et il n'aurait pas eu tort. La vie est trop courte pour les regrets. Tout anticiper ne sert à rien, sauf à t'empêcher d'avancer. Autant attendre que les ennuis soient là pour les
10 affronter.
Avant d'embarquer, il me restait une chose à faire, la plus importante : rassurer ma famille. Je suis resté assez vague quant à mes projets, ça valait mieux pour tout le monde.
Mon but, ça, je ne l'avais encore dit à personne, ce n'était pas de faire le
15 tour du monde. C'était d'aller au bout du monde. De monter là-haut, tout en haut du globe, là où peu d'hommes s'étaient aventurés. Expérimenter la solitude, la vraie, dans des paysages immensément blancs. D'où me venait cette envie ? Qui me l'avait soufflée ? Peut-être que j'avais vu un reportage, entendu un témoignage, lu quelque chose, je ne m'en souviens pas. Mais
20 une chose était sûre, je rêvais de voir des ours polaires, de toucher des icebergs à main nue, de naviguer au milieu des glaces.

Guirec SOUDÉE, *Le Monde selon Guirec et Monique*, 2019

H ▮ Sylvain Tesson à la suite d'Homère

32

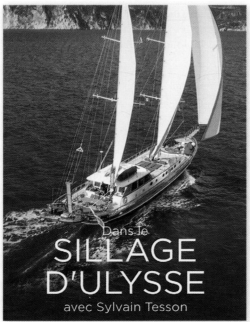

1 ▮ Avez-vous déjà participé à un festival littéraire ou cinématographique ? Si oui, lequel ?

2 ▮ Quelle est l'aventure que Guirec Soudée envisage ?

3 ▮ Lisez-vous ou regardez-vous des récits ou des films d'aventures ? Si oui, lesquels préférez-vous ?

4 ▮ Quel(le)s grand(e)s voyageurs (-euses) connaissez-vous ? Savez-vous quels voyages ils ou elles ont effectués ?

5 ▮ « Tout anticiper ne sert à rien, sauf à t'empêcher d'avancer » : partagez-vous cette maxime ?

Unité 6

Documents

I ❘ La rando à  bras-le-corps

1 (Re)découvrir le plaisir simple de la marche en plein air. Une nouvelle tribu de randonneurs, plus urbains et plus jeunes,
5 transforme l'activité la plus naturelle de l'homme… en véritable phénomène de société.

Ampoules : quatre. Piqûres de tique : une. Castors : cinq. San-
10 gliers : deux. Aigle royal : zéro. Pas mal pour un début… L'été dernier, Céline, Parisienne de 24 ans démarrant sa vie professionnelle dans le milieu de la mode, est partie toute
15 seule passer cinq jours au cœur du Parc national des Cévennes. De refuge en refuge, sac sur le dos, avec « un petit couteau et un journal de bord », elle s'est enfoncée dans la forêt
20 de conifères de cinq à sept heures par jour, au cœur des gorges du Tarn et des hauts plateaux des Causses. « J'ai sué, j'ai craché mes poumons, j'ai crié dans le vide en haut des falaises…
25 Mais je ne me suis jamais sentie aussi libre, aussi émerveillée par la beauté des paysages. Avoir entrepris ce petit périple, toute seule, j'avoue j'étais très fière de moi », raconte-t-elle au-
30 jourd'hui. Même obsession chez sa copine Clara, 26 ans. Elle a suivi son père sur le GR5, l'accompagnant sur un premier tronçon du célèbre sentier de grande randonnée qui traverse les
35 Alpes : 180 kilomètres en 12 jours.

« La marche, on aime ou on déteste, il n'y a pas de demi-mesure. Moi qui pratique le yoga, j'aime le lien entre les pas et la respiration, ce sentiment
40 de lâcher prise, de reconnexion avec les éléments. Mettre un pied devant l'autre révolutionne notre manière de voyager : on prend le temps de regarder le chemin parcouru », explique la
45 jeune femme. Conquise, elle enquille, à peine un mois plus tard, le célèbre GR20, en Corse, en autonomie complète : « J'en ai bavé ! J'ai terminé avec une cheville à moitié foulée sur
50 des crêtes à 2 000 mètres face à un vent à décorner les bœufs, mais ça a été l'aventure la plus riche que j'aie jamais vécue. »
Urbaine, jeune, pas forcément hy-
55 persportive, la nouvelle génération de randonneurs n'a plus rien à voir avec le cliché du retraité en sandales et chaussettes sur un sentier des Vosges. La discipline n'a jamais autant séduit.

Selon une vaste enquête 2019 d'Atout France, l'agence nationale de développement touristique, la randonnée est « de loin, la première activité sportive des Français en vacances. On dénombrait déjà 16 millions d'adeptes en 2016 – et c'est celle qui a progressé le plus en dix ans ». Avec un changement de taille : les 25-45 ans sont désormais parmi les plus nombreux.
70 « Aujourd'hui, tout le monde est plus ou moins randonneur », avance Sylvain Bazin, auteur de *La France des GR*. « La marche, activité la plus naturelle de l'homme, est bel et bien
75 devenue un phénomène de société. » L'anthropologue et sociologue David Le Breton, marcheur invétéré, a consacré quatre ouvrages à la question. Son dernier opus, *Marcher la*
80 *vie, un art tranquille du bonheur*, revient sur le plaisir curatif de poser un pied devant l'autre durant des heures. « La marche, c'est la revendication de la lenteur, d'un rythme à soi, d'une
85 activité physique tournée vers la jouissance de l'instant. C'est une appropriation du paysage par le corps, une plénitude sensorielle qui nous fait du bien, avec une disponibilité qu'on
90 n'a jamais dans la vie courante. »

Dorane VIGNANDO, *L'Obs*, 13 mai 2021

📄 Compréhension écrite

Entrée en matière

1 ❘ Lisez le chapô. La randonnée est-elle populaire aujourd'hui en France ?

Lecture

2 ❘ Quel est le profil des nouveaux randonneurs ?

3 ❘ Dans les témoignages de Céline et de Clara, qu'est-ce qui nous renseigne sur le fait que la pratique de la randonnée représente un effort ?

4 ❘ Quel plaisir les deux jeunes femmes retirent-elles de cette activité ?

5 ❘ Pour David Le Breton, que permet la marche ?

Vocabulaire

6 ❘ Retrouvez dans le texte les expressions correspondants à ces définitions.
a. affronter une difficulté
b. renoncer à tout contrôler
c. opinion peu tranchée, compromis

Production orale

7 ❘ Quel(s) sport(s) pratiquez-vous ? Quel est le plaisir que cette pratique vous procure ?

Chapitre 5

30

Aurélie HERROU et Sagar, *Voyage autour de ma chambre*, 2021

J Voyage autour de ma chambre

📄 Compréhension écrite

Entrée en matière

1 | Observez cette planche de BD : où se trouve le personnage ?

Lecture

2 | Quel type de voyage l'homme a-t-il réalisé ?

3 | Est-il satisfait de pouvoir faire ce voyage ? Justifiez votre réponse.

4 | Pourquoi a-t-il décidé de faire ce voyage ?

💬 Production orale

5 | Et vous, avez-vous déjà fait ce type de voyage ? Cela vous a-t-il enrichi(e) ?

Paolo Rumiz
Le phare, voyage immobile

folio

L'île navigue.

❯ **En direct sur 📻 SAVOIRS**

K Le voyage immobile 33

🎧 Compréhension orale

1re écoute (en entier)

1 | Selon Paolo Rumiz, est-il nécessaire de voyager pour raconter des histoires ? A-t-il toujours pensé cela ?

2 | Où s'est-il retiré ? Ce type d'expérience était-il habituel chez lui ? Justifiez votre réponse.

2e écoute (en entier)

3 | Selon Paolo Rumiz, qu'est-ce qui permet au cordonnier de raconter des histoires ?

4 | Pourquoi avait-il l'impression de naviguer alors même qu'il était immobile ?

📝 Production écrite

5 | Imaginez que vous vous êtes retiré(e) dans l'endroit de votre choix pour écrire et rédigez un texte qui décrit ce que vous voyez, entendez et ressentez.

Activité complémentaire
📻 **SAVOIRS**

Unité 6

Nuancer une comparaison

Échauffement

1 | Soulignez les structures qui expriment la comparaison.

   a. Je ne me suis jamais sentie aussi libre, aussi émerveillée par la beauté des paysages.

   b. La nouvelle génération de randonneurs n'a plus rien à voir avec le cliché du retraité en sandales.

   c. La discipline n'a jamais autant séduit.

Fonctionnement

2 | Une comparaison peut exprimer différentes nuances de sens : placez chacune des phrases qui figurent ci-dessus dans la case du tableau qui lui correspond.

Pour indiquer la ressemblance	
Adjectif : On peut utiliser un adjectif suivi de *comme*.	• *C'est <u>difficile comme</u> tout !*
Nom : On peut utiliser l'expression *ressembler à* suivie d'un groupe nominal. On peut utiliser les expressions *être égal / équivalent / pareil / semblable / identique / comparable à* suivies d'un nom. On peut utiliser *comme* suivi d'un nom.	• *Ces paysages <u>ressemblent à ceux de mon pays</u>.* *Cette expérience est <u>pareille à un voyage</u>.* *Il est équipé <u>comme un professionnel</u>.*
Verbe : On peut utiliser *comme* suivi d'un groupe verbal.	• *Il pratique le sport <u>comme il l'a toujours fait</u> : avec passion.*
Pour indiquer la différence	
Adjectif : On peut utiliser *plutôt que* suivi d'un adjectif.	• *C'est un explorateur adepte de sensations fortes, intrépide <u>plutôt qu'inconscient</u>.*
Nom : On peut utiliser *un(e) autre* suivi d'un nom + *que*. On peut utiliser *n'avoir rien à voir avec* + nom.	• *C'est <u>une autre passion que</u> la tienne.* • Phrase ....
Verbe : On peut utiliser *autrement que* précédé d'un verbe.	• *Elle <u>voyage autrement que</u> moi, c'est certain !*
Pour indiquer l'insistance	
Adjectif : On peut utiliser *encore / beaucoup / bien / jamais* suivi de *plus / moins* suivi d'un adjectif ou d'un adverbe, et éventuellement de *que*. On peut utiliser *(tout) aussi* suivi d'un adjectif ou d'un adverbe, et éventuellement de *que*.	• *Ce parcours est <u>bien plus difficile</u> (que l'autre).* *Il nage <u>beaucoup moins rapidement</u> (qu'avant).* *Elle nage <u>tout aussi bien</u> (que son frère).* • Phrase ....
Nom : On peut utiliser *encore / beaucoup / bien / jamais* suivi de *plus / moins* suivi de *de* + nom, et éventuellement de *que*. On peut utiliser *(tout) autant* suivi de *de* + nom, et éventuellement de *que*.	• *Nous avons beaucoup <u>plus de difficultés</u> avec cette étape (qu'avec l'autre). Nous aurons <u>tout autant de difficultés</u> lors de la prochaine étape (qu'au cours de celle-ci).*
Verbe : On peut utiliser un verbe, suivi de *encore / beaucoup / bien / plus / moins*, suivi de *plus / moins*, et éventuellement de *que*. On peut utiliser un verbe, suivi de *tout autant / jamais autant*, et éventuellement de *que*.	• *Il aimerait écrire <u>bien plus</u>. J'aimerais voyager <u>tout autant</u> que toi.* • Phrase ....

> **Rappel**
>
> Pour exprimer la progression ou la régression on peut utiliser « de plus en plus » ou « de moins en moins » : *L'ascension de l'Everest est de plus en plus populaire.*

Entraînement

3 | Lisez les phrases suivantes et identifiez quelle nuance de comparaison est exprimée.

   a. Cette randonnée est beaucoup plus facile que ce que j'imaginais.

   b. Ils ont de moins en moins de vivres.

   c. Mon voyage immobile n'a rien à voir avec ta randonnée !

   d. L'effort que j'ai fourni est identique à celui que tu as fourni.

   e. Nous n'avons jamais été aussi fatigués !

4 | 🎧 34 **Intonation**
   Écoutez les phrases de l'exercice précédent et répétez-les.

Entraînez-vous !

Cahier d'activités

Documents

L | L'Atlantique en solitaire

 6 Compréhension audiovisuelle

Entrée en matière

1 | À votre avis, que va faire l'homme que l'on voit sur la capture d'écran ?

1er visionnage (en entier)

2 | Quel événement est à l'origine du projet développé par Bryan Marsh ?

3 | A-t-il peur ? Pourquoi ?

4 | Quelle dimension du voyage considère-t-il comme un défi ?

2e visionnage (en entier)

5 | Quels sont les étapes de son voyage ?

6 | Combien de temps le voyage va-t-il durer ?

7 | Quelle somme d'argent a-t-il recueillie ? Que veut-il en faire ?

Vocabulaire

8 | Expliquez ces deux expressions canadiennes :
a. C'est beaucoup plus sécuritaire qu'avant.
b. C'est là que je me sens sur mon x.

 Production orale

9 | Existe-t-il dans votre pays des événements sportifs caritatifs ? Si oui, lesquels ? Avez-vous déjà participé à ce type d'événement ? Sinon, aimeriez-vous le faire ?

M | Participer à une mission d'adaptation

Un groupe de 10 hommes et 10 femmes, menés par l'explorateur-chercheur Christian Clot, sans expérience préalable, va entamer la traversée successive des 4 milieux les plus extrêmes de la planète, durant 30 jours à chaque fois, en réalisant des protocoles complets sur l'adaptation humaine aux changements. Pour la première fois, nous allons observer la modification physiologique du cerveau soumis à des situations réelles extrêmes et changeantes.

4 EXPÉDITIONS SUCCESSIVES EXCEPTIONNELLES

CONDITIONS DE TERRAIN ATTENDUES	IRAN	CHILI	BRÉSIL	RUSSIE
Milieu	Désert du Dasht-E Lut	Canaux marins de Patagonie	Forêts amazonienne	Yakutie – Monts Verkhoïansk
Climat	Chaud et aride	Froid et humide	Chaud et humide	Froid et sec
T° min/max à l'ombre	+ 60° C	–10° C	+45° C	–60° C
T° min/max ressentie	+70° C	–20° C	+63° C	–75° C
Précipitations (sur la période)	0 mm	500 mm	350 mm	5 mm
Humidité	3 %	98 %	100 %	50 %
Vent	70 km/h (en rafale)	150 km/h (en rafale)	30 km/h (en rafale)	60 km/h (en rafale)
Terrain	Sable et roche	Canaux marins et forêt primaire	Forêt tropicale et rivières	Montagnes et rivières gelées
Moyens de locomotion	À pied en tractant un chariot	En kayak	À pied et en raft	À ski en tractant une pulka
Distance prévue	300 km	400 km	300 km	300 km

Christian CLOT, www.christianclot.com

Compréhension écrite

Entrée en matière

1 | Pourquoi, selon vous, parle-t-on de « mission » plutôt que de « voyage » ?

Lecture

2 | Qui participe à cette mission ?

3 | Combien de pays sont concernés ? Lesquels ?

4 | Pourquoi ces pays ont-ils été choisis ? Détaillez votre réponse en présentant les éléments qui justifient ces choix.

5 | Combien de kilomètres les participants vont-ils parcourir ? Quels moyens de locomotion vont-ils utiliser ?

6 | Quel est l'objectif de cette mission ?

Production écrite DELF B2

7 | Vous souhaitez participer à cette expédition : vous écrivez une lettre au responsable de la mission pour lui expliquer votre motivation et démontrer que vous êtes capable d'en faire partie et de la réussir.

» Pour exprimer son intention de faire quelque chose
- J'ai l'intention de / je compte concrétiser mon projet.
- J'envisage ce type de défi depuis longtemps.
- J'ai pris la décision de prendre une année sabbatique.

» Pour exprimer sa capacité à faire quelque chose
- J'en suis parfaitement capable.
- J'en ai la capacité / les moyens.
- Je suis en mesure / à même de réussir.

Vocabulaire

Jouez avec les mots !
> p. 10 « Le Time's up »

Les activités de plein air

Voyager
- arpenter
- camper
- le camping sauvage
- le circuit
- la direction
- dormir à la belle étoile
- l'étape (*f.*)
- l'expédition (*f.*)
- l'itinéraire (*m.*)
- parcourir
- le périple
- le sentier
- le trajet
- la traversée
- le tronçon

Les sports de plein air
- un(e) adepte (de la voile)
- l'alpinisme (*m.*)
- le cyclisme
- l'escalade (*f.*)
- le kayak
- un marcheur/une marcheuse invétéré(e)
- la pêche
- le rafting
- la randonnée
- les sports d'hiver
- la traversée en solitaire
- le trekking

Production orale

1 | Quel(s) sport(s) de plein air pratiquez-vous ? À quelle fréquence ?

L'équipement sportif
- les bâtons (*m.*) de marche
- la boussole
- la bouteille isotherme
- le casque
- les chaussures (*f.*) de marche
- la combinaison de plongée/de ski
- la corde
- le couteau suisse
- la gourde
- le piolet
- le sac de couchage
- la veste imperméable

L'effort physique
- en baver
- endurer, l'endurance (*f.*)
- peiner
- souffrir
- suer
- transpirer

L'accident
- l'ampoule (*f.*)
- la brûlure
- se casser/se fracturer le bras
- se déchirer un tendon/un muscle
- se fouler/se luxer la cheville
- la plaie

Se rapprocher de la nature
- lâcher prise
- se ressourcer
- méditer
- se retirer

2 | Complétez le texte avec les mots suivants :
ampoules – randonnée – en solitaire – à la belle étoile – mon itinéraire – un sac de couchage – des chaussures de marche – une veste imperméable – des étapes – me retirer.
Cet été j'ai fait une grande .... de 10 jours dans le Jura.
Je suis partie .... avec un bon équipement : juste avant de partir j'avais acheté .... et .... Comme je dormais .... , j'ai aussi emporté .... J'avais bien préparé .... et je faisais .... de 20 km ! J'ai adoré le fait de .... dans la nature mais j'ai détesté avoir si mal aux pieds : j'ai eu de terribles ....

Le mental
- abattu(e)
- anxieux, anxieuse
- calme
- casse-cou
- courageux, courageuse
- découragé(e)
- dynamique
- émerveillé(e)
- endurant(e)
- énergique
- fringant(e)
- inconscient(e)
- intrépide
- libre
- nerveux, nerveuse
- persévérant(e)
- peureux, peureuse
- prudent(e)
- serein(e)
- téméraire
- solitaire
- vigoureux, vigoureuse
- zen

3 | Retrouvez dans la liste ci-dessus les mots correspondant à ces définitions :
a. qui accomplit sa tâche sans se décourager
b. qui ne tremble pas devant le danger
c. qui prévoit les risques d'une action et qui règle sa conduite pour les éviter
d. qui ressent à la fois de l'admiration et de la surprise

Production écrite

4 | Quelles sont, selon vous, les qualités essentielles du sportif ?

La météo
- Il fait beau/bon/doux/chaud
- Il fait mauvais/gris/lourd/froid/frais/frisquet
- Il y a du soleil/de la pluie/du brouillard/de l'orage/des averses/du verglas/de la neige
- Le temps est ensoleillé/magnifique/pluvieux/glacial/orageux/humide
- Le ciel est bleu/dégagé/clair/gris/voilé/couvert/nuageux
- La température est fraîche/douce/élevée/caniculaire
- La température grimpe/est en hausse/monte/descend/est en baisse

Production orale

5 | Quelles expressions françaises en lien avec la météo connaissez-vous ? Existent-elles dans votre langue ?

Entraînez-vous !

Cahier d'activités

Grammaire/Vocabulaire

1 Complétez les énoncés en utilisant les expressions suivantes. Attention aux prépositions : faites les transformations nécessaires.

face à – dans le cœur de – loin de – par – sur – tout autour – au loin

Ici, on est .... tumulte de la capitale ! Le village est construit .... une butte qui offre un magnifique panorama. ...., on voit à perte de vue des vignes et des vergers. ...., on aperçoit la mer Méditerranée. La balade à l'intérieur des remparts passe .... des maisons fleuries. .... du village, les galeries d'artistes et les artisans d'art sont nombreux. .... la mairie, une vieille église que l'on vous invite à visiter.

2 Associez chacune des descriptions suivantes au sens qu'elle sollicite : vue, odorat, goût, ouïe, toucher.
- **a.** À cette époque de l'année, la campagne est verdoyante.
- **b.** En se promenant dans le parc, on est saisi par le parfum des roses.
- **c.** L'herbe est moelleuse, il est agréable de s'y allonger.
- **d.** Perché au sommet, il était effrayé par le rugissement du vent.
- **e.** Mon séjour dans le phare me revient en mémoire à chaque fois que je laisse fondre dans ma bouche un cristal de fleur de sel.

3 Transformez ces phrases pour exprimer une nuance dans la comparaison puis continuez librement.
- **a.** Il est plus casse-cou que son co-équipier. Insistance.
- **b.** La randonnée est plus populaire. Progression.
- **c.** Les traversées en solitaires sont moins dangereuses. Régression.
- **d.** Différence.
- **e.** Ressemblance.

4 Chassez l'intrus.

a. abattu	découragé	fringant
b. zen	serein	anxieux
c. platane	bruyère	mélèze
d. crête	vallée	sommet
e. phare	beffroi	lavoir
f. dégagé	voilé	couvert

5 Expliquez les expressions suivantes. Lesquelles n'ont pas de rapport avec la météo ?
- **a.** Il fait un froid de canard.
- **b.** Il n'a pas froid aux yeux.
- **c.** Il est resté de glace.
- **d.** Il y a un vent à décorner les bœufs.
- **e.** Quel sale temps !
- **f.** Il a eu chaud.
- **g.** Ça ne me fait ni chaud ni froid.
- **h.** Il fait un temps de chien.
- **i.** Il pleut des cordes.

Atelier médiation

Créer une brochure touristique plurilingue

Objectifs
- Coopérer pour réaliser un document commun
- Résumer à l'oral l'essentiel de textes lus ou entendus
- Comparer et opposer des solutions

1 Situation

Vous devez réaliser une brochure touristique plurilingue pour l'Office du Tourisme de votre région. Vous choisirez les langues concernées en fonction des compétences des membres du groupe.

La brochure est à réaliser sur une feuille de format A4, en recto-verso : une des caractéristiques de la brochure est qu'elle contient à la fois des éléments descriptifs visant à présenter et valoriser certains lieux et activités et des éléments informatifs visant à aider le visiteur à envisager et préparer son séjour. L'aspect visuel est important : il faudra soigner la présentation et accorder une place importante aux images.

2 Mise en œuvre

▷ **En petits groupes de 3 ou 4**

- Au sein de chaque groupe, vous allez d'abord choisir la région et les langues concernées par votre dépliant. *Pensez à choisir une destination intéressante et attirante.*
- Une fois la destination choisie, vous devrez réunir des informations sur les différents lieux que vous souhaitez valoriser. Vous pouvez pour cela utiliser Internet ou d'autres brochures que vous aurez collectées.
- Pensez à identifier votre public cible : vous ne valoriserez pas les mêmes activités pour un public jeune, âgé, sportif, adepte du farniente, etc.

- Ensuite, vous devrez vous renseigner sur les équipements disponibles : les magasins, les restaurants, les boutiques, les hôtels, etc. Si vous connaissez bien le lieu, vous pouvez vous appuyer sur vos connaissances, sinon, vous pouvez rechercher les informations sur Internet ou dans des guides touristiques.
- Vous devrez à la fois rédiger le texte mais aussi choisir les photos et convenir ensemble de la mise en page du document. *Soignez notamment vos titres qui doivent être attractifs.*
- Pensez à donner des indications sur la qualité et le prix des activités et des services que vous évoquez.

Stratégies

- **Coopérer pour réaliser un document commun**
  Pour parvenir à réaliser un document commun, vous devez vous répartir les tâches. Vous pouvez chacun rédiger une partie de la brochure et exposer votre brouillon au groupe. Il faudra ici à la fois savoir exposer clairement votre texte et écouter vos partenaires : n'hésitez pas à leur demander de répéter et d'apporter des éclaircissements si besoin. Il faut aussi veiller à une répartition équitable des prises de parole.

- **Résumer à l'oral l'essentiel de textes lus ou entendus**
  Il est important de réussir à distinguer les éléments essentiels des éléments superflus : pour cela vous pouvez vous aider des questions « quand », « où », « qui », « quoi », « comment », « pourquoi » qui vous permettent de cibler les informations clés. Vous aurez également à traduire certains éléments puisqu'il sera parfois nécessaire de résumer en français des éléments que vous aurez lus dans une autre langue (et vice versa).

- **Comparer et opposer des solutions**
  Vous devrez échanger avec les membres du groupe pour choisir ce qu'il faut faire, ce qu'il faut choisir, comment le faire, etc. Si différentes solutions sont envisagées, il faudra présenter leurs points forts et leurs points faibles.

DELF B2

Stratégies S'exprimer à l'écrit

Ces stratégies sont utiles pour préparer et réussir le DELF B2 (cf. épreuve blanche p. 189). L'épreuve dure 1 heure.

Ces stratégies vous seront utiles pour rédiger les productions proposées dans le livre et pour préparer au mieux l'épreuve de production écrite du DELF B2.

L'épreuve de production écrite du DELF B2 dure 1 heure.

Dans votre écrit (de 250 mots), vous devrez présenter des faits, des événements, des situations mais aussi défendre un point de vue, une opinion, des sentiments de manière argumentée.

Votre production écrite pourra prendre les formes suivantes :

– une lettre formelle écrite à titre personnel ou collectif,
– une contribution à un débat (un forum par exemple),
– un article critique,
– une lettre personnelle,
– un rapport.

Dans le cas d'une lettre formelle, vous pourrez utiliser les structures suivantes :

Les formules de salutation

- Si vous ne connaissez pas le destinataire de la lettre, commencez par : « *Madame, monsieur,* »

- Si vous savez qu'il s'agit d'une femme ou d'un homme, écrivez : « *Madame,* » ou « *Monsieur,* »

- Si votre lettre s'adresse à un responsable d'une association, d'une entreprise… Écrivez le titre et la fonction de la personne : « *Monsieur le directeur,* » « *Madame la présidente,* » « *Monsieur le maire,* », etc.

Le corps de la lettre

En général, on commence en expliquant le motif de la lettre. Voici quelques exemples à adapter en fonction de la nature de votre lettre (de protestation, de réclamation, de négociation…) :

- *Suite à notre réunion / notre conversation téléphonique, je me permets de vous écrire afin de …*

- *Venant de prendre connaissance de la décision de la mairie d'implanter une décharge publique, …*

- *J'ai lu avec attention votre article sur … et c'est pourquoi je m'adresse à vous pour…*

Votre lettre aura plusieurs paragraphes avec un développement logique. Chaque paragraphe contiendra une idée ou un argument illustrés par un exemple.

Cette présentation permet au lecteur de saisir rapidement votre raisonnement.

Les formules de congé

Elles dépendent du type de lettre et du statut de la personne. Vous pourrez écrire :

- *Espérant que ma requête retiendra votre attention,*

- *Dans l'attente de votre réponse,*

- *Vous remerciant pour votre attention,*

- *Veuillez agréer, madame/ monsieur, l'expression de mes/nos salutations distinguées.*

- *Je vous prie d'agréer / nous vous prions d'agréer, madame la directrice, l'expression de mes/nos sincères/meilleures salutations.*

- *Croyez, chère madame/cher monsieur, à l'expression de mes/nos sincères salutations.*

- *Veuillez recevoir, madame la présidente / monsieur le président, mes/nos respectueuses salutations.*

Soignez la mise en page et, d'une manière générale, évitez de dépasser les 250 mots pour ne pas accumuler les fautes d'orthographe.

Avant de rédiger votre texte, lisez très attentivement la consigne et analysez bien le sujet. Posez-vous les questions suivantes :

– Quel type de texte dois-je rédiger ?
– À qui dois-je écrire ?
– Quel est le problème ?

Unité 6

DELF B2

 Production écrite

(25 points)

Sujet 1

Le maire de votre ville veut créer un village de vacances géant sur une zone agricole près de chez vous. Ce projet représente de nouvelles opportunités d'emploi pour les habitants mais les terres agricoles sont de plus en plus rares dans les environs.

En tant que porte-parole des habitants de votre ville, vous écrivez au maire afin d'essayer de le faire changer d'avis.

Vous lui exprimez les raisons qui vous motivent dans votre lutte contre la construction de ce village de vacances.

Sujet 2

Vous êtes adepte de la généalogie et vous faites partie d'une association de passionnés. Vous souhaitez promouvoir cette activité et encourager d'autres personnes à faire des recherches sur leurs ancêtres. Vous écrivez un courrier électronique à la maison de la culture de votre quartier pour proposer une journée d'activités pour faire connaître la généalogie. Vous expliquez pourquoi les recherches généalogiques sont importantes selon vous, tant sur le plan individuel que collectif.

Sujet 3

Vacances : Vous êtes devenus fans de camping-car depuis peu ? Venez nous le raconter !

Loin du cliché du vieux combi sommaire pour hippies, les nouveaux modèles se rapprochent plus du mini-studio moderne et entièrement équipé. Un confort qui peut séduire aussi bien les jeunes adeptes de la « Van Life » en quête d'évasion que des familles ou des couples plus âgés désireux d'éviter les endroits bondés.

Si vous avez acheté un camping-car (ou un van aménagé), ou que vous comptez le faire pour cet été, votre avis nous intéresse. Qu'est-ce qui vous a poussé à faire ce choix ? La pandémie a-t-elle joué un rôle dans votre décision ? Êtes-vous totalement conquis par votre camping-car, ou avez-vous découvert des aspects plus contraignants ? Pensez-vous revenir à un autre mode de vacances un jour ?

Nicolas RAFFIN, *20 Minutes*, 30 juin 2021

Vous avez récemment acheté un van aménagé avec lequel vous avez voyagé avec lors de vos dernières vacances. Vous appréciez beaucoup cette manière de voyager et vous écrivez votre témoignage au journal *20 Minutes*.

Le sens de l'actu

" Le bouche à oreille est le meilleur des médias.

Documents

A ▏ Vous avez dit « Parisiens » ?

La maison de la Radio à Paris

1 **Centralisation des pouvoirs oblige, tous les titres ou presque de la presse nationale sont situés à Paris. Et versent souvent dans le parisianisme...**

5 C'est une phrase qui, à elle seule, dit tout. « En province, la pluie est une distraction », écrivaient les frères Goncourt, traduisant à leur façon, le sentiment de supériorité et de mépris 10 d'une partie des « élites » parisiennes. Ces temps sont-ils révolus ? Pas si sûr. Dans les films, les romans, les publicités, Paris demeure l'incarnation de « la » ville, tandis que les autres ré-15 gions restent connotées négativement. La presse joue un rôle prépondérant dans ces représentations. Tous les pouvoirs étant centralisés dans la capitale, il n'est pas anormal que les 20 médias nationaux y soient concentrés (58 % des journalistes habitent en Île-de-France). Le problème est que, consciemment ou non, nombre d'entre eux versent dans une approche 25 parisianiste de l'actualité. Toute la France a ainsi entendu parler du Vélib', lancé en 2007 par Bertrand Delanoë. C'est pourtant à Lyon, deux ans plus tôt, que le système avait été mis en 30 place pour la première fois au monde. Mais Lyon, mon brave monsieur,

cela sent terriblement sa province... Même traitement de faveur pendant les élections municipales de 2020. Les 35 principaux candidats parisiens ont eu chacun l'honneur de toutes les matinales des radios – plusieurs fois ; la composition de leurs listes a été examinée, le moindre rebondissement de 40 leurs campagnes abondamment commenté. Rien de tel pour les bourgades de Toulouse, Marseille ou Lyon, dont les candidats sont restés inconnus de la plupart des Français jusqu'au soir de 45 l'élection. Un dernier exemple, pour la route. Lorsque 1 000 personnes à Paris défilent contre le mal-logement – noble cause – le dimanche 30 mai, elles bénéficient d'un reportage dans 50 le journal de 19 heures de France Inter. En revanche, les 4 000 manifestants qui, quelques semaines plus tôt, avaient défendu la langue bretonne à Quimper n'avaient pas eu droit à la 55 moindre citation...

Résultat : qu'il s'agisse de composer un plateau pour commenter l'actualité ou d'effectuer un reportage pour l'illustrer, les berges de Seine sont convoquées 60 plus souvent qu'à leur tour. « Dans les émissions d'information, l'écrasante majorité des invités habitent dans la capitale, souligne le sociologue Jean Viard. Je rappelais l'autre jour sur 65 France Inter que 63 % des Français ont un jardin : les autres participants ont failli tomber de leur chaise ! »

Comme souvent, le vocabulaire utilisé est révélateur, ainsi que le note en-70 core Claude Sicre, selon lequel le mot « province » est typiquement français. « Ni Naples, ni Trieste, ni Venise ne sont des villes provinciales en italien, ni Séville en espagnol, ni San Francisco 75 aux USA, ni Saint-Pétersbourg en Russie, ni ni ni ni ni. » Oh, bien sûr, depuis quelque temps, « province » a cédé la place à « régions » puis à « territoires ». Mais cela n'aura aucun effet 80 tant que les représentations mentales n'auront pas changé.

Michel FELTIN-PALAS, *L'Express*, 16 août 2021

Compréhension écrite

Entrée en matière

1 ▏ Lisez les dix premières lignes du texte. Que veulent dire les frères Goncourt selon vous ?

Lecture

2 ▏ Quel rôle jouent les films, les romans, les publicités et la presse dans les représentations de Paris et de la province ?

3 ▏ Où les médias français sont-ils localisés et quel problème cela soulève-t-il ?

4 ▏ Qu'est-ce qui a caractérisé la couverture médiatique du Vélib', des élections municipales et de la manifestation contre le mal-logement ? Pourquoi ?

5 ▏ Quelle anecdote le sociologue Jean Viard raconte-t-il ? Que veut-il dire ?

6 ▏ Quelle différence existe-t-il entre le mot « province » en France et dans d'autres pays ?

7 ▏ Qu'est-ce qui a changé depuis quelque temps ? Quelles en sont les conséquences ?

Vocabulaire

8 ▏ Relevez le vocabulaire en relation avec les médias et l'information.

Production écrite

9 ▏ Les médias reflètent-ils la réalité du monde ? Faites part de votre opinion en laissant un commentaire sur le site de *L'Express*.

B | Les Français et l'accès à l'information

 ## Compréhension écrite

Lecture

1 | Quel moyen les Français de plus de 35 ans privilégient-ils pour s'informer ? Et les moins de 35 ans ?

2 | Grâce à quel appareil en particulier s'informe-t-on sur internet ?

3 | Quel support d'information est le moins populaire ?

Production orale

4 | Dans votre pays, la presse papier parvient-elle à survivre ?

5 | Et vous, quel moyen privilégiez-vous pour vous tenir au courant de l'actualité ? Vos aînés s'informent-ils de la même manière ?

6 | Suivez-vous l'actualité avec intérêt ? Quel événement vous a le plus marqué dernièrement ?

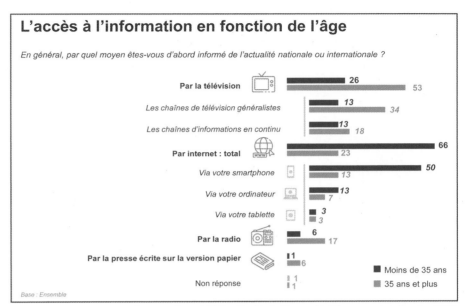

L'accès à l'information en fonction de l'âge

En général, par quel moyen êtes-vous d'abord informé de l'actualité nationale ou internationale ?

	Moins de 35 ans	35 ans et plus
Par la télévision	26	53
Les chaînes de télévision généralistes	13	34
Les chaînes d'informations en continu	13	18
Par internet : total	66	23
Via votre smartphone	50	13
Via votre ordinateur	13	7
Via votre tablette	3	3
Par la radio	6	17
Par la presse écrite sur la version papier	1	6
Non réponse	1	1

Base : Ensemble

Source : Baro Médias *La Croix* Kantar Public onepoint, janvier 2021

Production écrite DELF B2

7 | Aujourd'hui, l'information provient de médias très divers. Les médias traditionnels ne sont plus les seuls à relayer les informations, les réseaux sociaux prennent de plus en plus d'importance. Dans quelle mesure Internet a-t-il bouleversé le paysage médiatique et les manières de s'informer ?

C | *We Demain*

▶7 Compréhension audiovisuelle

Entrée en matière

1 | Observez l'image. À votre avis, quel programme allez-vous visionner ? Pourquoi ?

1er visionnage (sans le son)

2 | Qui sont les personnes à l'image ? Quels éléments vous permettent de le dire ?

3 | Quel type de magazine est présenté ? Quel est le public ciblé ?

4 | Quels sont les thèmes abordés sur les pages présentées à l'écran ?

2e visionnage (avec le son)

5 | Pourquoi *We Demain* est-il qualifié de « bébé » ?

6 | Quelle est la périodicité de *We Demain* ?

7 | Quel est le but de la campagne de financement participatif ?

8 | Pour quelles raisons le public spécifique de *We Demain* est-il exigeant ? Comment est élaborée l'information pour ce type de public ?

Production orale

9 | Connaissez-vous la presse française ? Pourriez-vous citer quelques titres et dire s'il s'agit de presse généraliste ou spécialisée ?

10 | Lisez-vous des magazines spécialisés dans votre langue maternelle ? En version papier ou numérique ? Pourquoi ?

Grammaire

Les indéfinis

Échauffement

1 ▎ Lisez les phrases suivantes. Les énoncés soulignés se réfèrent-ils à des êtres ou des choses ? Quel est leur rôle ?

a. <u>Tous</u> les titres ou presque de la presse nationale sont situés à Paris.

b. <u>Même</u> traitement de faveur pendant les élections municipales de 2020.

c. Depuis <u>quelque</u> temps, « province » a cédé la place à « régions ».

d. Je rappelais l'<u>autre</u> jour sur France Inter que 63 % des Français ont un jardin.

e. Juste <u>quelques</u> mots quand on préparait cette séquence.

f. On ne parle pas aux jeunes comme à un <u>autre</u> public.

Fonctionnement

On utilise les indéfinis pour exprimer :

• **un nombre indéfini ou la présence de plusieurs éléments :** *certains, divers, différents, maints, plusieurs, plus d'un, quelques…*	*Il a passé **quelques** jours à écrire son article.* *Je te l'ai dit à **maintes** reprises.* *Elle a pensé à **diverses** options de reportages.*
• **l'indétermination d'un être ou d'une chose :** *certain(e), n'importe quel(le), quelconque, quel(le) que…*	*C'est une journaliste d'un **certain** âge.* ***N'importe quel** journal fera l'affaire.* *L'invité n'est pas venu pour une raison **quelconque**.* ***Quelle que** soit la situation, le reporter garde son calme.*
• **une ressemblance :** *même, tel(le).*	*Nous lisons le **même** magazine.* *Une **telle** offre d'abonnement ne se refuse pas.*
• **une différence :** *autre* **Attention :** *autre que, sans autre* et *autre chose* sont toujours au singulier.	*Elle va lire d'**autres** journaux.* *Il n'a pas lu d'**autre** article **que** celui-là.* *Il m'a dit de lire ça **sans autre** précision.* *Parlons d'**autre chose**.*
• **Expressions :** *je ne sais quel, on ne sait quel, Dieu sait quel*	*J'ai lu ça dans **je ne sais quelle** revue.*

> **Remarque**
>
> La plupart des adjectifs indéfinis sont aussi des pronoms indéfinis : ils s'emploient alors pour compléter un nom :
> *Exemples : Il a plusieurs contacts. (adjectif) / Plusieurs de ses contacts vont l'aider. (pronom)*
> *J'ai lu le même article que toi. (adjectif) / Toi et moi avons lu le même. (pronom)*

Entraînement

2 ▎ Complétez avec les indéfinis suivants : *tel – maintes – autres – la même – certaine – telle – autre – tels – n'importe quelle.*

a. J'ai entendu .... info que vous.

b. Les quotidiens .... que *Le Monde*, *Libération* ou *Le Figaro* sont sérieux.

c. .... personnes ont témoigné leur soutien à ce nouveau journal.

d. Il m'a proposé un .... rendez-vous pour rencontrer le ministre.

e. Le journaliste a interviewé une .... Mme Guéguin.

f. Nous avons rendez-vous .... jour, à .... heure.

g. Je cherche d'....... photos pour illustrer l'article de presse.

h. Vous pouvez la trouver à .... heure à la rédaction, elle y passe sa vie.

> **Remarque**
>
> **Quelque chose de, rien de…**
> *Quelque chose, rien, quelqu'un* et *personne* peuvent être suivis de *de* + adjectif ou adverbe
> *Exemples : Tu as lu **quelque chose d'**intéressant ? Non, **rien de** bien passionnant.*
> *Vous avez vu **quelqu'un de** connu ? Non, **personne de** célèbre.*

3 ▎ Complétez avec *quelque chose, rien, quelqu'un* ou *personne + de/d'*.

a. .... intéressant est en train de se produire.

b. Si tu refuses d'écrire l'article, ... autre s'en chargera.

c. Il n'y avait .... vraiment nouveau aux infos de 7 heures.

d. .... autre que ce reporter ne peut aller en Colombie.

e. Il s'est produit .... étrange ce matin.

f. Cette journaliste ? C'est .... honnête.

g. Tu as regardé le reportage ? Oui, je n'ai jamais .... vu .... aussi beau.

4 ▎ 🎧35 **Intonation**

Écoutez les phrases suivantes, puis répétez-les.

Entraînez-vous !

Cahier d'activités

Documents

D | Le pari du multilinguisme

1 À Dakar, la rédaction de RFI en mandenkan (mandingue) et fulfulde (peul) émet, depuis le 14 décembre, deux heures de programmes quotidiens dans ces langues parlées par près de 60 millions de locuteurs en Afrique subsaharienne.

5 Quand Leïla Mandé était enfant, sa grand-mère lui demandait de traduire les journaux qu'elle écoutait tous les jours sur Radio France International (RFI) – elle qui ne parlait pas assez bien le français pour le comprendre. Aujourd'hui, la vieille dame n'a plus besoin d'auxiliaire : sa
10 radio favorite émet désormais en mandenkan, sa langue maternelle. Et sa petite-fille y est devenue journaliste. Comme 25 autres journalistes africains, la jeune Ivoirienne a rejoint la nouvelle rédaction de RFI en mandenkan et fulfulde, située dans une villa immaculée du quartier des Almadies,
15 à Dakar. Dans ces locaux flambant neufs, une trentaine de journalistes venus du Sénégal, de la Côte d'Ivoire, du Burkina Faso, du Mali ou de la Guinée produit deux heures quotidiennes de programmes dans chacune de ces deux langues africaines.

Renouveler l'auditoire

20 Pour Cécile Mégie, directrice de RFI, la radio peut être à la fois une radio internationale en français et en langue locale. « On note un effet d'entraînement : les auditeurs qui

Aissatou Ly et Abdoulaye Dicko à la rédaction de RFI, Dakar

viennent écouter le journal en mandenkan restent pour le journal en français, car le journal en langue locale leur
25 a donné des clés de compréhension. C'est une manière pour nous de remporter le pari de la francophonie dans le multilinguisme », se félicite-t-elle.

Une manière, aussi, de renouveler l'auditoire de RFI en Afrique subsaharienne. « Nous avons fait le choix de
30 langues transnationales pour bénéficier de l'audience la plus vaste possible. Notre philosophie : être en proximité avec notre auditoire. On s'adresse à un public plus jeune, plus féminin, doté d'une moindre compréhension du français », détaille Cécile Mégie.

35 « Nous voulons donner l'info la plus complète, aux standards internationaux, à des auditeurs qui ne parlent pas forcément le français et qui ne sont pas forcément allés à l'école. Même si on est un agriculteur de Mopti, on a droit à une info libre dans sa langue », affirme Anne-Marie Capomaccio, qui a mené ce
40 projet. Objectif : ne plus parler qu'aux cadres et aux capitales.

Anne-Sophie Faivre Le Cadre, *Jeune Afrique*, 21 janvier 2021

 Compréhension écrite

Entrée en matière

1 | Quels pays africains francophones connaissez-vous ? Connaissez-vous d'autres langues parlées dans ces pays ?

Lecture

2 | Que propose RFI pour ses auditeurs africains ?

3 | Qu'est-ce qui caractérisent les journalistes de la nouvelle rédaction de RFI ?

4 | Quelles sont les intentions derrière un tel projet ? Vers quel public est-il orienté ?

5 | L'information diffusée en langues locales est-elle de moindre qualité ? Pourquoi ?

 Production orale

6 | Des radios en langues locales existent-elles dans votre région ou dans votre pays ?

➤ **En direct sur** **SAVOIRS**

E | La radio a cent ans 36

Il y a de plus en plus de formats audios.

 Compréhension orale

Deux écoutes (en entier)

1 | Quel est le sujet de l'échange entre les intervenants ?

2 | Que sont les podcasts natifs ?

3 | Quelle est la différence entre la radio linéaire et le podcast selon l'intervenant ?

4 | À quel environnement la radio doit-elle s'adapter ?

5 | Quel public est amateur de podcasts ? Pourquoi ?

6 | En quoi les podcasts sont-ils bénéfiques pour la radio ?

 Production orale

7 | Vous avez un projet de podcast avec votre ami(e). Imaginez son thème et ses grandes lignes.

Activité complémentaire

Unité 7

Vocabulaire

Les médias et l'actualité

Jouez avec les mots ! > p. 10 « Le mot mystère »

L'actualité (f.)

- la circulation, le contenu, le flux, l'instantanéité (f.), la profusion de l'information
- la couverture médiatique
- la conférence de presse
- couvrir, diffuser un événement
- être en direct
- l'événement, le fait
- le flash info, le JT
- la liberté d'information
- la matinale
- le média, la médiatisation
- le plateau
- la rédaction
- le reportage
- le scoop
- la source
- traiter une information

Expressions

- une actualité brûlante
- être au jus (fam.)
- se tenir au courant de l'actu, suivre l'actu

1 | Complétez le texte avec les mots manquants : *événement, radio, contenu, flux, information, sources, fait, diffusée.*

À l'heure d'Internet, distinguer .... et communication n'est pas toujours facile. L'information est un .... porté à la connaissance d'un public sous forme d'images, de textes, de discours, de sons. Le .... de l'information a été vérifié par un croisement de .... L'information est ensuite .... par une agence de presse, un journal, la ...., la télévision. La communication renvoie plutôt à la transmission simple d'un .... Sur les réseaux sociaux, le .... d'informations raconte beaucoup mais informe peu.

La presse

- l'agence (f.) de presse
- l'angle (m.)
- la censure
- la dépêche
- la diffusion
- l'édito (m.)
- le fait divers
- le lectorat, la cible
- la manchette
- la périodicité
- (le quotidien, l'hebdomadaire (m.), le mensuel, le trimestriel...)
- le périodique
- la presse généraliste, spécialisée, satirique
- la publication
- feuilleter une revue
- le tirage

Expressions

- avoir bonne presse
- un canard
- faire la une, faire les gros titres

2 | Reliez ces mots à leur définition.

a. le tirage
b. l'angle
c. la dépêche
d. le canard
e. l'édito
f. faire les gros titres

1. figurer sur la une d'un journal
2. désigne familièrement un journal
3. information diffusée par une agence de presse
4. reflète la position du journal sur un sujet d'actualité
5. nombre d'exemplaires imprimés
6. façon de traiter un sujet

Production orale

3 | La presse et vous

a. Lisez-vous un quotidien ? À quelle fréquence ? L'achetez-vous, êtes-vous abonné(e) ou le consultez-vous sur Internet ?
b. Si oui, pourquoi lisez-vous ce journal ? Si non, pourquoi ?
c. Quelles sont vos rubriques favorites (économie, politique, culture, faits divers, sport, divertissement, météo, etc.) ?
d. Présentez le quotidien ou le magazine de votre pays que vous préférez (format, lectorat, tirage, tendance politique, rubriques les plus importantes).

La radio

- l'application (f.) d'écoute en ligne
- l'auditeur, l'auditrice
- l'auditoire (m.)
- la bande FM
- le canal de diffusion
- la chronique
- émettre, diffuser
- l'émission (f.)
- l'environnement (m.) numérique
- être à l'antenne
- le format audio
- la grille de programmes
- la pastille
- le paysage radiophonique
- la plate-forme d'écoute
- le podcast (natif)
- la radio généraliste, thématique

4 | Éliminez les intrus.

a. Tous les matins au réveil, *je feuillette/je consulte/j'écoute* les infos sur la bande FM.
b. *L'audience/l'auditeur/l'auditoire* écoute une émission de radio.
c. Le ministre va passer à *l'antenne/la plateforme/la grille* demain à 9 h.
d. Cette émission est en *direct/en différé/en panne.* Elle a été enregistrée et sera diffusée plus tard.
e. Le Flash *info/mob/code* fait un point sur l'actualité.
f. La radio *FM/RFI/France Inter* est vouée à disparaître au profit de la diffusion sur Internet.
g. Le *rapporteur/reporter/reportage* doit s'imprégner au maximum d'un sujet.
h. Cette *chronique/application/émission* de 3 minutes sur l'actualité économique passe chaque jour à 8 h 30.

Production orale

5 | Présentez un événement majeur qui a marqué l'actualité mondiale ces cinq dernières années sur le modèle d'une chronique à la radio.

Entraînez-vous !

Cahier d'activités

Culture Cultures

Dessiner l'actualité

F | La Maison du Dessin de Presse

1 Située en Suisse et inaugurée en 2009, la Maison du Dessin de Presse a pour mission de perpétuer une tradition de la caricature ini-
5 tiée par le Salon international du dessin de presse dans le cadre du Festival Morges-sous-Rire au milieu des années 1980. Régie par l'association éponyme, la Maison du Dessin de Presse reste une plateforme essentielle de sensibilisation à la liberté d'expression et de la presse.

10 **Reflet de l'actualité**
Directement relié au fait d'actualité, le dessin de presse est un art éditorial en perpétuelle évolution. Pour tout dire, il remonte à l'Antiquité, quand les caricatures or-naient les murs des cités, démontrant dès lors le besoin
15 et l'importance de la critique sociale. De caricature à travers les siècles, il devient dessin satirique diffusé à plus grande échelle dès l'invention de l'imprimerie, puis dessin d'actualité avec l'essor de la presse à la fin du XIXᵉ siècle. Présent dans les journaux généralistes
20 comme dans la presse satirique spécialisée, le dessi-nateur décortique l'actualité et pointe son crayon là où ça pique. L'essor d'Internet lui permet désormais une visibilité mondiale avec ses avantages (diffusion, reconnaissance) et ses inconvénients (hors contexte,
25 incompréhension).

mddp.ch

G | L'image au service des mots

Patrick CHAPPATTE, 2019

1 | Qu'est-ce que la liberté d'expression selon vous ?

2 | Quelle est la fonction d'un dessin de presse ?
À votre avis, quel est le but recherché par les dessinateurs ?

3 | La caricature et le dessin de presse sont-ils présents dans les médias de votre pays ?

4 | La compréhension d'un dessin est-elle universelle ? Tout le monde peut-il comprendre le message véhiculé ? Pourquoi selon vous ?

5 | « Le crayon est une arme non violente qui permet aux dessinateurs de s'exprimer et le dessin est le meilleur des langages car même sans savoir lire on comprend toujours un dessin. » (Alexandre Faure). Qu'en pensez-vous ?

Documents

H ▪ Info en continu, journalisme à la chaîne

1 Décors clinquants, jingles tapageurs, animateurs affables, diffusion non-stop, les chaînes d'information en continu se donnent volontiers les atours de vais-
5 seaux amiraux de l'information*. La réalité est tout autre : celle d'un bricolage permanent, d'un manque de moyens chronique, de journalistes soumis à des cadences intenables pour recycler des
10 contenus produits par des tiers. Le résultat : une information généralement de mauvaise qualité, non recoupée, et sans recul par rapport à leurs sources, notamment institutionnelles. Des
15 contenus qui n'ont de l'information que l'apparence, surdéterminés par les contraintes publicitaires et d'audimat. Cette réalité est loin d'être une exception dans le paysage médiatique : l'accé-
20 lération du rythme de production et la paupérisation du travail journalistique frappent l'ensemble de la profession, dans la presse écrite comme dans l'audiovisuel. Souvent décriées et poin-
25 tées comme un contre-modèle, elles pourraient bien être l'avant-garde du journalisme de demain, toujours plus pauvre, dépendant, et livré aux caprices des pouvoirs économiques et politiques.

Frédéric LEMAIRE, *Acrimed*, 9 novembre 2020

*se présentent comme la vitrine de l'information

 ## Compréhension écrite

Entrée en matière

1 ▪ Quelles sont les différences entre une chaîne d'info en continu et un journal d'information télévisé ? Que préférez-vous ? Pourquoi ?

Lecture

2 ▪ Qu'est-ce qui caractérise l'apparence des chaînes d'information en continu et quel est le paradoxe soulevé par l'auteur ?

3 ▪ Pourquoi ces chaînes d'information doivent-elles faire de l'audience ?

4 ▪ Quelles sont les conséquences sur le travail des journalistes ?

5 ▪ L'auteur de l'article est-il optimiste pour l'avenir du journalisme ? Pour quelles raisons ?

Vocabulaire

6 ▪ Retrouvez dans la première phrase un équivalent aux mots suivants : *aimables, bruyants, brillants.*

 ## Production orale

7 ▪ Selon vous, quels sont les événements dont les chaînes d'info ont trop ou pas assez parlé ces dernières années ?

8 ▪ Quels sont les moyens d'information les plus fiables selon vous ? Pour quelles raisons ?

I ▪ Hugo informe 37

> « C'est une grande liberté, sur le contenu, sur le fond, sur la forme. »

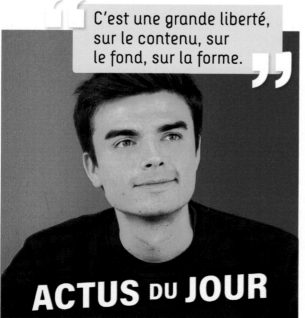

ACTUS DU JOUR

 ## Compréhension orale

Entrée en matière

1 ▪ À votre avis, de quelle liberté est-il question dans la phrase extraite de l'enregistrement ?

Deux écoutes (en entier)

2 ▪ Comment s'appellent les podcasts d'Hugo Travers ? À qui s'adressent-ils et que proposent-ils ?

3 ▪ Quelle est la ligne éditoriale d'Hugo ?

4 ▪ De quel décalage parle-t-il ?

5 ▪ Quels types de sujets sont abordés dans son mini-journal ?

6 ▪ Pourquoi préfère-t-il le podcast aux autres médias pour informer ?

7 ▪ De quelle manière Hugo abordait-il l'actualité dans ses précédents podcasts ?

 ## Production orale

8 ▪ Écoutez-vous des podcasts ? Lesquels ? Si non pourquoi ?

J | Ils ont arrêté de regarder les infos

Parce que le flux d'informations est devenu trop anxiogène, certains ont décidé de se couper des médias. Pour une question de survie.

Il est 7 h du matin et Léa est réveillée par la sonnerie de son téléphone. Il y a encore quelques mois, c'est la radio qui s'en chargeait. Mais refusant de commencer sa journée avec une avalanche de mauvaises nouvelles, la jeune femme de 26 ans a fait le choix de se couper des médias qui relaient l'actualité.

À la place, elle écoute de la musique, des podcasts sur des sujets qu'elle choisit, ou lit un livre. Parce qu'elle a fait une overdose. Une overdose d'infos.

Des médias fautifs ?

Ils le reconnaissent, le mal-être qu'ils ressentent –comme bon nombre de Français– est avant tout dû à l'actualité en elle-même. Et il est du devoir des médias de tenir la population informée.

On sait cependant que la presse n'est pas qu'un simple relai. Certains lui reprochent en effet de mal traiter l'information, créant un climat très anxiogène. Pas responsable, mais coupable ?

Si la télévision de Luc reste désormais éteinte à l'heure du journal télévisé, c'est parce que les médias ont selon lui tendance à se focaliser sur un seul sujet par période, oubliant tout le reste.

Il ajoute, désabusé : « Parfois ce n'est même pas de l'info, juste des journalistes qui font des supputations sur ce qui pourrait arriver, les mesures qui pourraient peut-être être prises... Ça, on s'en fiche. »

Pour Justine, 24 ans, c'est l'écrasante majorité d'informations négatives qui l'éloigne de l'actu : « Si j'ai tendance à changer vite de chaîne quand je tombe sur les infos, c'est parce que j'ai l'impression qu'il n'y a que des nouvelles angoissantes. Peut-être qu'il faudrait y intercaler des infos qui donnent le sourire ou qui nous sortent un peu de ces temps assez déprimants... On manque cruellement de positivité. »

Une info façonnée par l'argent

Et ce n'est pas Emmanuel Marty, enseignant-chercheur en sciences de l'information et de la communication à l'université Grenoble Alpes et à l'École de Journalisme de Grenoble, qui les contredira. « Il est vrai qu'il y a une concentration sur un tout petit nombre de sujets, avec des cadrages, des angles et des discours qui sont assez similaires », complète-t-il.

Si certains médias se comportent de la sorte, c'est à cause de leur modèle économique, le spécialiste explique : « On est sur une logique concurrentielle et de rentabilité, basée sur une valorisation publicitaire de l'audience. » Autrement dit, il faut faire du chiffre, donc attirer à tout prix les spectateurs et spectatrices. Pas étonnant, donc, que les journalistes ne cessent de faire des pronostics – les fameuses spéculations que Luc ne supporte plus.

« On joue sur la peur, qui est elle aussi un ressort important, déclare Emmanuel Marty. La logique est de maximiser les profits et de réduire les coûts. Donc les journalistes ont moins de temps, moins de ressources, moins d'effectifs, et doivent produire plus vite, beaucoup, générer du flux... Cela explique qu'en bout de chaîne, on peut avoir une information de piètre qualité. »

Salomé Tissolong, *Slate*, 15 novembre 2020

Compréhension écrite

Entrée en matière

1 | Avez-vous parfois le sentiment d'être noyé(e) sous les informations ?

Lecture

2 | Pourquoi de plus en plus de gens se détournent-ils de l'information ? Quelles sont les raisons du désintérêt de Léa, Luc et Justine pour l'actualité ?

3 | Quel reproche Luc fait-il aux journalistes en particulier ?

4 | Qu'explique Emmanuel Marty au sujet du modèle économique de certains médias ?

5 | Quel ressort émotionnel les médias utilisent-ils pour faire de l'audience ?

6 | Selon Emmanuel Marty, qu'est-ce qui caractérise le journalisme aujourd'hui ?

Production écrite

7 | Vous rédigez une lettre ouverte aux médias pour leur rappeler leur responsabilité dans la création d'un climat souvent anxiogène pour faire de l'audience. Vous leur demandez de relayer des informations plus nuancées et plus variées.

Unité 7

Grammaire

La nominalisation

Échauffement

1 | Observez les noms soulignés. Sont-ils féminins ou masculins ?
- **a.** <u>Bricolage</u> permanent, <u>manque</u> de moyens chronique.
- **b.** <u>Accélération</u> du rythme de production et <u>paupérisation</u> du travail journalistique.
- **c.** <u>Arrivée</u> du footballeur argentin Lionel Messi au PSG.
- **d.** <u>Valorisation</u> publicitaire de l'audience.

2 | Quels verbes ont permis la nominalisation ?

Fonctionnement

La nominalisation est fréquemment utilisée dans les titres de journaux pour mettre l'accent sur l'événement.

Suffixes	Quelques verbes et leur nominalisation
• **Féminin : -ion, -ade, -ure**	déclarer → la déclaration, annexer → l'annexion, s'évader → l'évasion glisser → la glissade couvrir → la couverture
• **Masculin : -ment, -age, -is**	payer → le paiement démarrer → le démarrage fouiller → le fouillis
• **Féminin du participe passé**	entrer → l'entrée prendre → la prise

> **Remarques**
>
> ▶ Deux nominalisations à partir d'un même verbe sont parfois possibles. Les deux sens sont alors différents.
> *Exemples : blanchir → le blanchiment, le blanchissage abattre → l'abattement, l'abattage*
>
> ▶ Dans certains cas, il y a une modification du radical.
> *Exemples : mourir → mort, partir → départ, revenir → retour, etc.*
>
> ▶ La transformation nominale entraîne des modifications dans la phrase.
> *Exemple : La ministre de la Santé a pris position publiquement.*
> → *Prise de position publique de la ministre de la Santé.*
> (l'adverbe se transforme en adjectif)

Entraînement

3 | Transformez les informations suivantes en titre de presse.
Exemple : Les syndicats se sont réunis hier matin.
→ *Réunion des syndicats hier matin.*
- **a.** 70 emplois vont être supprimés à l'usine CFEM.
- **b.** Le nouveau roman de David Diop paraîtra en mai prochain.
- **c.** Les critiques envers le gouvernement se durcissent.
- **d.** Les manifestants ont réagi violemment.
- **e.** L'équipe de France a été battue.
- **f.** La population mondiale continue de croître.
- **g.** Le ministre du Travail est tombé brutalement d'un échafaudage.
- **h.** Les Français ne sont pas d'accord avec la réforme du droit de la famille.

4 | Écrivez une phrase verbale à partir des titres de journaux suivants.
Exemple : Révision prochaine de la constitution. →
La constitution sera bientôt révisée.
- **a.** Déclin progressif de la presse papier.
- **b.** Prochaine mise en orbite d'un satellite français.
- **c.** Croissance des technologies de pointe depuis une décennie.
- **d.** Hausse des prix du carburant.
- **e.** Fuite des cerveaux vers l'étranger.
- **f.** Interruption exceptionnelle des programmes sur BFM.

5 | Transformez en titres ces événements de la décennie 2000 en nominalisant les verbes.
- **a.** février 2000 – Les entreprises de plus de vingt salariés adoptent les 35 heures.
- **b.** septembre 2000 – Le mandat présidentiel est réduit à cinq ans.
- **c.** 1er janvier 2002 – L'euro est mis en circulation.
- **d.** février 2007 – Il est interdit de fumer dans les lieux publics.
- **e.** 12 mars 2008 – Le dernier Poilu français de la Grande Guerre s'éteint à l'âge de 110 ans.

Production écrite

6 | Choisissez une décennie et, à votre tour, proposez une chronologie d'événements.

Entraînez-vous !

Cahier d'activités

Documents

K | Les *fake news*, un phénomène nouveau ?

1 Il se chuchote, il se faufile, il se répand : il est le bruit qui court. Il change de nom et devient rumeur, murmure, ouï-dire, parfois *fake news* ou infox. Il a ses usages et ses raisons d'être. Il a aussi son histoire. La vérité sur les rumeurs,
5 c'est par ici !

Nos ancêtres n'ont pas attendu les réseaux sociaux pour diffuser de fausses informations. D'ailleurs, la richesse du champ lexical prouve que le sujet est des plus sérieux : brouhaha, on-dit, bourdonnement, qu'en-dira-t-on, potin,
10 ragot, bobard, nouvelle, racontar, bruit, renommée, écho, ouï-dire, voix publique, tapage, ronron, médisance, *fake news* ou infox…

Protéger sa réputation, disqualifier ses rivaux, répandre des thèses complotistes… La fausse information et la
15 rumeur sont au cœur de l'actualité mondiale, mais elles l'étaient déjà au Moyen Âge. Paraître au courant des dernières nouvelles devient un impératif et la rumeur occupe rapidement une place centrale dans la société médiévale. Si les informations officielles circulent relativement len-
20 tement, la rumeur orale se propage plus rapidement : des jongleurs sont payés pour chanter les louanges d'un chevalier pour lui assurer une union matrimoniale avantageuse ; les princes font circuler de fausses informations pour dissimuler leurs défaites ou mieux atteindre leurs ennemis…
25 La rumeur est partout au Moyen Âge et elle n'est pas qu'un

bavardage. Elle devient peu à peu un outil politique de premier plan, au point qu'une rumeur a peut-être coûté à la France la conquête de l'Angleterre.

La rumeur n'est pas le seul phénomène viral à exister avant
30 Internet. Le copier-coller, les informations parodiques, les citations attribuées à tort et autres *fake news* (infox) sont légion. Il est de plus en plus simple de diffuser textes et images, ce qui accélère la vitesse à laquelle se propagent les nouvelles, qu'elles soient authentiques ou non. La traçabi-
35 lité de l'information devient une préoccupation majeure, mais le contrôle des sources est souvent fastidieux.

Xavier MAUDUIT, *France Culture*, 26 janvier 2021

📄 Compréhension écrite

Lecture

1 | L'usage de la désinformation est-il récent ?

2 | À quoi cela sert-il de diffuser de fausses informations ?

3 | Quel type d'informations circule le moins vite au Moyen Âge ?

4 | Pourquoi la rumeur est-elle une importante source d'information au Moyen Âge ?

5 | Quels phénomènes viraux existaient déjà avant l'émergence d'Internet ?

6 | Pourquoi la vérification de l'information est-elle importante ?

Vocabulaire

7 | Retrouvez les mots équivalents de :
a. chuchotement
b. bruit de foule
c. mensonge
d. diffamation

8 | Reformulez les phrases suivantes :
a. Il se chuchote, il se faufile, il se répand : il est le bruit qui court. (l. 1)
b. Le contrôle des sources est souvent fastidieux. (l. 36)

💬 Production orale

9 | Selon vous, est-il facile de repérer si une info est vraie ou fausse ? Comment faites-vous ?

10 | Rumeurs sur les réseaux sociaux. Expliquez-vous… Sur un réseau social, une personne de votre entourage a partagé des informations vous concernant sans les vérifier. Vous êtes choqué(e) et lui manifestez votre incompréhension face à son comportement. Vous lui demandez des explications.

Pour demander des explications
- Tu peux préciser, être plus clair, reprendre ton explication ?
- Tu déformes mes propos, ma pensée. Tu m'expliques là ?
- Qu'est-ce j'ai compris de travers ? Qu'est-ce que tu veux dire ?

Pour manifester son incompréhension
- Pardon ? Quoi ? Hein ? Un malentendu ? Un quiproquo ?
- Qu'est-ce que tu entends par là ?
- À quoi tu fais allusion ? Qu'est-ce que tu sous-entends, insinues ?

Unité 7

Vocabulaire

La critique médiatique

Jouez avec les mots ! > p. 10 « Les mots préférés »

Les chaînes d'information en continu
· l'accélération (*f.*) du rythme de production
· l'animateur(-trice) affable
· l'audimat (*m.*)
· la cadence intenable
· la contrainte publicitaire
· le décor clinquant
· l'information (*f.*) non recoupée, sans recul
· le jingle tapageur
· le manque de moyens
· la paupérisation du travail journalistique
· le recyclage des contenus
· la répétition en boucles des images

1 ı Complétez le texte avec les mots suivants :
décor – l'audimat – contrainte publicitaire – direct – programmes – en boucle – chaînes – contenus
L'information en continu est la fourniture d'actualités .... par des médias, qu'il s'agisse de radios, de .... de télévision ou d'Internet. Ces chaînes ont souvent un .... clinquant et un bandeau d'information en continu. La priorité est laissée au .... Certaines chaînes interrompent ainsi régulièrement leurs .... pour tenter de capter davantage de téléspectateurs, de faire de .... Par manque de moyens, elles recyclent leurs .... Cependant, d'autres chaînes d'information, ayant moins de .... , se distinguent de ces modèles en privilégiant le débat et l'analyse. C'est le cas de France Info.

Production écrite

2 ı Sans les chaînes d'information en continu, certains Français ne suivraient pas l'actualité et seraient moins informés. D'autres personnes, plus critiques, jugent ces chaînes trop répétitives et trop sensationnalistes. Selon elles, c'est l'art de remplir le vide. Votre avis nous intéresse ! Envoyez-nous un courriel sur le site de notre chaîne.

La désinformation
· diffuser, relayer, propager, faire circuler de fausses informations
· la fausse info, le fait alternatif, la *fake news*, l'intox (*f.*), le canular (ou *hoax*), la contre-vérité, la post-vérité, la légende urbaine
· l'information (*f.*) anxiogène, excessive, catastrophique
· le phénomène viral
· répandre des thèses complotistes

3 ı Retrouvez la bonne définition.
a. une *fake news*
b. une rumeur
c. un canular
d. une légende
e. une manipulation
f. un complot

1. information niant les explications officielles pour faire croire qu'on nous cache la vérité
2. information (photo, vidéo...) dont des éléments ont été modifiés
3. information connue de tous qui circule depuis toujours
4. information comportant des erreurs car les sources n'ont pas été bien vérifiées
5. information présentée sous la même forme qu'un article par exemple pour effrayer ou faire rire
6. information ou histoire dont l'origine est inconnue ou incertaine

Le bruit qui court
la rumeur, le brouhaha, le on-dit, le bourdonnement, le qu'en-dira-t-on, le potin, le ragot, le bobard, le racontar, le bruit, l'écho (*m.*), le ouï-dire, la voix publique, le tapage, le ronron, la médisance, le murmure.

Production orale

4 ı Comment naît une rumeur ?

5 ı À votre avis, pourquoi les fausses informations circulent-elles autant ?

6 ı Quelle fausse information vous a le plus marqué récemment ?

Lutter contre les *fake news*
· le contrôle des sources (ou *fact-checking*)
· contrôler, évaluer, filtrer, hiérarchiser, croiser les infos, les sources
· développer un esprit critique
· l'éducation (*f.*) aux médias, à l'information
· expliquer, vérifier, préciser, démentir les rumeurs
· protéger sa réputation
· la traçabilité de l'information

7 ı Complétez le texte avec les mots suivants en faisant les accords si nécessaire :
fausse – source – filtrer – traçabilité – média – vérifier – critique
L'éducation aux .... a pour objectif de sensibiliser les jeunes à l'intérêt de porter un regard .... et construit sur les médias. Cette éducation est indispensable car nous vivons à une époque où l'information est omniprésente. Il faut apprendre à .... les informations, les croiser afin de les .... , identifier les .... infos de celles qui ne le sont pas. Gérer la .... de l'information, contrôler les .... : tout cela s'apprend.

Entraînez-vous !

Cahier d'activités

Grammaire/Vocabulaire

1. Expliquez le sens des mots et expressions suivants.
- **a.** la couverture d'un événement
- **b.** la couverture d'un magazine
- **c.** la rédaction du journal
- **d.** la rédaction d'un article
- **e.** la médiatisation
- **f.** le média
- **g.** avoir bonne presse
- **h.** l'agence de presse

2. 📱38 Écoutez deux fois cet extrait d'émission de radio et complétez avec les mots manquants.

Comment raconter un monde que l'on ne voit pas ?

Lætitia Bernard exerce sa profession de .... avec énergie.

Elle est non-voyante et officie comme .... à la direction des sports de ....

Dans son livre *Ma vie est un sport d'équipe*, elle revient sur son parcours.

Lætitia n'a jamais voulu ignorer les .... d'une société dominée par les écrans.

Elle a fait son premier stage chez Gamma, une agence de photos d' .... Les photographes de Gamma étaient venus faire un .... sur une session à cheval et ont repéré Lætitia pour ses exploits équestres, puis ils ont sympathisé. Ils l'ont prise en stage et l'ont emmenée partout : en .... de presse, sur un .... télé, etc.

Ce qu'elle aime dans le métier de journaliste, c'est donner de l' .... précise ou du .... humain.

3. Complétez avec l'un des indéfinis suivants : *quelque chose, n'importe quel, quelqu'un, rien, certain, maintes, même, personne*
- **a.** Un .... soir de décembre, il a envoyé un canular à son patron.
- **b.** Je trouve que Lætitia Bernard est .... de très courageux.
- **c.** J'ai vu le .... reportage que toi.
- **d.** J'ai téléphoné à ce reporter à .... reprises, mais pas de réponse.
- **e.** Il n'y a .... de sérieux dans cette rédaction
- **f.** La journaliste m'a raconté .... d'assez drôle.
- **g.** Il ne regarde .... d'autre que les chaînes d'infos en continu.
- **h.** .... journal sérieux pourra vous fournir les détails de cette affaire.

4. Transformez les informations suivantes en titres de journaux.
- **a.** Le budget de l'État a été voté.
- **b.** La police a abandonné les recherches.
- **c.** Le président a dissous l'Assemblée nationale.
- **d.** Le prix de l'électricité a augmenté de 5 %.
- **e.** La ministre de la Santé a pris position publiquement.
- **f.** Le candidat vert a promis de baisser les impôts s'il est élu.
- **g.** La péninsule du Yucatan est envahie par des millions de sauterelles.

5. Choisissez l'une des trois informations ci-dessous et rédigez un court article.
- – Un randonneur découvre une épée vieille de 800 ans dans une forêt.
- – Une femme retrouve son billet de loterie six mois après et gagne 30 millions d'euros.
- – Deux pingouins ont été aperçus en plein centre-ville.

Unité 7

Atelier médiation

Analyser le traitement d'une actualité

Objectifs
- Échanger sur notre rapport à l'actualité
- Comprendre l'influence du format sur la production de l'information

1 Situation

Vous allez observer, comparer l'organisation et le traitement de l'information d'un même fait d'actualité, le même jour, sur différents supports.

2 Mise en œuvre

▷ **En groupes**

- Parlez de votre rapport à l'information, de la manière dont vous vous tenez au courant de l'actualité (médias traditionnels, réseaux sociaux...).
  Un modérateur distribue les tours de parole.

- Choisissez un sujet d'actualité.
  Le modérateur aide au consensus.

- Comparez le traitement de cette actualité, le même jour, sur différents supports : presse papier, Web, stories sur les médias sociaux, etc. Précisez les apports et les limites de chaque format d'information.

- Pour vous aider dans votre analyse, remplissez une grille d'observation en relevant : le format, le public visé, le point de vue, l'angle...
  Un rapporteur prend des notes.

- À partir de vos observations, présentez le traitement de l'actualité de votre groupe à la classe.

Stratégies — **Analyser l'information**

- Afin de comparer le traitement de l'information sur différents supports, analyser :
  - le sujet : retrouve-t-on les mêmes informations sur tous les médias ? Comment sont-elles présentées ?
  - le titre : est-il informatif, accrocheur ?
  - l'image (photo, diagramme...) : est-elle illustrative, informative ?
  - le rapport texte/image : quelle est la taille de chacun des éléments ? Y a-t-il une légende ?
  - l'auteur de l'article : est-il nommé ?

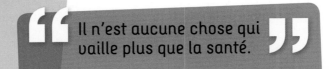

Prenez soin de vous !

Objectifs

- Exprimer sa gratitude / remercier
- Exprimer sa déception
- Décrire l'apparence physique
- Répondre à une proposition de manière formelle

> « Il n'est aucune chose qui vaille plus que la santé. »

A ▎ « Mon E est vert, le sien est bleu »

1 TÉMOIGNAGES ■ **Associer des couleurs à des sons, des chiffres, des lettres ou des jours… La synesthésie touche 2 % à 5 % de la population, chez qui la prise de conscience de ces « superpouvoirs » est souvent tardive.**

5 Imaginez que votre façon de voir le monde soit en partie une illusion. Et que vous en preniez conscience du jour au lendemain. Ce n'est pas le scénario d'un nouvel opus de *Matrix*, mais la surprise qu'a eue Céline, il y a sept ans. En traînant sur Facebook, cette photographe et graphiste est

10 tombée sur une vidéo « consacrée à une artiste qui peignait des chansons, parce qu'elle avait le don de voir des couleurs quand elle écoutait de la musique ». « C'est seulement à ce moment-là que j'ai compris que ce n'était pas le cas de tout le monde. » Cette particularité que Céline a immédiatement

15 identifiée comme étant sienne et qu'elle qualifie volontiers de « super-pouvoir » porte un nom : « synesthésie ».
Céline en possède la forme la plus courante, la synesthésie graphèmes-couleurs, qui lui fait associer des couleurs aux chiffres et aux lettres. « Si je vois un A écrit noir sur blanc,

20 je vois bien qu'il est noir. Il n'empêche qu'un A, pour moi, c'est toujours rouge, assure-t-elle. Et ce, aussi loin que je m'en souvienne. »
Chloé vit une forme de synesthésie à part, nommée *ticker tape* (« téléprompteur » en anglais), qui lui fait visualiser

25 les mots qu'elle entend de la bouche des autres ou de la sienne. Chloé l'a seulement remarquée l'année dernière, à ses 20 ans, en la mentionnant devant une amie. « Elle m'a répondu que c'était fou, parce qu'elle ne vivait pas du tout cela, se souvient cette étudiante. Avant cet épisode, je croyais

30 que tout le monde voyait la même chose. » Désormais consciente qu'elle doit expliquer ses « visions » à ceux qui ne les partagent pas, elle hésite un peu au moment de décrire dans le détail ces lettres qui s'imposent à elle.
La prise de conscience de sa synesthésie peut survenir

35 bien plus tard, comme pour Laurent, 53 ans, qui a trouvé un témoignage sur Internet lui ressemblant beaucoup. Auparavant, Laurent supposait que sa conception spatiale de

Wassily KANDINSKY, *Jaune, Rouge, Bleu*, 1925.

l'alphabet, des nombres et du temps était commune à tout le monde, et n'en parlait jamais « tant elle semblait évidente ».

40 La crainte d'être pris pour un fou ou pour quelqu'un d'excentrique est fréquente chez les synesthètes, dès lors qu'ils se rendent compte que leurs perceptions ne sont pas partagées par leur entourage, et d'autant plus s'ils n'ont pas connaissance du nom de leur particularité. Sophie,

45 46 ans, libraire et synesthète *ticker taper*, avait par exemple mentionné ses visions devant sa mère alors qu'elle était enfant, et s'était heurtée à son incompréhension.
Le sujet a « suscité beaucoup d'intérêt » chez Thémis quand elle a découvert qu'elle n'était pas la seule à avoir un

50 « calendrier dans la tête ». Elle a été soulagée d'apprendre que ce qu'elle considérait jusqu'alors comme « juste quelque chose de bizarre » avait fait l'objet d'études sérieuses, et n'était « ni une maladie ni une affabulation de [sa] part ». En expliquant ses associations à sa mère, Chloé lui a fait découvrir qu'elle

55 attribuait elle-même des couleurs aux chiffres et aux lettres ! « Nous en rions parfois ensemble, raconte l'étudiante. Nous pouvons en débattre, aussi. Mon E est vert, le sien est bleu. Ni elle ni moi n'avons d'argument particulier pour le justifier, mais nous pouvons nous chamailler quand même. »

Valentin RAKOVSKY, *Le Monde*, 3 mai 2021

📄 Compréhension écrite

Entrée en matière

1 ▎ Quel « super-pouvoir » aimeriez-vous posséder ?

Lecture

2 ▎ Quand et comment Céline, Chloé et Laurent ont-ils découvert leur synesthésie ?

3 ▎ Quels types de synesthète sont-ils ?

4 ▎ Quelle est leur attitude vis-à-vis de leur particularité ?

5 ▎ Quelle est la réaction de beaucoup de synesthètes quand ils se rendent compte de la spécificité de leurs perceptions ?

6 ▎ Pourquoi Thémis a-t-elle été soulagée de découvrir ce qu'était la synesthésie ?

7 ▎ La synesthésie peut-elle être héréditaire ?

Vocabulaire

8 ▎ Retrouvez dans le texte des équivalents des expressions suivantes.

a. avec plaisir   **c.** causer   **e.** se disputer
b. se produire   **d.** affabulation

Production orale

9 ▎ Pensez-vous qu'être synesthète est un avantage dans la vie quotidienne ? Pourquoi ?

B I Le fonctionnement du cerveau

📄 Compréhension écrite

Lecture

1 I Quelles sont les deux sources que l'auteur a utilisées pour réaliser ce document ?

2 I De quel sens est-il question dans ce document ?

3 I Quels défauts de nos sens notre cerveau comble-t-il ?

💬 Production orale

4 I Illustrez un des cas expliqués dans le document par un exemple concret.

▶ **En direct sur** 📻 **SAVOIRS**

C I Atelier rigologie 📱39

PODCAST BRAIN CAST — NOTRE CERVEAU MAÎTRE DE L'ILLUSION — Lionel Naccache — Le Cinéma Intérieur

COMMENT NOTRE CERVEAU INTERPRÈTE CE QUE NOUS PERCEVONS

ECHANTILLONNAGE le cerveau ne peut gérer que 13 images/seconde, il crée une ILLUSION DE MOUVEMENT

IMAGINATION le cerveau cherche à créer des liens, il interprète et DONNE DU SENS

ASSEMBLAGE le cerveau assemble, efface, corrige, pour donner l'impression de VOIR TOUS LES DÉTAILS

COLORISATION seul le centre de la vision perçoit correctement les couleurs, pour le reste, le cerveau AJOUTE DE LA COULEUR

STABILISATION pour garder une fluidité et une bonne compréhension, le cerveau EFFACE LES TREMBLEMENTS

COMPLÉTION l'œil se déplace constamment pour capter différents éléments, le cerveau complète le reste, il INVENTE CE QU'IL NE VOIT PAS

@EMILIEN_PONCON

« Le rire, c'est à la fois physiologique et culturel. »

🎧 Compréhension orale

Entrée en matière

1 I Comment est formé le mot rigologie ?

1re écoute (en entier)

2 I À quelle occasion ce reportage a-t-il été réalisé ?

3 I En quoi chaque rire est-il unique ?

4 I Quel autre phénomène est communicatif comme le rire ?

5 I Quels sont les différents types de rire ?

2e écoute (en entier)

6 I Quels éléments de notre cerveau rendent le rire communicatif ?

7 I Qu'a observé le médecin Madan Kataria ? Qu'a-t-il fait ?

8 I Qui est Corinne Cosseron ?

9 I Pourquoi certaines personnes n'arrivent plus à rire selon elle ?

✏️ Production écrite

10 I Vos proches vous ont offert une session de yoga du rire et cela vous a fait beaucoup de bien. Vous leur écrivez un message pour les remercier. Vous leur expliquez comment cela s'est passé, ce qui vous a plu et pourquoi c'était un cadeau bien choisi.

> **Pour** exprimer sa gratitude/remercier
> - Merci beaucoup/ infiniment pour...
> - C'est gentil de ta/votre part.
> - Je suis très touché(e).
> - Ça me touche beaucoup que...
> - Je t'/vous exprime toute ma gratitude.
> - C'est sympa de...

Activité complémentaire 📻 **SAVOIRS** 📱

Unité **8**

Les propositions temporelles

Échauffement

1 ı Dans les phrases suivantes, quelles expressions indiquent une temporalité ?

a. C'est après en avoir pris conscience que j'ai compris que ce n'était pas le cas de tout le monde.

b. Avant que je comprenne ma particularité, je croyais que tout le monde voyait la même chose.

c. Laurent supposait que sa conception spatiale de l'alphabet était commune à tout le monde jusqu'à ce qu'il découvre la synesthésie.

d. La crainte d'être pris pour un fou est fréquente chez les synesthètes, dès lors qu'ils se rendent compte que leurs perceptions ne sont pas partagées.

e. Sophie avait mentionné ses visions devant sa mère alors qu'elle était enfant.

2 ı Ces expressions expriment-elle l'antériorité, la simultanéité ou la postériorité ?

3 ı À quel mode sont conjugués les verbes qui suivent ces expressions de temps ?

Fonctionnement

Antériorité + subjonctif	Simultanéité + indicatif		Postériorité + indicatif
• avant que • d'ici à ce que • en attendant que • jusqu'à ce que	• maintenant que • alors que • au moment où • en même temps que • lorsque • pendant que • quand	• tandis que • tant que • aussitôt que • dès (lors) que • à mesure que	• après que • une fois que

- **Avant de +** infinitif présent. ***Avant de développer*** *un diabète, il mangeait beaucoup.*
- **Après +** infinitif passé : ***Après avoir été*** *pris de fou rire, il s'est senti très détendu.*
- **Une fois** + participé passé : ***Une fois*** *le traitement* ***terminé****, il s'est senti beaucoup mieux.*

Entraînement

4 ı Mettez le verbe entre parenthèses au temps et au mode corrects.

a. Il a compris qu'il était synesthète au moment où il (*entendre*) .... un témoignage a la radio.

b. Marine reprendra le travail dès qu'elle (*aller*) .... mieux.

c. Vous avez encore le temps d'ici à ce que l'exposition sur le rire (*être*) .... inaugurée.

d. Nous devrions interrompre ce neurologue avant que ses explications (*devenir*) .... trop complexes.

e. Ce médecin a fermé son cabinet après qu'il (*découvrir*) .... que le rire pouvait aider ses patients à guérir.

f. Nous ferons le point sur l'atelier de rigologie en attendant que tous les participants (*revenir*) .... de la pause.

g. Une fois que la session de yoga du rire (*commencer*) ...., tu vas très vite te détendre.

 Production orale

5 ı Racontez votre plus gros fou rire (où étiez-vous ? que faisiez-vous ? que s'est-il passé ?).

Entraînez-vous !

Cahier
d'activités

Documents

D ▎ Révéler le corps 🕮40

> **BIG**
> À CORPS OUVERT
>
> « Maintenant, je m'accepte comme je suis. »
>
> **AXEL PEREZ**
> EXPOSITION PHOTOGRAPHIQUE
> **28 MARS**
> **27 AVRIL**
> GALERIE PLEINE OUVERTURE
> 24 RUE DE BELFORT, PARIS 1 1

Compréhension orale

Entrée en matière

1 ▎ Pour quel événement cette affiche a-t-elle été réalisée ?

Deux écoutes (en entier)

2 ▎ Quels ont été les deux axes de travail du photographe ?

3 ▎ Pense-t-il avoir été bienveillant dans ses photos ? Pourquoi ?

4 ▎ Qu'est-ce qui a changé dans la vie de la femme qui a posé comme modèle ?

5 ▎ D'après la seconde femme interrogée, pourquoi cette exposition est importante à la fois pour les personnes photographiées et pour le public ?

✎ Production écrite DELF_{B2}

6 ▎ Vous écrivez à la rédaction d'un journal de mode pour exprimer votre déception car toutes les publicités pour vêtements représentent des hommes et femmes très minces. Vous expliquez pourquoi vous aimeriez voir plus de diversité chez les mannequins.

Leïla Slimani — Clément Oubrerie
à mains nues
Les Arènes BD

E ▎ Une pionnière féministe de la chirurgie esthétique

Leïla Slimani, écrivaine, est l'autrice d'une bande-dessinée consacrée à Suzanne Noël, *À mains nues* (Les Arènes, 2020, avec Clément Oubrerie au dessin) : « C'est une femme qui opère des ouvriers, des gens mordus par des chiens. Ces gens perdent toute capacité de gagner leur vie, de s'intégrer à la société. Elle a vraiment un rapport très pragmatique à cette chirurgie qu'elle ne voit évidemment pas comme une frivolité[1]. Même si à côté de ça elle opère tous les grands noms d'Europe, elle refait des
15 seins à plein de femmes. Mais est-ce que tout le rapport que les femmes ont à leur corps n'est qu'un rapport frivole[1] ? Est-ce que nous ne sommes que soumises quand nous voulons être belles ? »

Une médecin volontaire et brillante
20 Malgré un apprentissage commencé par la dermatologie, et avec plus de dix ans de retard par rapport à ses confrères, puisqu'elle obtient son internat à 35 ans,

Suzanne Noël va contribuer de façon essentielle au développement de la chirurgie esthétique.

25 **Réparer les visages cassés**
1916 : des milliers de blessés rentrent du front[2] défigurés. Une fois chez eux, désespérés, beaucoup se suicident. Suzanne se donne sans compter pour les réparer, remodeler crânes et mâchoires, redessiner les
30 visages. Leïla Slimani : « Suzanne a déjà une vision de la médecine assez moderne, où elle considère que le psychologique et le physique vont de pair. »
Dans son cabinet à domicile, Suzanne expérimente les premiers liftings et liposuccions de bras, de fesses, de
35 seins, elle révolutionne le traitement d'oreilles décollées, de poches sous les yeux…
Convaincue du rôle social de la chirurgie esthétique pour prévenir le harcèlement scolaire, le chômage, la dépression, la solitude, elle fait payer ses patients selon
40 leurs moyens, opère souvent gratuitement.

Camille RENARD, *France Culture*, 7 décembre 2020

1. superficialité
2. le front de la Première Guerre mondiale

Compréhension écrite

Lecture

1 ▎ Qui est Suzanne Noël ?

2 ▎ Quels types de patient opérait-elle ?

3 ▎ En quoi la chirurgie esthétique joue-t-elle un rôle social pour Suzanne Noël ?

Vocabulaire

4 ▎ Retrouvez dans le texte les mots relatifs au corps et les termes médicaux.

Unité **8**

Vocabulaire

Le corps et l'apparence

> p. 10
Jouez avec les mots !
« Poèmes en rimes »

Le squelette
- la clavicule
- la côte
- le crâne
- l'épaule (f.)
- la hanche
- l'omoplate (f.)
- la mâchoire
- la phalange
- la rotule
- le tibia
- la vertèbre

1 ı Placez tous les mots possibles sur le squelette. Dites où se trouve les os et les organes que vous n'avez pas pu placer.

Les organes
- le cerveau
- le cœur
- l'estomac (m.)
- le foie
- l'intestin (m.)
- le pancréas
- le poumon
- le rein

2 ı De quels organes parle-t-on ?
- **a.** Il bat très vite quand on a couru.
- **b.** L'un est gros et l'autre est grêle.
- **c.** C'est l'organe de la pensée.
- **d.** Si on mange trop, on peut avoir une crise.
- **e.** Il fonctionne comme un filtre.

Expressions
- à cœur ouvert
- avoir le cœur à
- avoir le cœur gros/léger
- avoir un cœur de pierre
- en avoir le cœur net
- venir du cœur

3 ı À quelles expressions de la liste correspondent les définitions suivantes ?
- **a.** avoir du chagrin
- **b.** sincère
- **c.** s'assurer de quelque chose
- **d.** n'avoir aucune sensibilité
- **e.** être d'humeur à

Les fonctions corporelles
- la circulation
- la digestion
- le système nerveux
- la respiration
- le stimulus

4 ı À quelle fonction participent les éléments du corps suivants ?
- **a.** le sang
- **b.** l'artère (f.)
- **c.** la salive
- **d.** la veine
- **e.** le nerf
- **f.** le gros intestin
- **g.** les poumons (m.)
- **h.** la trachée

La tête
- la barbe
- le cil
- la joue
- la moustache
- la paupière
- le profil
- la pupille
- le sourcil
- le teint
- les traits (m.)

5 ı Quels mots de la liste sont des parties du visage et lesquels se rapportent à son aspect ?

6 ı Complétez les phrases suivantes avec des mots de la liste.
- **a.** Elle a tellement pleuré qu'elle a les .... toutes gonflées.
- **b.** Tu as vu ? Julien s'est rasé la .... !
- **c.** Il a les .... tirés, il a besoin de vacances.
- **d.** Avec sa .... blanche, on dirait le Père Noël !
- **e.** Oh ! Tu t'es épilé les .... !
- **f.** Ta photo de .... est vraiment ringarde.

La chirurgie esthétique
- la cicatrice
- être défiguré(e)
- le lifting
- la liposuccion
- les oreilles décollées
- les poches sous les yeux
- la prothèse
- se faire refaire le nez

 Production orale

7 ı Emmanuelle Béart, une célèbre actrice française, a déclaré : « Je suis contre la chirurgie esthétique. Parce que c'est un acte grave, dont on n'évalue pas forcément les conséquences. » Vous discutez avec un(e) ami(e) qui n'est pas d'accord avec vous.

L'aspect physique
- l'allure (f.)
- l'apparence (f.)
- la carrure
- la corpulence
- corpulent(e)
- la démarche
- gros(se)
- maigre
- mince
- la morphologie
- la pointure
- la silhouette
- la stature
- svelte

Production écrite

8 ı La chirurgie esthétique joue-t-elle un rôle social positif pour vous ? Pourquoi ?

9 ı Décrivez l'apparence d'une personne célèbre en utilisant des mots de la liste.

Entraînez-vous !

Cahier d'activités

Le corps du futur

F ▎ Demain, l'Homme augmenté

DEMAIN, L'HOMME AUGMENTÉ ☰

Le transhumanisme est un courant philosophique qui prône la transformation et le dépassement de la nature humaine grâce à la technologie.

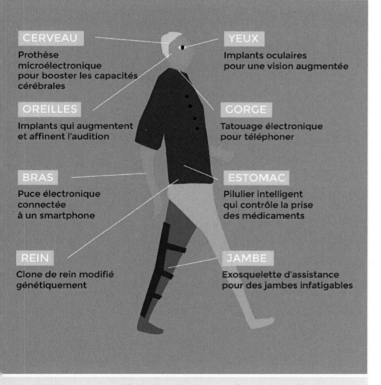

CERVEAU
Prothèse microélectronique pour booster les capacités cérébrales

OREILLES
Implants qui augmentent et affinent l'audition

BRAS
Puce électronique connectée à un smartphone

REIN
Clone de rein modifié génétiquement

YEUX
Implants oculaires pour une vision augmentée

GORGE
Tatouage électronique pour téléphoner

ESTOMAC
Pilulier intelligent qui contrôle la prise des médicaments

JAMBE
Exosquelette d'assistance pour des jambes infatigables

futuremag.fr @FUTUREMAGfr #FUTUREMAG

1 ▎ Qu'est-ce qu'un être humain augmenté ?
2 ▎ Quelle partie du corps augmentée vous semble la plus utile ?
3 ▎ Le dépassement de la nature humaine, est-ce un progrès ou un danger ?

G ▎ *L'invention des corps*

1   – Bonjour à tous. Je suis très heureux de vous accueillir au XXIᵉ siècle.
Il fait passer sa main gauche
5   dans la droite.
– Bienvenue à tous sur l'île Bluesky. C'est un grand jour. Notre utopie a enfin trouvé un lieu où s'incarner. Ici, sur
10 Bluesky, vous pourrez tenter tout ce qu'il est possible de tenter. Nous repousserons, ensemble, les limites. Ici, nous inventerons l'homme
15 de demain.
Il reconnaît les visages, reprend son souffle et :
– Comme vous le savez, j'ai été victime, il y a maintenant cinq mois, d'une agression qui a
20 failli me coûter la vie. Je suis heureux d'être passé par là. Ce qui ne nous tue pas, etc. L'œil que j'ai perdu était un de ces vieux restes d'une civilisation en déroute, je n'en avais plus l'utilité. Mon équipe de chirurgiens l'a remplacé par
25 un œil augmenté. J'ai à présent une vision supérieure à celle d'un aigle. Je vois à 300 mètres un oiseau dans le ciel. Je ne compte bien sûr pas m'arrêter là, je vais changer le deuxième œil, puis je ferai de même avec mon cœur, qui
30 sera une machine de guerre prête à supporter mes coups de sang pendant deux cents ans.
Le visage de Parker Hayes s'étire et se fige dans ce qui doit bien être un sourire.
– L'homme que nous modèlerons ici courra
35 plus vite, entendra mieux, comprendra la physique quantique. Son cerveau cavalera à deux millions de mégabits par seconde, sa mémoire dépassera sa propre histoire pour embrasser celle de l'homme.

Pierre Ducrozet, *L'invention des corps*, 2017

H ▌ Les plantes médicinales en Martinique

En Martinique, les plantes médicinales se modernisent pour soigner les maux. Elles s'appellent doliprane ou efferalgan, mais n'ont rien à voir avec le médicament. Sous le soleil des Antilles, ces plantes, comme d'autres aux noms plus exotiques, sont consommées depuis toujours pour soigner les maux de la population. Certains y sont restés très attachés et entendent bien les remettre au goût du jour, comme Rémi Asensio, chapeau à larges bords vissé sur la tête, qui arpente son hectare de terrain au cœur de la campagne du Gros Morne, en Martinique. Chaque semaine, cet originaire du Sud-Ouest passe en revue la quarantaine d'espèces végétales qu'il a plantées. Les atoumos avec leurs fleurs rose et blanches, les petites feuilles dentelées de la brisée et les bottes touffues de citronnelles. Autant de plantes qu'il transforme ensuite en tisanes. Voilà près de sept ans que cet agronome et son épouse ingénieure chimiste martiniquaise se sont lancés. « On était salariés et on sentait qu'on allait avoir des difficultés dans nos carrières. Et il commençait à y avoir des communications sur les plantes libérées (du monopole pharmaceutique, ndlr). On s'est dit pourquoi pas ? » Ainsi est née leur Herboristerie Créole. Ils ont d'abord proposé des compléments alimentaires en gélules avant de se lancer dans les infusions vendues en pharmacies et épiceries fines : « Les Martiniquais préfèrent. Ça leur rappelle leur grand-mère. » Car les plantes médicinales ont longtemps été consommées aux Antilles en tisane mais aussi en bain ou en application cutanée.

Sur le marché de Fort-de-France, Géonie Tobinord est l'une des rares à tenir un étal exclusivement composé de ces plantes. Chaque matin depuis 10 ans, elle déballe ses herbes et compose des bouquets en fonction des demandes de chacun. « Les plantes qui marchent le mieux, c'est la menthe glaciale et le basilic. Les gens font du thé, des bains, des frictions, tout ce qu'ils veulent. » Un savoir acquis au fil du temps qu'elle a transmis à sa fille. Sa principale crainte c'est que « les gens d'ailleurs viennent prendre notre culture ici et la transforment comme ils veulent. Nous les petites marchandes, ça nous inquiète. On nous dira un jour qu'on n'a pas fait les études nécessaires pour vendre ces plantes. »

Développement économique

Le Pôle Agroressources et de Recherche de Martinique (PARM) fait partie de ceux qui veulent développer l'utilisation des plantes aromatiques et médicinales martiniquaises. En 2012, lorsque la pharmacopée française a intégré plusieurs nouvelles plantes antillaises, cet institut s'est penché sur la composition de 24 espèces afin de faire « le lien entre une activité déclarée au niveau traditionnel et une activité prouvée de façon scientifique », explique Sandra Adenet, responsable du Pôle Recherche et Développement du PARM.

De son côté, la chambre d'agriculture se mobilise avec des parcelles expérimentales dédiées à la culture de ces plantes. Pour Sandra Adenet, il y a un véritable marché international du phyto-médicament à portée de la Martinique. Mais elle le concède : « La démarche est longue et difficile. »

Géonie Tobinord à son étal de Fort-de-France

AFP, 30 novembre 2019

 ## Compréhension écrite

Entrée en matière

1 ▌ Connaissez-vous des plantes médicinales ? Lesquelles ?

Lecture

2 ▌ Quelle est la particularité des plantes médicinales en Martinique ?

3 ▌ Qui est Rémi Asensio ?

4 ▌ Pourquoi les Martiniquais préfèrent-ils les infusions ?

5 ▌ Comment fonctionne le petit commerce de Géonie Tobinord ?

6 ▌ De quoi a-t-elle peur ?

7 ▌ Dans quel but le PARM a-t-il étudié certaines espèces de plantes ?

8 ▌ Que fait la chambre d'agriculture de la Martinique pour encourager le marché des plantes ?

Vocabulaire

9 ▌ Retrouvez dans le texte un équivalent des expressions suivantes.
- **a.** faire revenir à la mode
- **b.** qui concerne la peau
- **c.** faire le tour

 ## Production orale

10 ▌ Utilisez-vous des remèdes naturels à partir de plantes pour vous soigner ? Pourquoi ?

I **Médecin de campagne**

 Compréhension audiovisuelle

Entrée en matière

1 ▸ Quels gestes pratique habituellement un médecin lors d'une consultation médicale ?

Deux visionnages (en entier)

2 ▸ Où se rendent les deux médecins ?

3 ▸ Qui est la patiente et quel est son problème ?

4 ▸ Que fait la médecin pour l'ausculter ? Et pour la soulager ?

5 ▸ Quelle est l'attitude des proches de la patiente ?

 Production orale

6 ▸ Quels sont les aspects du travail d'un médecin en milieu rural selon vous ?

7 ▸ Pour vous, qu'est-ce qui fait un bon médecin ?

J **Déserts médicaux**

 Compréhension écrite

Lecture

1 ▸ Dans quelle situation parle-t-on de désert médical ?

2 ▸ En quoi consiste le jeu de mot du dessinateur ?

3 ▸ De quoi le dessinateur se moque-t-il ?

Production orale

4 ▸ Certaines régions ou villes ont-elles du mal à recruter des médecins dans votre pays ?

Production écrite

5 ▸ Vous êtes médecin et le maire d'un petit village vous a proposé de venir y installer votre cabinet. Vous répondez à sa proposition par courriel et vous expliquez votre décision.

▸ **Pour** répondre à une proposition de manière formelle

En acceptant
- C'est avec grand plaisir que j'accepte.
- Très volontiers.
- Merci infiniment.

En acceptant avec des réserves
- C'est envisageable à condition de / que...
- L'offre est tentante, seulement...

- Pour le moment c'est impossible, en revanche...

En refusant
- Je regrette, mais...
- Je suis désolé(e) de ne pas pouvoir...
- Je suis malheureusement dans l'obligation de refuser.
- Il m'est impossible de...

Unité **8**

Vocabulaire

La santé et la médecine

Jouez avec les mots !
> p. 10   « La chaîne de mots »

L'état de santé
· alité(e)
· bien portant(e)
· convalescent(e)
· invalide
· mal fichu (*fam.*)
· patraque
· rétabli(e)
· souffrant(e)

1 ı Parmi les mots de la liste, lesquels correspondent à une bonne santé et lesquels à une mauvaise santé ?

Expressions
· avoir la patate/la pêche
· ne pas être dans son assiette
· se faire porter pâle

Soigner
· l'analyse (*f.*) de sang
· ausculter
· la consultation
· diagnostiquer
· examiner
· hospitaliser
· opérer
· prescrire
· prendre la tension
· prendre le pouls
· la radiographie

2 ı Quels mots de la liste sont des examens médicaux ?

La maladie
· la bactérie
· bénin(-gne)
· contagieux(-se)
· l'épidémie (*f.*)
· génétique
· le microbe
· le parasite
· le virus

3 ı Citez un exemple concret pour chaque mot de la liste.
Exemple : la bactérie →
la salmonelle

4 ı Avez-vous des tendances hypocondriaques ou pas du tout ?

Les pathologies
· l'allergie (*f.*)
· l'angine (*f.*)
· l'asthme (*m.*)
· la bronchite
· le cholestérol
· la grippe
· le rhume

5 ı Terminez les phrases avec des mots de la liste.
a. On a le nez qui coule en automne ! C'est l'époque des : ....
b. Si tu as mal à la gorge, tu as peut-être : ....
c. Il est recommandé de suivre un régime pour faire baisser : ....
d. On peut se faire vacciner pour ne pas attraper : ....
e. Ce sont des pathologies chroniques : ....

Les symptômes
· aigu(ë)
· le bouton
· la douleur
· l'éternuement (*m.*)
· faire un malaise
· la fièvre
· la migraine
· la rougeur
· la toux
· le vertige
· vomir

📋 Production orale

6 ı Vous êtes en vacances en France et vous ne vous sentez pas bien. Vous allez voir un médecin et lui expliquez vos symptômes.

Expressions
· avoir un mal de chien (*fam.*)
· avoir une sacrée douleur dans (*fam.*)
· être douloureux/pénible
· souffrir de

Le traitement
· l'antibiotique (*m.*)
· l'anti-inflammatoire (*m.*)
· l'anti-histaminique (*m.*)
· la gélule
· la pommade
· le remède
· la thérapie

7 ı Complétez les phrases avec des mots de la liste.
a. Vous vous êtes cogné ? Mettez ....
b. Vous êtes allergique au pollen ? Prenez ....
c. Vous avez une bactérie intestinale. Prenez ....
d. Vous n'êtes pas en forme ? Voici de la vitamine C en ....
e. Vous avez un rhume ? .... de grand-mère sont les plus efficaces.

Les blessures (*f.*)
· l'ampoule (*f.*)
· la brûlure
· la coupure
· l'entorse (*f.*)
· la fracture
· l'inflammation (*f.*)
· la lésion
· la plaie
· le traumatisme

8 ı Complétez les phrases avec des mots de la liste.
a. Je suis tombé de vélo et résultat : une .... du tibia. J'ai la moitié de la jambe plâtrée.
b. Tu devrais désinfecter cette .... le plus rapidement possible.
c. Mes nouvelles chaussures me font mal aux pieds. J'ai des .... partout.
d. En ouvrant le four, je me suis fait une .... au premier degré.
e. Son .... crânien est dû au choc de l'accident.
f. Il s'est fait une .... à la cheville en dansant le tango.

Entraînez-vous !

Cahier d'activités

Documents

K ∎ La révolution de la microbiologie

📄 Compréhension écrite

Entrée en matière

1 ∎ Lisez le titre de la planche. Connaissez-vous Pasteur et Koch ?

Lecture

2 ∎ D'après la bande-dessinée, qu'est-ce qui « prouvait » la génération spontanée avant les découvertes de Pasteur ?

3 ∎ Quel grand scientifique soutenait la théorie de la génération spontanée ?

4 ∎ En quoi consistait l'expérience de Pasteur ?

5 ∎ Qu'a changé la découverte de Pasteur dans la vie quotidienne ? Et dans le domaine de la médecine ?

6 ∎ Comment le monde médical a-t-il accueilli les découvertes de Pasteur ?

7 ∎ Retrouvez dans la BD des équivalents des expressions suivantes :
   a. toujours   **b.** prolifération

8 ∎ Expliquez ce qu'est l'asepsie en vous aidant des explications de Pasteur dans la dernière vignette.

✏️ Production écrite

9 ∎ Quelle autre découverte scientifique a révolutionné la médecine selon vous ? Décrivez comment cette découverte a été faite.

> **Pour** introduire un sujet de manière formelle
> • Nous allons traiter de...
> • Voici le sujet que je voudrais aborder...
> • On s'accorde à penser que..., mais...
> • Il est bien connu que...
> • Une question souvent évoquée est...
> • Il est intéressant de constater que...

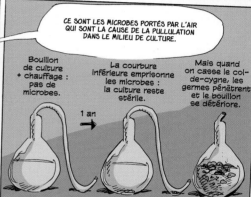

PASTEUR ET KOCH : LA RÉVOLUTION DE LA MICROBIOLOGIE

En 1859, tout le monde croyait encore à la génération spontanée*.

ON SAIT CELA DEPUIS LA NUIT DES TEMPS : LE FUMIER PRODUIT DES MOUCHES, LE BAMBOU DES PAPILLONS, ET UN SAC D'ORDURES, DES SOURIS...

C'EST ARISTOTE QUI L'A DIT.

Seul Pasteur, contre l'avis de Claude Bernard, soutenait le contraire.

MES EXPÉRIENCES PROUVENT L'ERREUR DE LA GÉNÉRATION SPONTANÉE.

GRÂCE À MON BALLON À COL DE CYGNE, JE VAIS POUVOIR DÉMONTRER QUE LA VIE N'APPARAÎT PAS SPONTANÉMENT.

CE SONT LES MICROBES PORTÉS PAR L'AIR QUI SONT LA CAUSE DE LA PULLULATION DANS LE MILIEU DE CULTURE.

Bouillon de culture + chauffage : pas de microbes.

La courbure inférieure emprisonne les microbes : la culture reste stérile.

1 an

Mais quand on casse le col-de-cygne, les germes pénètrent et le bouillon se détériore.

Cela allait aboutir à la "pasteurisation"...

MAINTENANT, JE PORTE MON LAIT À LA FABRIQUE POUR QUE M. PASTEUR LE CONSERVE.

...et à l'aseptie.

SI J'AVAIS L'HONNEUR D'ÊTRE CHIRURGIEN, JE NE ME SERVIRAIS QUE D'INSTRUMENTS D'UNE PROPRETÉ PARFAITE ET EXPOSÉS À UNE TEMPÉRATURE DE 150 DEGRÉS ET JE LAVERAIS MES MAINS AVEC LE PLUS GRAND SOIN....

MAIS QUI EST CE CHIMISTE QUI VIENT NOUS DONNER DES LEÇONS ?

DE QUOI JE ME MÊLE ?

* Théorie selon laquelle tous les petits organismes naissent spontanément dans certaines circonstances.

97

Jean-Noël Fabiani et Philippe Bercovici, *L'incroyable histoire de la médecine*, 2020

Unité 8

Grammaire

La mise en relief

Échauffement

1 ‖ Dans chacune des phrases suivantes, quel élément est mis en valeur ?

a. C'est Aristote qui l'a dit.

b. Ma principale crainte c'est que les gens d'ailleurs viennent prendre notre culture.

c. Ce sont les microbes portés par l'air qui sont la cause de la détérioration du bouillon.

d. Voilà des siècles qu'on ne croit plus à la génération spontanée.

2 ‖ Quelles structures permettent de mettre en valeur un élément dans les phrases ?

Fonctionnement

Rappel – Pour mettre en relief :	
• **un sujet**	*La pharmacopée traditionnelle,* **c'est ça qui/c'est ce qui** *m'intéresse.* **C'est** *la pharmacopée traditionnelle* **qui** *m'intéresse.* **Ce qui** *m'intéresse,* **c'est** *la pharmacopée traditionnelle.*
• **un COD**	*Un remède de grand-mère,* **c'est ça que /c'est ce que** *je cherche.* **C'est** *un remède de grand-mère* **que** *je cherche.* **Ce que** *je cherche,* **c'est** *un remède de grand-mère.*
• **un COI**	*La docteure Vilain,* **c'est à** *elle que tu devrais parler.* **C'est à** *la docteure Vilain* **que** *tu devrais en parler.*
• **un complément introduit par *de***	*L'efficacité des plantes,* **c'est ça dont/c'est ce dont** *on parle.* **C'est de** *l'efficacité des plantes* **dont** *on parle.* **Ce dont** *on parle,* **c'est de** *l'efficacité des plantes médicinales.*

Mettre en relief d'autres types de compléments	
Compléments circonstanciels de lieu	*Exemple : C'est* **chez le médecin** *que je vais. C'est* **de Bretagne** *que je viens.*
Compléments circonstanciels de temps	**Demain, des années, la semaine prochaine...** *Exemple : C'est* **demain** *que je vais au marché aux plantes.* **Voilà, voici, ça fait... que** *Exemple : Voilà* **deux jours** *que nous préparons des remèdes naturels.*
Compléments circonstanciels de manière	**Comme ça, ainsi, de cette manière...** *Exemple : C'est* **comme ça** *qu'il faut préparer une tisane.*
Compléments circonstanciels de but	**Pour, dans le but de, dans l'intention de...** *Exemple : C'est* **pour** *faire vivre les traditions qu'elle a transmis son savoir à sa fille.*
Compléments circonstanciels de cause	**À cause de, en raison de, du fait de...** *Exemple :* **C'est à cause d'**une bactérie qu'elle est tombée malade.*
Compléments circonstanciels de concession	**Malgré** *Exemple : C'est* **malgré** *lui qu'il a provoqué cet accident.*

Entraînement

3 ‖ Reformulez les phrases en mettant en relief l'un des éléments soulignés.

a. Il a révolutionné <u>les approches scientifiques</u>.

b. <u>Ce projet</u> est <u>très intéressant</u>.

c. Il faut préparer <u>le remède contre la migraine</u> <u>de cette manière</u>.

d. J'étudie <u>les plantes médicinales</u> <u>depuis 3 ans</u>.

e. <u>Les maires</u> doivent réagir <u>à cause du manque de médecins dans le monde rural</u>.

4 ‖  **41** Intonation

Écoutez les phrases et répétez-les avec l'intonation.

Entraînez-vous !

Cahier
d'activités

Grammaire/Vocabulaire

1 ı Complétez les phrases avec les expressions de la liste :

après – une fois que – au moment où – d'ici à ce que – en attendant – dès que

a. Il a eu de la chance. Je suis arrivé juste .... il tombait.

b. .... j'ai reçu vos résultats sanguins, je vous appelle.

c. .... les résultats de vos radios, ne forcez pas trop sur votre bras.

d. .... j'aurai terminé mes études de médecine, je m'installerai dans un cabinet à la campagne.

e. .... le problème des déserts médicaux soit résolu, les poules auront des dents.

f. .... avoir découvert les plantes médicinales, je me suis passionnée pour l'herboristerie.

2 ı Terminez les phrases.

a. C'est à cette occasion que ....

b. Ce sont les scientifiques qui ....

c. C'est lui dont ....

d. C'est malgré moi que ....

e. Voilà 20 ans que ....

f. C'est pour faire médecine que ....

g. C'est ainsi que ....

3 ı 🎧 42 Écoutez les phrases et reformulez-les pour mettre un des éléments en relief.

4 ı Complétez les phrases avec des mots de la liste :

neurones – profil – silhouette – nez – jambe – nerfs – carrure – côte – chirurgie – épaule – prothèse – morphologie – svelte – traits

a. Tu n'as pas beaucoup dormi ! Tu as les .... fatigués.

b. Ce joueur de rugby a une .... imposante. Je suis minuscule à côté de lui.

c. Je me suis cassé une .... et j'ai du mal à respirer.

d. Je préfère mon .... droit pour les photos. Je le trouve plus régulier.

e. Elle doit se faire opérer de la hanche, elle a besoin d'une .... pour marcher.

f. Le cerveau est encore plein de secrets pour les chercheurs, même si on connaît le fonctionnement des ....

g. Il est devenu très .... depuis qu'il fait du sport.

5 ı Complétez le texte avec des mots de la liste. Accordez ou conjuguez si nécessaire.

opérer – tension – prescrire – rétabli – diagnostic – radiographie – ausculter – consultation – symptôme – éternuer – pathologie – analyse – malaise – hospitaliser – contagieux – en forme

Le quotidien d'un médecin de ville n'est pas du tout monotone. Évidemment, mes patients viennent me voir en .... quand ils ne sont pas .... Je les écoute d'abord attentivement m'expliquer leurs .... Il faut ensuite les .... pour avoir une idée des .... possibles et on peut alors élaborer un premier .... Parfois, je dois leur demander de faire des .... de sang ou une .... En général, je .... un traitement pour les soulager. Dans de rares cas, je dois faire .... les patients.

Unité 8

Atelier médiation

Prendre des notes d'un exposé

Objectifs
- Préparer un exposé
- Prendre des notes lors d'une intervention orale
- Retransmettre les informations à une autre personne

1 | Situation

Vous allez préparer un exposé sur une maladie de votre choix et prendre des notes sur les exposés des autres étudiants.

2 | Mise en œuvre

▷ **En binômes.**

· Élaborez un exposé sur une maladie : propagation, contagion, symptômes, traitements, vaccin, etc.

· En binômes : présentez votre exposé. Ensuite, écoutez l'exposé de votre partenaire et prenez des notes.

· Reformez un nouveau groupe de deux et transmettez les informations apprises à l'aide de vos notes à votre nouveau binôme.

Stratégies

- L'exercice de la prise de notes ne consiste pas à retranscrire textuellement ce qui est dit. La prise de notes se divise en quatre étapes :
  - écouter ;
  - comprendre ;
  - synthétiser (déterminer ce qui est important) ;
  - noter.
- Écrivez en utilisant :
  - des abréviations (utilisez toujours les mêmes pour vous relire facilement) ;
  - le style télégraphique (on n'écrit que les informations importantes et on laisse les détails de côté) ;
  - des schémas, des dessins, etc.
- Reformulez les idées avec vos propres mots. Il s'agit de comprendre le contenu et de pouvoir le restituer.
- Soyez attentif aux répétitions, aux reformulations des notions pour distinguer les informations les plus importantes de l'exposé. Repérez les relations entre les concepts et les connecteurs logiques et d'organisation du discours.
- **Astuce** : séparez votre feuille en deux colonnes. Dans celle de droite, notez les idées de l'exposé, et dans celle de gauche notez les mots clés et les liens logiques entre les idées.

DELF B2

Stratégies — S'exprimer à l'oral

Ces stratégies sont utiles pour préparer et réussir le DELF B2 (cf. épreuve blanche p. 189). L'épreuve dure 20 minutes.

Ces stratégies vous seront utiles pour participer aux débats proposés dans le livre et pour préparer l'épreuve de production orale du DELF B2.

L'épreuve de production orale du DELF B2 dure 20 minutes auxquelles on ajoute 30 minutes de préparation.

Vous devrez exposer et défendre clairement un point de vue à partir d'un court document écrit et débattre avec l'examinateur.

- Dans la première partie de l'épreuve (les 10 premières minutes), vous ferez un exposé à partir d'un court document déclencheur. D'abord, vous présenterez le thème du document et en dégagerez la problématique. Puis, vous présenterez votre point de vue en mettant en évidence des éléments significatifs et/ou des exemples pertinents.

- Dans la seconde partie de l'épreuve (les 10 minutes suivantes), vous aurez un entretien avec l'examinateur : vous allez débattre ensemble ; il/elle vous posera des questions. Vous devrez donc savoir confirmer et nuancer vos idées, apporter des précisions, réagir à ses arguments et ses déclarations pour défendre votre position.

Pour être prêt(e) le jour de l'épreuve

L'épreuve dure 20 minutes, vous devrez donc être capable de vous exprimer assez longtemps de façon suivie en développant une argumentation claire et logique.

Dans votre exposé, vous devrez présenter le sujet et non le document ! Il ne s'agit en aucun cas d'en faire le résumé mais de dégager le problème soulevé.

Pour ce faire, entraînez-vous à faire des exposés à partir de courts articles que vous pourrez trouver dans la presse, en relevant d'abord le thème puis en choisissant une problématique (c'est-à-dire la question centrale).

Consultez également des forums sur des sujets de société contemporains. Ils sont parfois polémiques ; cela devrait vous donner des idées pour l'argumentation, vous aider à construire votre réflexion.

Pour faire un exposé, vous devez construire un plan articulé autour d'une introduction, d'un développement et d'une conclusion. Le développement est généralement une thèse, c'est-à-dire votre point de vue par rapport au sujet. Vous veillerez à marquer clairement vos idées à l'aide de mots de liaison. En effet, si vos idées sont bien enchaînées, l'examinateur pourra suivre votre pensée et vous pourrez le convaincre plus facilement. Voici quelques exemples :

- Pour hiérarchiser vos idées : *d'abord, puis, ensuite, enfin…*
- Pour les illustrer : *par exemple, ainsi, notamment…*
- Pour les développer : *autrement dit, c'est-à-dire, en d'autres termes…*

Sachez que vous ne serez pas évalué(e) sur votre prise de position, alors sentez-vous libre d'exprimer votre point de vue.

En revanche, votre prononciation est très importante. Aussi, enregistrez-vous puis écoutez-vous afin de corriger vos erreurs.

 **Production orale** (25 points)

Vous dégagerez le problème soulevé par le document que vous avez choisi, puis vous présenterez votre opinion sur le sujet de manière claire et argumentée (5 à 7 min). Vous défendrez votre point de vue au cours du débat avec l'examinateur (10 à 13 min).

Sujet 1

Les jeunes sont-ils désinformés ?

C'est sur les réseaux sociaux que les jeunes s'informent principalement : sont-ils pour autant particulièrement exposés aux *fake news* ou enfermés dans des « bulles de filtre » ? Julien Boyadjian s'est intéressé au rapport à l'information sur les réseaux sociaux des étudiants de 18 à 22 ans en fonction de leur milieu social et de leur formation. Il conclut que les étudiants issus de milieux populaires sont plutôt non informés que désinformés. Dans une stratégie d'évitement politique, ces derniers sont peu abonnés aux comptes des grands titres de la presse, mais ne le sont pas plus aux médias diffusant des *fake news*. En naviguant sur le Web, ces étudiants sont plutôt à la recherche des *buzz* dont tout le monde parle. Ces contenus viraux leur servent de monnaie d'échange dans les discussions ordinaires – à l'image des faits divers ou des événements sportifs. Les étudiants issus de formations élitistes sont quant à eux exposés à des sources variées d'informations : en plus des médias *mainstream*, ils sont abonnés à des médias alternatifs, à des pages de journalistes reconnus ou amateurs, à celles de citoyens engagés. Au final, ils sont exposés à des sources plus variées d'informations sur les réseaux sociaux que sur les autres supports d'information.

Adèle CAILLETEAU, *Sciences Humaines Mensuel N° 331*, décembre 2020

Sujet 2

Bien-être animal : une préoccupation croissante

Les rapports de l'homme à l'animal n'ont cessé d'évoluer ces dernières années avec la reconnaissance de droits croissants pour les animaux. Depuis 2015, le code civil leur attribue la qualité d'être sensible, un statut juridique plus protecteur. L'animal reste un « objet de droit », un objet que l'on peut posséder ou utiliser. Mais sa sensibilité le place au-dessus des objets non-vivants.

Les critiques se font de plus en plus fortes contre les cirques qui proposent des numéros avec des animaux sauvages. Dans un sondage réalisé en février 2018 par la Fondation 30 millions d'Amis, 67 % des personnes interrogées se sont déclarées favorables à l'interdiction des animaux sauvages dans les cirques. Les delphinariums et les parcs zoologiques sont également dénoncés par les militants de la cause animale.

Par ailleurs, des chercheurs s'interrogent sur la question du travail animal. Un chien d'aveugle ou de berger travaille-t-il ? Si oui, quels sont alors leurs droits ? Selon la sociologue Jocelyne Porcher, « la question du travail animal est un bon outil pour penser de façon plus large la place des animaux dans nos sociétés. »

www.vie-publique.fr

Unité 9

La richesse en partage

Objectifs

- Décrire un projet solidaire
- Interagir par courrier de manière formelle
- Annoncer un plan de développement
- Exprimer l'évidence

 L'homme sociable n'est pas toujours social.

Documents

A ▎ Le vivre-ensemble 🎧43

🎧 Compréhension orale

Entrée en matière

1 ▎ Pour vous, que signifie le vivre-ensemble. Comment ce mot est-il construit ?

1re écoute (du début à 0'31")

2 ▎ Pourquoi la chroniqueuse s'interroge-t-elle sur le vivre-ensemble ?

2e écoute (de 0'32" à 1'43")

3 ▎ Que lui est-il arrivé dans le métro ? Comment a-t-elle réagi ?

4 ▎ Comment résume-t-elle la situation ?

3e écoute (de 1'44" à la fin)

5 ▎ Pourquoi la définition du dictionnaire n'est-elle pas satisfaisante ?

6 ▎ Que reproche-t-elle aux essais de philosophie politique récents ?

7 ▎ De qui parle-t-on quand on parle de vivre-ensemble ?

> « Est-ce vivre ensemble les uns à côté des autres ou est-ce plus que ça, mais alors quoi ? »

8 ▎ Expliquez pourquoi la journaliste compare l'idée du vivre-ensemble à une formule magique.

💬 Production orale

9 ▎ Racontez une anecdote qui vous a fait réfléchir sur la manière dont nous partageons les espaces communs.

▶ Pour raconter une anecdote
- Tu (ne) sais pas ce qui m'est arrivé ?
- Je ne sais pas si tu sais, mais…
- Dis donc, tu savais toi que…
- (Au fait,) je ne t'ai pas dit que… ?
- Je te raconte : …

BAROMÈTRE DE LA SOCIÉTÉ INCLUSIVE

Les PEP
la solidarité en action

LA PERCEPTION DES INÉGALITÉS ET LA LUTTE POUR L'ÉGALITÉ DES CHANCES

78% des Français pensent que la société française **EST INÉGALITAIRE**

dont 28% qu'elle EST TRÈS INÉGALITAIRE

LES INÉGALITÉS PERÇUES COMME LES PLUS GRAVES :

1 L'EMPLOI — 55%
2 LES SOINS* — 52%
3 LE LOGEMENT — 46%
4 PERSONNES DÉPENDANTES** — 29%

2 situations prioritaires :
- ♿ HANDICAP
- 👥 PAUVRETÉ

* la possibilité de se soigner correctement
** la prise en charge des personnes dépendantes

Kantar public, fédération des PEP, 2019

B ▎ Réduire les inégalités

📄 Compréhension écrite

Entrée en matière

1 ▎ Qu'est-ce qu'une société inclusive selon vous ?

Lecture

2 ▎ Qu'apprend-on sur les inégalités sociales en France dans ce document ?

3 ▎ Que pensent la majorité des Français de leur société ?

4 ▎ D'après le document, quels domaines sont concernés par l'inégalité des chances ?

💬 Production orale

5 ▎ À deux, discutez des inégalités sociales indiquées dans le document et dites lesquelles vous paraissent les plus graves. Imaginez des exemples concrets.

6 ▎ La perception des inégalités est-elle la même dans votre pays ?

C | Campagne : l'essor des tiers lieux

1 **Anciens presbytères ou manoirs accueillent désormais des entrepreneurs ou des artistes. On y promeut la coopération et on y invente l'avenir ensemble.**

Le café du village a fermé et on ne va plus à la messe.
5 Comment se rencontrer, alors, dans les campagnes ? Pourtant les toits ne manquent pas pour accueillir les bonnes volontés : ici, une ancienne épicerie, là, un garage… À Vesseaux, en Ardèche, une poignée de trentenaires a « flashé » devant l'ancienne maison de retraite, un couvent
10 dont les fondations datent du XIᵉ siècle. Ils sont arrivés avec l'envie d'embrasser une vie rurale et d'ouvrir un « fablab » (ou laboratoire de fabrication), sorte d'atelier où l'on bidouille et invente. À peine étaient-ils installés que les idées se sont bousculées. « Le projet s'est fait une fois dans
15 les murs, sachant qu'on a 1 400 mètres carrés habitables. C'était trop grand pour nous seuls, raconte Avril Ladauge, graphiste et cofondatrice. On a acheté, créé nos logements et une association. Le projet de tiers lieu s'est construit au fur et à mesure. »

20 **Un tiers lieu, qu'est-ce que c'est ?**
L'expression a été inventée en 1989 par le sociologue américain Ray Oldenburg qui le définit comme un espace, entre la maison et le travail, qui rassemble les gens. Il produit un bien commun culturel, agricole (potager partagé), numé-
25 rique (logiciel libre), foncier (coopérative d'habitat)… Historiquement, les tiers lieux penchent vers l'économie sociale et solidaire, ils sont autogérés et coopératifs. Conviviaux, ils prônent une société ouverte qui favorise la rencontre. « Ce sont en quelque sorte des places publiques avec un toit »,
30 résume l'architecte Sophie Picard.

Chez nos néoruraux ardéchois, la maison de retraite est devenue le Vesseaux-Mère. Il dispose de neuf bureaux, tous loués par des travailleurs indépendants. Treize personnes y vivent (dont deux enfants), une vingtaine vient y travailler,
35 on prend ses repas ensemble. Le bâtiment possède un théâtre au sous-sol, à réhabiliter. L'accueil de groupes en résidence artistique est dans les cartons, et le jardin potager sera participatif et ouvert aux habitants du village. Et pourquoi pas des studios d'enregistrement dans les caves ?
40 Ni start-up ni pépinières d'entreprise, ces espaces hybrides ont conquis les campagnes. À Ségur-le-Château (Corrèze), l'association Paysages Nourriciers a mis la terre en partage et accueille des porteurs de projets voulant tester le maraî-chage. D'autres optent pour l'hébergement touristique, la
45 formation, l'action sociale. Il suffit d'un ancien presbytère comme à Barcus (Pyrénées-Atlantiques), ou d'un café dé-saffecté, et c'est parti !
À l'échelon national, les pouvoirs publics ont failli passer à côté du phénomène. Les tiers lieux ne rentraient pas dans
50 les cases officielles, et il reste impossible de chiffrer leur utilité. « On ne dit pas aux collectivités que cela va créer de l'emploi, mais cela renforce les acteurs sur un même lieu et peut les aider à se développer », reconnaît Lucile Aigron, de la Coopérative Tiers-Lieux. « Le tiers lieu révèle ce qui se
55 passe déjà sur le territoire, il permet même de découvrir des compétences parfois cachées. »

Frédéric KARPYTA, Adélaïde ROUBAULT et Isabelle VERBAERE,
Ça m'intéresse, 11 avril 2020

 ## Compréhension écrite

Entrée en matière

1 | Lisez le titre et le chapô de l'article et répondez aux questions types de l'approche journalistique : Quoi ? Qui ? Où ? Comment ? Quand ? Pourquoi ?

Lecture

2 | Quel est le problème dans les campagnes françaises ?

3 | Qu'est-ce qu'un « fablab » ?

4 | Reformulez la définition du tiers lieu de Ray Oldenburg.

5 | Quels sont les projets des habitants du Vesseaux-Mère ?

6 | Pourquoi ces espaces sont-ils qualifiés d'hybrides ?

7 | Les tiers lieux créent-ils de l'emploi ?

Vocabulaire

8 | Retrouvez un équivalent des mots suivants :
a. développement
b. craqué pour
c. adopté
d. vantent

 ## Production orale

9 | Vous faites partie d'une association qui gère un tiers lieu. Le service de la jeunesse de votre mairie vous propose de présenter cet espace à madame le maire. Vous le décrivez, et expliquez les initiatives portées par le collectif et leur impact sur le territoire.

Unité 9

Grammaire

Le passif

Échauffement

1 | Observez ces phrases à valeur passive. Que remarquez-vous dans leur construction ?
a. Les idées se sont bousculées.
b. Le projet s'est fait.
c. Le projet de tiers lieu s'est construit.
d. L'expression a été inventée en 1989.

2 | Pourquoi utilise-t-on le passif ?

Fonctionnement

3 | La voix passive

> **❯ Rappel**
>
> La voie passive (être + participe passé du verbe à la voix active) permet d'insister sur la personne (ou l'objet) qui subit l'action plutôt que sur celui ou celle qui exécute l'action. Les phrases passives n'ont pas toujours de complément introduit avec « par ».

> **❯ Remarque**
>
> On remplace parfois la forme passive par une forme active avec « on ». « On » signifie alors une personne indéterminée d'un groupe, d'une communauté.
>
> *On a monté le projet en équipe.*
> → *Le projet a été monté en équipe.*

Avec certains verbes, le complément est introduit avec « de » au lieu de « par ». C'est le cas des verbes qui expriment un sentiment (***adorer, estimer, détester, admirer...***), des verbes de description (***être décoré, être rempli, être couvert...***) et des verbes **connaître**, **oublier**, **ignorer**.
*Exemples : Les démarches administratives sont détestées **de** tous.*
*Les règles sont ignorées **de** tous.*

La forme pronominale à valeur passive	Cas particuliers
La **forme pronominale** donne une **valeur passive au verbe**. Phrases : a, b et c. Le sujet est le plus souvent inanimé. L'utilisation d'une forme pronominale à valeur passive permet d'insister sur le processus (l'action indiquée par le verbe) et d'évacuer la question du sujet de l'action. *Exemple : On peut visiter ce musée à Grenoble. Ce musée se visite à Grenoble.*	Les verbes *se faire, se laisser, se voir* et *s'entendre* suivis d'un infinitif ont un **sens passif**. Le sujet est généralement une personne et le **participe passé ne s'accorde pas au passé composé**. *Exemple : On lui a proposé un nouveau poste. Elle s'est vu proposer un nouveau poste.*

Entraînement

4 | Reformulez les phrases avec un verbe pronominal.
Exemple : On a développé ces projets solidaires très rapidement. → Ces projets solidaires se sont développés très rapidement.
a. On multipliera les projets de potagers participatifs.
b. On a réalisé cette exposition facilement.
c. On avait accumulé les projets.
d. On va faire une réunion sur la parité dans l'association.
e. Il faut qu'on résolve les problèmes de financement.

5 | Transformez les phrases en utilisant *se faire, se laisser, se voir, selon le cas*.
Exemple : On l'a licencié. (se faire) → Il s'est fait licencier.
a. La coupe de cheveux est gratuite pour les volontaires. (*se faire*)
b. On l'a entraîné dans une aventure solidaire. (*se laisser*)
c. On leur rembourse leurs frais d'inscription au fablab. (*se faire*)
d. La mairie les avait convaincus de changer de local. (*se laisser*)
e. On leur a reproché leur manque de participation. (*se voir*)

✎ Production écrite

6 | Décrivez la naissance d'un projet de tiers lieu en utilisant le plus de formes passives possible.

Entraînez-vous !

Cahier d'activités

Documents

D ▎ Le coliving

1 Un coliving, sorte de coloc' amélio-
rée, a posé ses cartons à Tourcoing.
Vivre dans une demeure canon de
300 m² de la métropole lilloise, ça
5 vous branche ? La société Homies
vient d'aménager son tout premier
espace de coliving en plein centre de
Tourcoing. Les premiers habitants
ont pu poser leurs valises en sep-
10 tembre. Actuellement, il reste deux
piaules à choper.

« On a tous les avantages sans les inconvénients par rapport à une colocation
normale », résume Aniela de La Ville-
15 marqué, co-fondatrice d'Homies. La
jeune femme a monté sa boîte avec Marie Vidal, son associée. Leur concept est
simple. Elles dénichent des grandes maisons stylées en centre-
20 ville pour y faire une
dizaine de studios pas
trop chers. Les locataires des lieux partagent des espaces communs (cuisine,
salle à manger, salle de sport) mais ont
25 tous un logement indépendant compre-
nant une salle de bain et des toilettes.
Ce nouveau mode de vie propose une
blinde de services inclus dans votre
loyer. Par exemple, les allergiques au
30 ménage garderont quand même leur
chambre clean puisqu'une société
de nettoyage passe deux fois par semaine. Les surfaces varient entre 15 et
30 m², et les prix vont de 595 à 795 €
35 par mois. « Cela comprend les charges
de copropriété, l'électricité, l'eau, le
ménage, les produits de première nécessité (genre sel, poivre, huile d'oli-
ve, produits d'entretien) l'assurance,
40 l'abonnement internet… », précise
Aniela. Les locataires ont même droit
à Netflix, Canal + et Amazon. Difficile de ne pas être convaincu. Ah oui,
toute la baraque a été entièrement
45 aménagée par un designer, donc la
déco est plutôt classe et vous n'avez
aucun meuble à acheter.
Le coliving se trouve à deux pas du
métro Tourcoing Centre. N'hésitez
50 pas à zieuter sur le site d'Homies.

Olympe BONNET, *Vozer*, 23 octobre 2020

 Compréhension écrite

Entrée en matière

1 ▎ Quels sont les avantages et les inconvénients
de la colocation selon vous ?

Lecture

2 ▎ Expliquez ce qu'est le coliving.

3 ▎ Quels sont les avantages du coliving présentés
par la journaliste ?

Vocabulaire

4 ▎ Repérez les mots d'argot dans le texte et donnez
un équivalent en français standard.

 Production orale

5 ▎ Vous habitez dans un espace de coliving et un(e)
ami(e) est intéressé(e) par une chambre. Vous lui
faites visiter l'endroit et expliquez quels sont les
services proposés. Utilisez des mots d'argot.

❯ En direct sur ▥ SAVOIRS

E ▎ Fais comme chez toi 44

> À croire que l'expression « faites comme chez vous »
> est une formule piège.

 Compréhension orale

Deux écoutes (en entier)

1 ▎ Qu'est-ce qu'un hôte ?

2 ▎ Quelle est la différence entre les deux types
de « chez vous » ?

3 ▎ Que recommande Charlotte ?

4 ▎ Que dira-t-on de celui qui prend l'expression
« faites comme chez vous » à la lettre ?

 Production orale

5 ▎ « On n'est jamais trop poli. »
Que pensez-vous de cette
expression ?

6 ▎ Selon vous, quelles sont les
règles de politesse les plus
importantes ?

**Activité
complémentaire**

▥ **SAVOIRS**

Unité **9**

Vocabulaire

Le vivre-ensemble

Les lieux

- le bâtiment ancien
- le bureau
- le café
- le couvent
- l'épicerie (f.)
- le garage
- le lieu de culte
- le manoir
- la maison de retraite
- le presbytère
- le théâtre

1 | Quels lieux de la liste sont des espaces religieux, lesquels sont des commerces ?

L'habitat (m.)

- l'architecte
- les charges (f.)
- le chez-soi
- cohabiter
- la décoration
- la demeure (sout.)
- le/la designer
- le domicile
- le/la locataire
- le loyer
- la maison
- le meuble
- le plafond
- le plancher
- la surface
- le studio
- le toit

2 | Retrouvez les trois mots équivalents dans la liste.

3 | Dans cette même liste, quels mots concernent l'intérieur du logement ?

Expressions

- être entre ses quatre murs
- faire comme chez soi
- poser ses cartons / valises
- rentrer dans ses pénates

4 | À quelles expressions de la liste correspondent ces définitions ?
a. S'installer quelque part.
b. Être chez soi.
c. Rejoindre son domicile.
d. Ne pas s'embarrasser de la politesse.

L'hospitalité (f.)

- accueillir
- la convivialité
- la formule de politesse
- héberger
- embarrasser l'hôte / l'hôtesse
- prévenir de sa visite
- rendre visite à
- se comporter

5 | Expliquez la différence du verbe « inviter » dans les phrases suivantes :
a. Elle s'est invitée chez moi, comme ça, sans façon.
b. Avec mes cousins, nous nous invitons régulièrement les uns les autres à dîner.
c. Il s'est montré très impoli alors je l'ai invité à sortir.

6 | Quel est le sens du mot « hôte » dans chacune des phrases suivantes ?
a. La prochaine fois, c'est moi qui vous prépare le repas, vous serez mes hôtes.
b. Chaque fois que je viens chez vous je passe un merveilleux moment, vous êtes des hôtes admirables.

Expressions

- débarquer à l'improviste
- manger comme un cochon
- prendre congé
- prendre ses aises

7 | Laquelle de ces expressions ne se rapporte pas à un comportement impoli ?

Le vivre-ensemble

- l'autre
- la collectivité
- le compagnon/la compagne de vie
- la coopération
- l'égalité des chances (f.)
- l'entraide (f.)
- se parler
- la rencontre
- la société inclusive
- se toucher
- tout le monde

Les classes sociales

- la catégorie sociale
- la faille
- le fossé
- la fracture sociale

8 | Complétez les phrases avec les verbes suivants (à conjuguer si nécessaire) :
favoriser – promouvoir – combler – pallier – mettre en avant
a. L'égalité des chances .... des talents cachés.
b. Pour améliorer le vivre-ensemble, il faudrait .... les fossés.
c. Une société plus inclusive pourrait .... les fractures sociales.
d. Les système d'entraide .... la rencontre entre les habitants du quartier.
e. Dans ce tiers lieu, les bénévoles .... la coopération.

Les espaces de partage

- l'association (f.)
- la cantine
- le covoiturage
- l'espace (m.) commun
- la place publique
- le tiers lieu
- le transport en commun

9 | Citez d'autres lieux ou occasions qui constituent des espaces de partage dans la société.

La participation sociale

- autogéré
- le/la bénévole
- le bien commun
- les bonnes volontés (f.)
- le fablab
- l'impact (m.) territorial
- le/la militant(e)
- l'organisation (f.) caritative
- la résidence d'artiste
- le/la sympathisant(e)

Production orale

10 | Selon vous, pourquoi ces espaces de rencontre et de partage sont-ils importants pour la participation sociale ?

Entraînez-vous !

Cahier d'activités

Culture Cultures

Construire le vivre-ensemble

F ▮ La Cité radieuse 45

Façade et intérieur
de la Cité radieuse,
Le Corbusier,
Marseille, 1947-1952

G ▮ L'Arbre blanc

1 **L'Arbre blanc dans le *New York Times* : « Cela ressemble à une brosse à dents. »**

On en parle même à New York. « Cela ressemble à une brosse à dents. C'est assez étrange », déclare son architecte
5 japonais Sou Fujimoto. Le *New York Times* a publié un article sur l'immeuble de l'Arbre blanc, situé aux rives du Lez à Montpellier.

Le média américain décrit l'originalité de cet immeuble montpelliérain. « Inspiré par un arbre, L'Arbre blanc présente
10 une façade hérissée de pergolas en porte-à-faux et de balcons jusqu'à 7,5 mètres de long. Vous pouvez voir de nombreux balcons de vos voisins lorsque vous vous tenez dehors », explique Fujimoto. « Cela recrée les sentiments de voisinage et de relation, mais en même temps, il existe des distances
15 appropriées pour permettre un espace personnel ». L'Arbre blanc étonne même outre-Atlantique, notamment par ses changements d'apparences en fonction de la luminosité. « Sur le bord de la rivière, il y a de l'ombre le matin, l'après-midi la lumière change », pointe M. Fujimoto. « Le bâtiment a une apparence différente selon les perspectives et les moments de la journée. »

« Chaque fois que je crée, j'y pense », ajoute-t-il. « Comment créer une expérience diversifiée pour les gens. Un bâtiment qui change d'un moment à l'autre. Si cela se produit, les gens ne s'ennuieront pas. »

Jean-Baptiste DECROIX, *La Gazette de Montpellier*, 28 octobre 2019

H ▮ La cité végétale

L'eau dans la cité végétale, Luc Schuiten, 2019

1 ▮ Observez, lisez, écoutez. Dans quel endroit préféreriez-vous habiter ? Pourquoi ?
2 ▮ Les espaces communs des immeubles devraient-ils être plus conviviaux ?
3 ▮ Pensez-vous que l'architecture puisse créer de la sociabilité ?

Unité 9

1 Devenir français, une expérience de folie

Demander la naturalisation en France réserve bien des surprises, même à celui qui vit depuis des décennies dans l'Hexagone.

Il y avait deux gendarmes dans notre salle de bains, signe que la situation était sérieuse. Ils comptaient les brosses à dents, ce qui faisait moins sérieux. La scène était à la fois drôle et inquiétante.

Ils étaient déjà allés dans la chambre pour s'assurer que le lit était double – en ayant la décence le faire d'un coup d'œil plutôt qu'avec un mètre à ruban –, et pendant ce temps, ils nous avaient posé une kyrielle de questions sur notre vie commune : où s'était-on rencontrés ? où vivait-on avant ? avions-nous des enfants ?

Pour exprimer les choses autrement, en demandant la nationalité française, j'ai été amené à découvrir des aspects de l'administration française dont je ne soupçonnais pas l'existence, même après trente ans dans le pays.

Remplir un tas de documents officiels qui, mis bout à bout, feraient le tour de la Terre

Ce ne fut pas immédiatement évident. Les mois qui ont suivi ont été encore moins drôles que pour la plupart des démarches auprès de l'administration française. Il a fallu remplir un tas de documents officiels qui, mis bout à bout, feraient le tour de la Terre, faire un nombre invraisemblable de déclarations sur l'honneur et supporter la présence de gendarmes dans notre chambre. Ce n'est pas une critique. C'est leur pays (bon, le mien aussi à présent). Ils peuvent exiger ce qui leur plaît. Et, de toute façon, je ne me contenterais pas d'une nationalité au rabais distribuée comme des biscuits. J'ai alors commencé à rassembler plus de documents qu'on ne pourrait en charger sur le dos d'une mule. Des dizaines, des centaines. Les actes de naissance de presque toutes les personnes que j'avais connues dans ma vie. Des déclarations d'impôts, des relevés de banque, des factures d'eau, de gaz et d'électricité – une par semestre – remontant à des décennies en arrière, des certificats d'assurance-maladie, des informations détaillées sur mon mariage, une attestation de casier judiciaire vierge, etc.

J'ai trimballé tout ça à la préfecture, d'où je suis reparti avec le Livret du citoyen, un document de 28 pages fournissant au demandeur toutes les informations nécessaires pour réussir le test sur la culture, l'histoire et la société françaises auquel il doit se soumettre. Par chance, mes milliers de documents étaient en règle et ils ne m'ont pas été renvoyés. Ce qui est tout à fait inhabituel.

Pas de cérémonie, de serment ou d'épée sur l'épaule

Si les gendarmes font un rapport positif, vous êtes invité à vous rendre quelques mois plus tard à la préfecture pour la dernière épreuve. Dans le cas d'une demande par mariage avec un Français, celui-ci doit vous accompagner. On vous fait alors passer un entretien ensemble, suivi d'une séance où les mêmes questions sont posées séparément à chaque époux pendant que l'autre attend en dehors de la pièce. Cette étape vise à s'assurer que les gendarmes ne se sont pas trompés sur votre couple. On a réussi à donner la même réponse sur l'endroit où on s'était rencontrés (Preston, dans le Lancashire, même si ma femme a oublié de mentionner « le bureau de poste principal »), mais nos explications ont quelque peu divergé sur les raisons pour lesquelles je souhaitais acquérir la nationalité française. Je me suis longuement étendu sur les idéaux européens, ma femme, elle, a dit que c'était pour me simplifier la vie. Nous avons passé l'entretien avec succès et j'ai également réussi le test sur la culture, l'histoire, mes compétences en français, et tout le reste. Après trente ans, le contraire aurait été honteux.

Vingt-quatre mois après le début de la procédure, j'ai été convoqué par la préfecture pour rencontrer la très gentille dame qui m'avait posé des questions des mois auparavant. Une poignée de mains pour conclure et voilà tout. Pas de cérémonie, de serment, de discours, de photos de presse ou d'épée sur l'épaule. En sortant, on s'est un peu baladé. « Alors, tu es un citoyen français ? » m'a dit ma femme. « Comme Robespierre », ai-je répondu. « Comme tout le monde ici », a-t-elle poursuivi en montrant les piétons du centre-ville. « Je suis plus français qu'eux », ai-je dit. « Ils sont français automatiquement, de naissance. Moi, c'est un choix et j'ai dû batailler pendant deux ans. »

Anthony PEREGRINE, *Courrier international*, 15 décembre 2020

Compréhension écrite

Entrée en matière

1 Lisez le titre de l'article. Selon vous, l'expression « une expérience de folie » est-elle positive ou négative ?

Lecture

2 । D'après vous, le ton du premier paragraphe est-il ironique, comique, dénonciateur ? Expliquez.

3 । Comment avaient été les précédentes expériences de l'auteur du texte avec l'administration française ?

4 । Préférerait-il que les démarches de demande de nationalité soient plus simples ?

5 । Qu'est-ce que le Livret du citoyen ?

6 । Pourquoi les époux sont-ils interrogés séparément ?

7 । Comment l'auteur du texte a-t-il justifié son désir de naturalisation ? Quelle a été la réponse de son épouse ?

8 । En quoi consistait le test qu'il a dû passer ?

9 । Quel est le sentiment de l'auteur quand il est enfin naturalisé ?

Vocabulaire

10 । Relevez dans le texte tous les documents que l'auteur a dû fournir pour la procédure.

✍ Production écrite DELF_B2

11 । Vous avez décidé de demander la nationalité française. Dans le cadre de la procédure, vous devez écrire un courrier dans lequel vous exposerez vos motivations pour être naturalisé(e).

> ▸ **Pour** interagir par courrier de manière formelle
> - Au début : Madame, monsieur,
> - À la fin :
>   – recevez mes meilleures salutations.
>   – Je vous prie de croire en l'expression de mes sincères salutations.
>   – Veuillez agréer l'expression de mes sentiments distingués.

J ।Danny Laferrière présente son livre : *L'exil vaut le voyage* 46

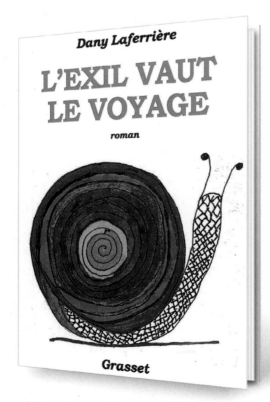

© Éditions Grasset & Fasquelle, 2020

> Voilà ! Voilà ce que j'entendais par l'exil.

🎧 Compréhension orale

Entrée en matière

1 । Quel rapport voyez-vous entre le titre et la couverture du livre ?

1ʳᵉ écoute (en entier)

2 । De quoi parle le livre de Danny Laferrière ?

2ᵉ écoute (en entier)

3 । Que trouve-t-on dans le livre ?

4 । De quel type d'ouvrage s'agit-il ?

5 । Quelle différence Danny Laferrière fait-il entre son livre et les autres récits d'exil ?

6 । Quand a-t-il considéré qu'il était intégré à Montréal ?

7 । Qu'a-t-il découvert à Montréal ?

💬 Production orale

8 । Êtes-vous d'accord avec la vision de l'exil de Danny Laferrière ?

Unité **9**

Vocabulaire

Les quantités

Jouez avec les mots !
> p. 10 ▸ « Les phrases loufoqu

Les quantités précises
- aucun(e)
- le couple
- le double
- le duo
- rien
- le total
- le tout
- le trio
- le triple

1 ı Dans la liste ci-dessus, relevez les mots signifiant une quantité nulle et la totalité.

Calculer
- additionner
- ajouter
- compter
- divisé par
- moins
- multiplier par
- plus
- retirer
- la somme
- soustraire

2 ı Retrouver les noms correspondant aux verbes de la liste précédente.

3 ı Proposez à votre voisin(e) une opération de calcul mental simple avec les verbes suivants : *J'ajoute – Je multiplie – Je soustrais – Cela donne.*

La quantité approximative
- à peu près
- la centaine
- la décennie
- la dizaine
- la douzaine
- environ
- en gros
- le millier
- peu
- près de
- la trentaine
- la vingtaine

4 ı Complétez les phrases avec des mots de la liste (plusieurs réponses possibles parfois).
a. Je suis français depuis des ......
b. J'ai entamé les démarches il y a ......
c. Il y avait un ...... de personnes dans le stade.
d. J'ai visité le Québec il y a une ...... d'années.
e. Il y a ...... 2 millions d'habitants à Paris.
f. Achète une ...... d'œufs en revenant de la préfecture.

L'abondance
- l'avalanche (*f.*)
- la cascade
- le déluge
- la foule
- une flopée (*fam.*)
- la kyrielle
- la masse
- une montagne (*fam.*)
- proliférer
- pulluler
- une ribambelle
- un tas (*fam.*)

5 ı Parmi les expressions de la liste ci-dessus, lesquelles sont des métaphores ?

Production orale

6 ı Racontez une anecdote en exagérant les faits. Aidez-vous des expressions de la liste.

La pénurie
- à peine
- le défaut
- le dénuement
- une goutte
- guère (*sout.*)
- infime
- une larme
- un nuage
- une once (*sout.*)
- la privation
- se raréfier
- un soupçon

7 ı Complétez les phrases avec des expressions d'abondance ou de pénurie.
a. Contrairement aux Français, les Britanniques prennent le thé avec ...... de lait.
b. J'ai dû apporter ...... de justificatifs.
c. Je voulais vraiment être naturalisé, mais maintenant, je n'y tiens plus ......
d. Il n'y a pas ...... de vérité dans votre récit d'exilé.
e. La préfète a été accueillie sous ...... de reproches.
f. Sur Internet, il y a ...... d'interviews de Danny Laferrière.

Les mesures
- le demi-litre
- le gramme
- l'hectare (*m.*)
- le kilomètre carré
- la largeur
- le litre
- la livre
- la longueur
- le mètre carré
- le mètre cube
- la profondeur
- le quintal
- la tonne

8 ı Placez les mots de la liste précédente dans la catégorie qui leur correspond :
a. la taille :
b. la surface :
c. le volume :
d. le poids :

9 ı Complétez les phrases suivantes avec des mots de la liste (plusieurs réponses possibles parfois).
a. Pour ma recette, j'ai besoin d'un ...... de lait.
b. Il n'y a pas assez de place en ...... pour mettre ce canapé dans le salon.
c. Combien pèse cette table ? Une ...... au moins !
d. Notre tiers lieu se développe sur un terrain de 3 ......
e. J'ai finalement loué un appartement en coliving. La surface est de 45 ....

Entraînez-vous !

Cahier d'activités

Documents

K ▮ Engagés, les Français ?

CRÉDITS : ©LORELEÏ LEBUHOTEL

 Compréhension écrite

Entrée en matière

1 ▮ Donnez une définition du « bénévolat ».

Lecture

2 ▮ Expliquez en quoi consiste l'engagement local.

3 ▮ D'après le diagramme, les Français sont-ils nombreux à s'engager localement ?

4 ▮ Imaginez dans quel type d'association les personnages du dessin sont bénévoles.

5 ▮ Dans le dessin, quels personnages déclarent faire du bénévolat par intérêt personnel ?

 Production orale

6 ▮ Pour quelles raisons vous engageriez-vous dans une association ?

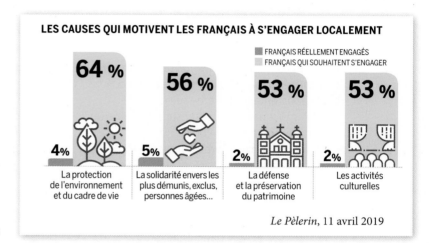

LES CAUSES QUI MOTIVENT LES FRANÇAIS À S'ENGAGER LOCALEMENT

■ FRANÇAIS RÉELLEMENT ENGAGÉS
▫ FRANÇAIS QUI SOUHAITENT S'ENGAGER

64 %	56 %	53 %	53 %
4%	5%	2%	2%
La protection de l'environnement et du cadre de vie	La solidarité envers les plus démunis, exclus, personnes âgées...	La défense et la préservation du patrimoine	Les activités culturelles

Le Pèlerin, 11 avril 2019

L ▮ Les frigos solidaires

Compréhension audiovisuelle

Entrée en matière

1 ▮ À votre avis, qu'est-ce qu'un frigo solidaire ?

1ᵉʳ visionnage (en entier)

2 ▮ Où se trouve le frigo solidaire ?

3 ▮ Qui peut contribuer au frigo solidaire ?

2ᵉ visionnage (en entier)

4 ▮ Qui sont les bénéficiaires du frigo solidaire ?

5 ▮ Que peut-on déposer dans ce frigo ?

6 ▮ Pourquoi Baptiste demande-t-il de partager la vidéo ?

 Production écrite

7 ▮ Vous êtes restaurateur/restauratrice et vous avez constaté que vous jetez beaucoup d'aliments à la poubelle. Il vous semble évident qu'il faut agir. Vous écrivez un message sur votre site Internet pour annoncer l'installation d'un frigo solidaire à vos clients. Expliquez pourquoi cette initiative vous semble être une bonne solution.

▸ Pour exprimer l'évidence

- Ça ne fait aucun doute que...
- Il est clair/manifeste que...
- De toute évidence...
- Il va de soi...
- Il faut admettre/reconnaître que...
- Il faut bien se rendre à l'évidence...

Unité **9**

Grammaire

L'expression de la proportion

Échauffement

1 | Observez les verbes dans les phrases suivantes.
Sont-ils conjugués au pluriel ou au singulier ? Expliquez pourquoi.

a. La majorité des bénéficiaires sont des retraités, des sans-abris, étudiants et familles nombreuses.

b. Une minorité de personnes s'engage activement pour une cause.

c. La plupart des démarches auprès de l'administration française ne sont pas drôles.

d. La plupart du pays considère que la société est inégalitaire.

Fonctionnement

2 | La proportion

- Après les expressions **la majorité**, **la minorité**, **la totalité**, **la moitié**, ainsi qu'avec les fractions et les pourcentages le verbe se conjugue :
  – au pluriel si on veut insister sur le nombre ou la proportion précise. Phrase : ....
  – au singulier si ces expressions sont employées seules ou si on veut insister sur le groupe, l'ensemble. Phrase : ....

- Après **la plupart**, le verbe se conjugue :
  – au pluriel quand *la plupart* est utilisé seul ou quand son complément est au pluriel. Phrase : ....
  – au singulier avec un complément au pluriel. Phrase : ....

> **Remarques**
>
> Ne pas confondre *la majorité des* et *une majorité/minorité de*.
> *Exemples : La majorité des* (de+les) *volontaires sont des femmes. (déterminé) Dans l'association, il y a une majorité de femmes. (indéterminé)*
> **Si la fraction est précédée d'un déterminant au pluriel, le verbe se conjugue toujours au pluriel.**
> *Exemple : Les deux tiers des associations sont caritatives.*

Entraînement

3 | Conjuguez les verbes entre parenthèses.

a. La majorité .... contre la réforme. (*se prononcer*)

b. La plupart de mes documents .... conforme. (*être*)

c. Une minorité d'étudiants .... les examens. (*réussir*)

d. La plupart de mon temps .... aux études. (*être consacré*)

e. La majorité des démarches .... fastidieuses. (*devenir*)

4 | Complétez les phrases avec *une* ou *la*.

a. .... majorité des Français le sont de naissance.

b. Dans ce quartier, il y a .... majorité de retraités précaires.

c. Dans notre préfecture, ... minorité des employés parle anglais.

d. .... majorité des associations manquent de bénévoles.

e. .... majorité de bénévoles est active dans plusieurs associations.

5 | 🎧 47 Intonation
Écoutez les phrases et dites s'il est question d'une grande ou d'une petite quantité.
Répétez-les et réutilisez-les dans un court dialogue.

Entraînez-vous !

Cahier d'activités

Grammaire/Vocabulaire

1 ｜ Mettez les phrases suivantes à la forme passive.

- **a.** La nouvelle surprend tous les volontaires.
- **b.** On ouvrira la porte vers 15 heures.
- **c.** Tout le monde connaissait ce groupe de bénévoles dans le quartier.
- **d.** L'avocat a rassemblé tous les documents nécessaires.
- **e.** On avait décoré le frigo avec des dessins d'enfants.
- **f.** Personne n'a encore réussi à définir vraiment le vivre-ensemble.
- **g.** On avait bien préparé le projet de tiers lieu avant la recherche de fonds.
- **h.** Il faut qu'on prenne des décisions sur les espaces collectifs.
- **i.** Sans l'aide de cette association, nous n'aurions pas pu monter ce projet.

2 ｜ Reformulez les phrases avec un verbe pronominal à valeur passive.

- **a.** On voit le centre commercial de loin.
- **b.** Les associations locales doivent être déclarées à la préfecture.
- **c.** On entendait la musique de ce magasin de mode dans toute la rue.
- **d.** Cette purée de fruits doit être mangée très fraîche.
- **e.** Les frigos solidaires sont à nettoyer tous les jours.
- **f.** On vend beaucoup de parapluies en automne.
- **g.** Les pantalons sont portés taille basse cette saison.
- **h.** On peut boire le thé froid ou chaud.
- **i.** On n'a pas peur des voleurs, on ferme la porte de notre tiers lieu avec une simple clé.

3 ｜ Associez les éléments.

- **a.** Elle décore les intérieurs.
- **b.** Elle est enfin rentrée de voyage.
- **c.** C'est l'art d'accueillir chez soi.
- **d.** C'est le principe d'une association solidaire.
- **e.** Les associations de ce type s'organisent seules.
- **f.** Elle m'héberge pour quelques jours.
- **g.** Cohabitation harmonieuse entre les individus.

- **1.** Elle a posé ses valises.
- **2.** L'entraide.
- **3.** C'est mon hôte.
- **4.** L'autogestion.
- **5.** La designer.
- **6.** La convivialité.
- **7.** Le vivre-ensemble.

4 ｜ Trouvez la bonne réponse.

- **a.** **Un quart/Une minorité** des Français a entendu parlé de la société inclusive.
- **b.** Dans les associations caritatives, **la/une majorité** des membres sont des femmes.
- **c.** Il y a **un tas/une montagne** de restaurants qui installent des frigos solidaires en France.
- **d.** Les initiatives solidaires sont de plus en plus nombreuses à Nantes, elles **manquent/prolifèrent**.
- **e.** Attention, **la livre/le litre** n'est pas une mesure de poids, mais de volume.
- **f.** La campagne de cette association a reçu **un soupçon/un déluge** de critiques.
- **g.** Le **trio/triple** qui a joué à la fête des voisins était excellent.
- **h.** L'arrivée du président de l'association a été marquée par une **avalanche/masse** d'applaudissements.
- **i.** Tu peux me donner les mesures de cette pièce ? La surface est de 20 mètres **carrés/cubes**.

5 ｜ 48 Écoutez cette conversation et relevez toutes les expressions de quantité.

Unité **9**

Expliquer une réglementation

1. Situation

Votre fils/fille vient d'avoir 18 ans. Vous lui expliquez quelles sont les conditions pour pouvoir voter ou adopter un animal en France.

2. Mise en œuvre

▷ **Individuellement, puis en binômes**

- Individuellement, lisez le texte et repérez les informations essentielles.
- À deux, vérifiez que vous êtes d'accord sur les informations à transmettre et tentez de reformuler les idées principales.
- Jouez la scène avec un autre élève qui va jouer le rôle de votre fils/fille.

Stratégies   **Reformuler des informations**

Dans cet exercice de médiation, il s'agit de sélectionner les informations pertinentes et ensuite de les reformuler pour une personne qui vient d'avoir 18 ans. Le but est d'adapter votre discours à la situation. Pour reformuler, vous pouvez :

- utiliser des synonymes des mots-clés du texte de base ;
- expliquer les expressions plus complexes (par exemple : ce mot signifie, cette expression veut dire, implique que…) ;
- commencer votre reformulation par la fin de la phrase à reformuler (exemple : Ce texte de loi s'applique aux personnes majeures. → Ce sont les personnes majeures qui sont concernées par ce texte de loi.) ;
- recourir à la nominalisation (passer du verbe au nom, du nom au verbe) ;
- transformer les voix actives en voix passives et inversement.

Documents médiation

Parlez-vous français ?

Objectifs

» Exprimer son opinion sur l'apprentissage des langues étrangères

» S'exprimer dans différents registres de langue

» Débattre de la réforme de l'orthographe

» Faire un exposé

" Ce qui se conçoit bien s'énonce clairement. "

Documents

A ▎ On brunche à Bastoche

1 (Bonjour, on brunche dans le quartier de Bastille ?)

Le parler parisien, autrefois nourri par l'argot du titi et son accent
5 **des faubourgs, se démarque aujourd'hui par une overdose d'anglicismes et de néologismes qui finissent par s'inviter en région.**

Le « Parigot » chauvin mais bon
10 prince dira que c'est la rançon du succès. La plupart des mots et expressions voyant le jour à Paris ont tendance à se retrouver très vite dans les conversations ailleurs en France,
15 diffusés, entre autres, par les « expatriés » de la capitale. Les régionalismes, ces spécialités linguistiques qui s'invitent localement, n'ont pas le temps de s'installer durablement
20 qu'ils sont déjà copiés par l'Hexagone. « Dès que ça naît à Paris, ça repart, ça s'exporte en province », résume le linguiste Mathieu Avanzi, auteur du blog à succès « Français de
25 nos régions ». Si le parler des autres coins de notre pays s'enrichit de l'influence de l'occitan, du basque, du breton, ou du picard, ce n'est pas le cas de celui de Paris, considéré his-
30 toriquement comme le français de référence.

La capitale a ainsi vu naître dans son fief[1] moult expressions populaires. Comme, « ça se bouscule au portil-
35 lon », signifiant qu'il y a une forte affluence, née dans le métro, au temps des poinçonneurs qui bloquaient l'accès aux quais par le portillon à l'arrivée de la rame, provoquant
40 de belles bousculades aux heures de pointe. « Payer en monnaie de singe », synonyme d'arnaquer, remonte au Moyen Âge, quand il fallait s'acquitter d'une taxe pour traverser
45 un pont parisien. Seuls les jongleurs, forains ou bateleurs en possession d'un primate capable de faire un numéro en étaient alors exonérés. Le sobriquet « poulet », équivalent de
50 « flic », est apparu en 1871 lorsque la préfecture de police a pris ses quartiers dans la caserne bâtie sur l'emplacement de l'ancien marché aux volailles de Paname.
55 C'est la grande époque du fameux « argot parisien », alimenté par les colporteurs[2], voleurs puis différents métiers – dont les bouchers à l'origine du jargon baptisé louchébem –,
60 qui a disparu de la circulation il y a

plusieurs décennies déjà. « Cette façon de parler a été remplacée par ce qu'on appelle le langage des jeunes, en fait celui des banlieues », décrypte
65 le lexicographe Alain Rey. Il reste néanmoins une ribambelle de pépites fleuries entrées dans le langage courant : « becqueter » (manger), « blaze » (nom), « taf » (travail), « oseille »
70 (argent)…

Anglicismes et « franglish »

Ce qui est très en vogue, dans le « dialecte » des Parigots bobos « overcréatifs » et « overbookés », ce sont les
75 anglicismes et le « franglish » (coworking, bruncher, checker ses mails, the place to be…). « Le jargon professionnel, notamment celui de la start-up, est sorti de sa boîte et s'est étendu
80 au vocabulaire de la vie de tous les jours », constate le journaliste Jean-Laurent Cassely, coauteur du pétillant dictionnaire *Je parle le parisien* (Éditions Parigramme).

Vincent MONGAILLARD,
Aujourd'hui en France, 25 juillet 2020

1. domaine
2. vendeurs ambulants

Compréhension écrite

Entrée en matière

1 ▎ Connaissez-vous des mots d'argot en français ?

Lecture

2 ▎ Comment les expressions qui naissent à Paris se déplacent-elles en région ?

3 ▎ Quelles sont les autres influences du français parlé en région ?

4 ▎ Qu'est-ce qui a nourri « l'argot parisien » ?

5 ▎ Dans quel secteur professionnel les anglicismes sont-ils à la mode ?

Vocabulaire

6 ▎ Relevez les synonymes de France, Paris, et les Parisiens.

7 ▎ Retrouvez dans le texte des équivalents des expressions suivantes :

a. patriote
b. beaucoup de
c. voler
d. manger
e. nom
f. travail
g. argent
h. policier

Production orale

8 ▎ En groupes, inventez un dialogue avec les expressions populaires ou argotiques trouvées dans le texte et celles que vous connaissez.

> On pense souvent qu'il y aurait un bon parler, standard, sans accent.

B | Les accents ont toujours tort

Compréhension orale

1re écoute (en entier)

1 | D'où sont originaires les invités de l'émission ? Quel est leur point commun ?

2e écoute (en entier)

2 | Où le français « standard » est-il utilisé ?
3 | Comment sont considérés les accents ?
4 | Avec quel accent Heather parle-t-elle français ?
5 | Comment les gens réagissent-ils à l'accent d'Heather ?
6 | Dans quelles situations Médéric cache-t-il son accent ?
7 | Dans quelles situations Médéric change-t-il d'accent ?

Production orale

8 | Avez-vous un accent dans votre langue maternelle ?

C | La honte de l'accent

1 **Pourquoi avons-nous honte de notre accent ?**
Selon une enquête Ipsos/Babbel, 34 % des Français souhaitent effacer leur accent en parlant une langue étrangère. Et c'est le cas aussi quand on parle français, avec notre
5 accent ! « Nos propres accents régionaux, locaux, sociaux, différents selon les générations, on apprend dès l'école que c'est mal et qu'on devrait parler avec l'accent de la bourgeoisie parisienne ! », s'emporte Philippe Blanchet, professeur de sociolinguistique à l'université Rennes 2.

10 **L'accent de Basse-Bretagne, une image négative ?**
Philippe Blanchet, Breton d'adoption parle avec l'accent marseillais : « Les différents accents locaux ont été hiérarchisés, c'est regrettable. Certains ont une image un peu plus positive. Mais ça a un revers négatif, parler
15 avec un accent méridional, ça ne fait pas sérieux. Des accents picards ou parfois de Basse-Bretagne ont une image moins positive voire carrément négative. Ça a été connoté plouc, et ce n'est pas vrai ! On a fait croire aux gens que ça les rabaissait socialement pour essayer de les
20 forcer à l'abandonner. » Mais les accents se rebiffent : « Il y a une prise de conscience du caractère arbitraire et abusif de la moquerie et du rejet des accents. C'est en train de s'améliorer un peu, mais il y a énormément de travail à faire.

On a fait beaucoup d'enquêtes, on a recueilli beaucoup de
25 témoignages, on sait que le rejet des gens à cause de leur accent est extrêmement fréquent dans tous les domaines de la vie sociale. C'est une forme de discrimination. Il y a une discrimination à l'embauche claire, revendiquée par les embaucheurs : on refuse les gens en fonction de leur
30 prononciation du français ce qui est absurde et injuste. »

Glottophobie : discrimination par l'accent
Philippe Blanchet a donné un nom à cette discrimination : la glottophobie. « C'est une discrimination comparable à une discrimination à l'origine, qu'on appelle la xénophobie.
35 C'est abusif de rejeter les gens et de les trier en fonction de leur accent ! »

Aurélie LAGAIN, *France Bleu*, 17 janvier 2020

Compréhension écrite

Lecture

1 | Qu'apprend-on dès l'école selon Philippe Blanchet ?
2 | Qu'est-ce que la glottophobie ?
3 | Dans quel domaine en particulier les accents sont-ils rejetés ?

Vocabulaire

4 | Expliquez les expressions suivantes :
a. Breton d'adoption   b. Les accents se rebiffent

Production écrite DELF B2

5 | Un homme célèbre s'est moqué de l'accent d'un journaliste durant une interview télévisée. Vous écrivez un message sur le site de la chaîne pour exprimer votre indignation.

Unité 10

vocabulaire

L'argot

Jouez avec les mots !
> p. 10 « Le Pictionary »

Les registres de langue
- le langage courant
- le langage familier
- le langage soutenu
- le parler jeune
- le parler populaire

1 | Dites si les phrases suivantes correspondent à du langage familier, soutenu ou standard.
- **a.** Pardon jeune homme, pourriez-vous m'indiquer la poste ?
- **b.** Nous sommes heureux de vous accueillir.
- **c.** Tu as trop assuré !
- **d.** J'ai trimballé tous mes papelards à la préf.
- **e.** Vous rapporterez les dictionnaires quand vous aurez terminé.
- **f.** J'ai eu l'opportunité de parler à madame la ministre.

2 | Dites si les phrases suivantes sont extraites d'une œuvre littéraire, d'une lettre formelle, d'un texto, d'une publication sur un forum ou d'un texte administratif.
- **a.** Veuillez agréer mes plus sincères salutations.
- **b.** RV 8h dvt le ciné.
- **c.** Vous trouverez ci-joints les différentes versions du contrat.
- **d.** Les déclarations de naissance sont faites dans les cinq jours de la naissance, à l'officier de l'état civil du lieu.
- **e.** Ce film est absolument génial ! Ne le ratez pas !
- **f.** La première fois qu'Aurélien vit Bérénice, il la trouva franchement laide.

Quelques mots d'argot
la bagnole	le flic	la piaule
la baraque	le froc	le pif
le blaze	les fringues (f.)	les pompes (f.)
la boîte		
le bouquin	le/la gosse	le taf
la bouffe	la gratte	la tronche
le boulot	le mec	le type
la caisse	la nana	

3 | Retrouvez dans la liste un ou des synonyme(s) de :
- **a.** homme
- **b.** voiture
- **c.** livre
- **d.** femme
- **e.** guitare
- **f.** enfant

4 | Retrouvez dans la liste les mots d'argot qui concernent : le corps, les vêtements, le travail et les métiers, la nourriture, le logement.

Quelques verbes
avoir un rencard	kiffer
béqueter	piger que dalle
bosser	s'éclater
crécher	s'embrouiller
déchirer	se planter
glander	se tirer

5 | Complétez les phrases avec des verbes de la liste. Conjuguez-les.
- **a.** On .... à ta fête d'anniversaire.
- **b.** En ce moment je .... chez ma sœur.
- **c.** Je .... à ce papier administratif.
- **d.** Je ...., j'ai coché la réponse b.
- **e.** Je .... le dernier film avec Marion Cotillard.
- **f.** Je .... toute la journée, ça m'a fait du bien.
- **g.** Je suis fatigué, je vais me ....
- **h.** Je .... au contrôle de math !

> **Remarque**
>
> Le verlan est un procédé de création de mots d'argot qui consiste à inverser les syllabes des mots.

Le verlan
chanmé	le keuf	ouf	la teuf
chelou	le keum	relou	les veuch
guedin	la meuf	stremon	(m.)

6 | Retrouver les équivalents en français standard des mots en verlan.

Le parler jeune
archi	capter	grave
askip	carotter	hype
badass	chiller	s'enjailler

7 | Complétez les phrases suivantes avec des mots de la liste.
- **a.** Ce type est un dur à cuire, il est vraiment ....
- **b.** ...., Beyoncé va donner un concert à Marseille.
- **c.** Samedi soir, on va se retrouver sur le port et ....
- **d.** Je suis allé voir un film en français et j'ai rien ....
- **e.** Viens chez moi, on va .... tranquilles devant la télé.
- **f.** J'ai .... assuré à l'examen.
- **g.** Cette fille est toujours à la mode, elle est vraiment ....

Expressions
- avoir le seum
- se taper l'incruste
- passer crème

Entraînez-vous !

 Cahier d'activités

Documents

⟩ En direct sur rfi SAVOIRS

D | Un francophone facilitateur en interculturalité 🎧50

Pourquoi c'est important d'être entre deux pays ?

🎧 Compréhension orale

1ʳᵉ écoute (du début à 1'18")

1 | Qu'apprend-on sur Jimmy Ung ? Sur quoi travaille-t-il ?

2 | En quoi a consisté son voyage interculturel ?

2ᵉ écoute (de 1'19" à la fin)

3 | Pour Jimmy Ung, le français c'est plus qu'une langue. Expliquez.

4 | Selon lui, que peut-on faire quand on parle plusieurs langues ?

5 | Pourquoi projette-t-il de rentrer vivre à Montréal après ses voyages ?

Activité complémentaire
rfi SAVOIRS

💬 Production orale

6 | Et vous ? Quelle relation entretenez-vous avec les langues que vous parlez ?

E | L'apprentissage de l'arabe à l'école

1 Les enfants bilingues ont tout pour réussir à l'école. En effet, le fait de posséder deux langues en encourageant la flexibilité mentale, aide les élèves à
5 en apprendre une troisième et favorise le succès scolaire en général. Cela suppose toutefois que leur culture et langue d'origine soient valorisées par l'école et la société. La reconnaissance
10 de l'identité de l'enfant dans sa totalité est un gage de réussite scolaire. À défaut, on aboutit à une perte d'estime de soi, tout à fait néfaste pour les capacités d'apprentissage.

Certains éducateurs préjugent encore qu'en ne parlant pas français à la maison, on ne rend pas service à ces enfants. Aucune étude n'aboutit à cette
20 conclusion. Au contraire : au Canada, la pédagogie est ouvertement favorable au multi-culturalisme, et les enfants non anglophones au départ obtiennent d'excellents résultats. Si tel
25 n'est pas le cas chez nous, ce n'est pas parce que les enfants d'immigrés parlent arabe ou turc à la maison. C'est, en grande partie, en raison de leur milieu socio-économique d'ori-
30 gine.

En France, seuls certains bilinguismes sont véritablement encouragés. L'anglais ou l'allemand ? Formidable ! L'arabe ou le roumain ? Rarement !
35 Cela relève du préjugé. Les mécanismes cérébraux activés par le bilinguisme sont les mêmes, quel que soit l'idiome considéré.

C'est en valorisant davantage les lan-
40 gues et cultures de leur famille que l'on sécurise les enfants, qu'ils réussissent mieux à l'école et que, *in fine*, on évite le communautarisme. Car les individus ne sont pas tentés par le repli sur
45 soi quand ils se sentent accueillis par la société où ils vivent.

Michel FELTIN-PALAS, psycholinguiste.
L'Express, 13 octobre 2020

📄 Compréhension écrite

Lecture

1 | Sous quelle condition le bilinguisme favorise-t-il le succès scolaire ?

2 | Pourquoi les enfants canadiens non anglophones réussissent-ils à l'école ?

3 | Quel est le problème vis-à-vis du bilinguisme en France ?

4 | Pourquoi une société ouvertement multiculturelle éviterait-elle le communautarisme ?

📝 Production écrite

5 | Que pensez-vous des deux phrases suivantes ?
– Une langue étrangère doit s'apprendre le plus tôt possible.
– Il faut déjà maîtriser sa langue maternelle avant d'en apprendre une autre.

Unité **10**

Grammaire

Participe présent, gérondif et adjectif verbal

Échauffement

1 | Parmi les mots soulignés, lesquels sont des adjectifs ? À partir de quels verbes sont-ils formés ?

a. La plupart des expressions <u>voyant</u> le jour à Paris ont tendance à se retrouver très vite dans les conversations ailleurs en France.

b. Il reste néanmoins une ribambelle de pépites fleuries entrées dans le langage <u>courant</u>.

c. Les <u>différents</u> accents locaux ont été hiérarchisés.

d. Le journaliste Jean-Laurent Cassely, coauteur du <u>pétillant</u> dictionnaire *Je parle le parisien*.

e. C'est en <u>valorisant</u> davantage les langues et cultures de leur famille que l'on sécurise les enfants.

Fonctionnement

2 | Complétez :

L'adjectif verbal se forme à partir du verbe et s'accorde comme les autres adjectifs. Phrases : **b**, **c** et **d**

Il s'écrit généralement comme le participe présent mais pas toujours :

	Participe présent	Adjectif verbal
différer	....	différent
....	équivalant	équivalent
exceller	....	excellent
fatiguer	fatiguant	fatigant
intriguer	....	intrigant
communiquer	....	communicant
provoquer	....	....
convaincre	convainquant	....

> ### ▶ Rappel
>
> **Emplois du participe présent et du gérondif**
> **Le participe présent :**
> – remplace souvent une relative avec « qui ». Phrase : **a**
> – peut exprimer la cause (comme, étant donné que).
>
> **Le gérondif peut exprimer :**
> – la simultanéité de deux actions (même sujet pour les deux verbes).
> – la cause.
> – le moyen/la manière. Phrase : **e**
> – la condition.
> – l'opposition (quand il est précédé de « tout »).
> *Exemple : Elle a appris le danois tout en vivant en Norvège.*

Entraînement

3 | Transformez les verbes entre parenthèses en adjectif verbal ou en participe présent.

a. Il faut trouver des mots francophones (*équivaloir*) .... aux anglicismes qui ont envahi nos conversations.

b. (*Adhérer*) .... complètement aux thèses de ce linguiste, je ne peux que recommander son dernier livre.

c. Son langage n'est pas très soutenu mais ses arguments sont (*exceller*) ....

d. L'autrice, (*négliger*) .... l'orthographe dans son texte, n'a pas été retenue pour la finale de nouvelles.

e. Les langues régionales sont très (*influer*) .... dans le parler populaire.

f. Cette nouvelle thèse (*émerger*) .... d'un petit groupe de linguistes inconnus n'est pas très (*convaincre*) ....

4 | Dans chaque phrase, qu'exprime le gérondif ? Reformulez ensuite sans gérondif.

a. Marine a appris le français en lisant de la littérature.

b. Vous feriez moins de faute en utilisant un dictionnaire.

c. Julien fait un master de linguistique française tout en apprenant le chinois.

d. Laurent a refusé de rédiger le courrier en prétextant une mauvaise orthographe.

e. Ce lexicographe rédige un nouveau dictionnaire en écoutant de la musique heavy metal.

f. Esther a perdu son accent méridional en allant vivre à Paris.

5 | 🔊 51 Intonation

Écoutez le dialogue. Quelle est la situation ? Rejouez-la en reproduisant les sentiments.

Entraînez-vous !

Cahier d'activités

Cultures

Inclure les femmes dans la langue

F ▮ L'écriture inclusive en 3 principes

Objectif : faire disparaître les stéréotypes sexistes en remaniant l'orthographe et la façon de s'exprimer

ACCORDER LES GRADES/ FONCTIONS/ MÉTIERS/TITRES	une **charpentière** une **autrice** ou **auteure** un **homme de ménage**
AU PLURIEL : FEMININ **ET** MASCULIN par ordre alphabétique	les **candidates et** les **candidats** les **maires et** les **mairesses** les **cheffes et** les **chefs de…**
Le verbe s'accorde avec le sujet le plus proche ou avec le plus grand nombre	les **décorateurs et** les **décoratrices** sont **satisfaites** les **décorateurs et** la **décoratrice** sont **satisfaits**
ou un condensé des 2 genres avec un **point médian**	les **élect**eur·rice·s les **citoyen·ne·s** les **commerçant·e·s**
TERMES UNIVERSELS À PRIVILÉGIER plutôt que «homme» et «femme»	droits humains corps enseignant personnes membres

Sources : ecriture-inclusive.fr, Guide pratique du Haut Conseil à l'égalité entre les femmes et les hommes (novembre 2015)

G ▮ Une écriture loin de faire l'unanimité

BON...

Ça

Le.a premier.e qui râle sera immédiatement licencié.e

AU MOINS LÀ IL Y A UNE VRAIE ÉGALITÉ HOMME-FEMME !

BABOUSE

H ▮ Écriture inclusive et journalisme

Armelle Le Goff, à la tête de la rédaction de 20 Minutes, *y encourage une forme de langage épicène.*

1 〝 **Directrice de la rédaction de 20 Minutes, quand avez-vous commencé à réfléchir à l'écriture inclusive ?**
En 2019, on a eu plusieurs réunions de travail avec les journalistes de la rédaction et différentes personnes de l'en-
5 treprise qui voulaient réfléchir à l'écriture inclusive, à la question du genre, et plus globalement à la façon dont on désigne des personnes, et pas seulement féminines. Mais aussi des personnes porteuses de handicap, des personnes pauvres. Et comment on les désigne d'une façon qui ne soit
10 pas vécue par eux comme dégradante ou maladroite.

〝 **Qu'avez-vous finalement décidé, quelle traduction dans le journal ?**
On n'a pas adopté le point médian. On a travaillé avec le correcteur sur une féminisation des différents métiers

15 et fonctions. Par exemple, on a choisi d'utiliser le terme autrice, pas auteur, ou entraîneuse. On essaye de recourir à l'accord de proximité : on accorde un adjectif ou un participe passé avec le dernier terme d'une énumération. On écrira
20 « l'étudiante et l'étudiant inscrits » et « l'étudiant et l'étudiante inscrites ». On essaie d'utiliser des termes épicènes, identiques au masculin et au féminin. Et à l'adresse des lecteurs et lectrices, on a recours à des formulations neutres afin d'éviter les adjectifs susceptibles d'être accordés. Ce
25 n'est pas ultra-révolutionnaire, c'est réfléchir à la fois sur la question du genre dans l'écriture et les formats d'écriture, et, plus globalement, à la question des personnes.

Vincent COSTE, *Midi Libre*, 11 avril 2021

1 ▮ En quoi consiste l'écriture inclusive en français ?

2 ▮ Pour vous, quels sont les avantages et les inconvénients de l'écriture inclusive ?

3 ▮ Faut-il imposer l'écriture inclusive selon vous ? Pourquoi ?

4 ▮ La question de l'écriture inclusive se pose-t-elle dans votre langue maternelle ?

Unité **10**

Documents

I | La faute de l'orthographe

Compréhension écrite

Entrée en matière

1 | Quels mots français vous semblent difficiles à orthographier ?

Lecture

2 | Quelle vision A. Hoedt et J. Piron ont-ils de l'orthographe ?

3 | Le livre est :
    a. drôle   **c.** très sérieux   **b.** polémique

4 | Pourquoi l'orthographe divise-t-elle tant selon les auteurs ?

5 | De quoi ce livre est-il une adaptation ?

Vocabulaire

6 | Retrouvez dans le texte les mots correspondant aux définitions suivantes :
    a. problème difficile à résoudre
    b. rêvée   **c.** parcours pénible

Production orale

7 | Que pensez-vous de l'orthographe française ?

On se demande souvent comment respecter l'orthographe. Mais l'orthographe est-elle respectable ?

L'orthographe est un sujet qui déchaîne les passions. Arnaud Hoedt et Jérôme Piron remettent en question le dogme orthographique. On prend conscience avec eux que l'orthographe française, en plus d'être un vrai casse-tête, est tout sauf logique. Et surtout, que ses racines sont plus fantasmées que l'on veut bien l'admettre. On s'amuse autant que l'on s'interroge sur notre attachement à cette orthographe, adoration pour les uns, chemin de croix pour les autres. Tout le monde a un avis sur la question. Et pourtant, il ne s'agit peut-être que d'un énorme malentendu.

Préface par Philippe Blanchet

LA CONVIVIALITÉ

LA FAUTE DE L'ORTHOGRAPHE

ARNAUD HOEDT
JÉRÔME PIRON

ILLUSTRATIONS
KEVIN MATAGNE

ARNAUD HOEDT - JEROME PIRON - ARNAUD PIRAULT - KEVIN MATAGNE

LA CONVIVIALITÉ

UNE APPROCHE POP ET ICONOCLASTE DE L'INVARIABILITÉ DU PARTICIPE PASSÉ DES VERBES QUI UTILISENT L'AUXILIAIRE AVOIR EN FONCTION DE LA POSITION DU COMPLÉMENT DANS LA PHRASE

la manufacture ⓜ
collectif contemporain

DU 8 AU 15 JUILLET
ESPACE 40
40, RUE THIERS 8400 AVIGNON
13H / 14H / 15H / 17H / 18H /19H
SPECTACLE POUR 12 PERSONNES
INFOS PRATIQUES : www.lamanufacture.org
RÉSERVATION INDISPENSABLE AU 06 41 14 31 12

COMPAGNIE CHANTAL ET BERNADETTE (BRUXELLES)
DIFFUSION : HABEMUS PAPAM www.habemuspapam.be - diffusion@habemuspapam.be

J | L'orthographe en scène 52

> L'orthographe n'est qu'un outil au service de la langue.

Compréhension orale

Entrée en matière

1 | Expliquez la phrase extraite du document.

1re écoute (en entier)

2 | De quel type de document s'agit-il ? Quel est le ton des deux linguistes ?

2e écoute (en entier)

3 | Quel est le constat de A. Hoedt et J. Piron sur l'orthographe française ?

4 | À quoi l'orthographe est-elle comparée ?

5 | Comment peut-on écrire le son [s] en français ?

6 | Comment peut-on prononcer la lettre « s » écrite ?

Production écrite

7 | Sur un forum, vous avez lu un fil de discussion sur une proposition de réforme de l'orthographe française. Vous écrivez votre opinion : pour ou contre une réforme.

K ▎Il est temps de réformer le participe passé !

1 **On ne touche pas à la langue de Molière ? Ben voyons !**
J'avais 16 ans quand j'ai pris conscience
5 de l'absurdité phénoménale de la règle de l'accord du participe passé avec l'auxiliaire avoir qui-s'accorde-en-genre-et-en-nombre-avec-le-complément-d'objet-direct-s'il-est-placé-devant. Cette vieille litanie[1], je la maîtrise assez
10 bien, merci. Mais s'il n'en tenait qu'à moi, je ficherais ça à la poubelle.
Longtemps, j'ai cru que ma petite haine pour cette règle était une lubie personnelle, mais je découvre en fait que je
15 ne suis pas « tout seul de ma gang », comme on dit. Mieux : parmi les linguistes et les pédagogues qui travaillent au projet de moderniser la grammaire et l'orthographe du français, le consen-
20 sus qui émerge est d'ailleurs que la première chose à faire serait de simplifier la règle du participe passé.
J'en ai donc discuté en long et en large avec la linguiste Annie Desnoyers,
25 cofondatrice du Groupe québécois pour la modernisation de la norme du français (GQMNF). La linguiste m'a expliqué qu'une réforme des participes passés reviendrait à se conformer à
30 trois règles simples :
– pour les participes passés (PP) avec être, pronominaux ou non : accord avec le sujet partout ;
– pour les PP avec avoir : invariables
35 dans tous les cas ;
– aucune exception aux deux précédentes règles.

Mais on ne va quand même pas changer arbitrairement
40 **LA LANGUE DE MOLIÈRE !**
Parlons-en, justement, de la langue de Molière. C'est un poète français, Clément Marot, fasciné par la Renaissance italienne, qui a plaqué sur les participes
45 passés du français des règles italiennes – que les Italiens ont eux-mêmes simplifiées bien des années plus tard ! L'usage français est resté fluctuant pendant des siècles avant de se « fixer »
50 au XIXe siècle autour des 14 pages de règles et d'exceptions. Molière, qui était contre les idées de Marot, a écrit toute son œuvre en suivant globalement les règles simplifiées. Ce sont les révision-
55 nistes du XIXe siècle qui ont « corrigé » la langue de Molière selon leur idée de la langue de Molière.

On ne va tout de même pas modifier un usage alors que toute la
60 **francophonie fait autrement ?**
En 1977, ce sont les Québécois qui ont pris sur eux de féminiser les titres et fonctions et qui ont imposé une nouvelle norme mondiale. Actuellement,
65 ce sont les Belges qui poussent la sim-plification du PP. L'initiative en revient au très sérieux Conseil supérieur de la langue française et de la politique linguistique, appuyé par l'Association
70 belge des professeurs de français, qui poussent leur gouvernement en ce sens. Leur idée est que ces exceptions sont inutiles, discriminantes et productrices d'insécurité linguistique.

75 **Mais on ne va quand même pas nous interdire de faire comme on a appris ?**
Non. Comme pour la nouvelle orthographe de 1990, une simplification des règles d'accord des PP revient à un
80 édit[2] de tolérance. Ceux qui ont appris dans l'ancien système continuent avec le leur, mais c'est le nouveau qui est enseigné et ceux qui l'adoptent ne sont pas en faute.

Jean-Benoît NADEAU, *ActuaLitté*,
22 septembre 2020

1. énumération longue et ennuyeuse
2. loi sous l'Ancien Régime

📄 Compréhension écrite

Entrée en matière

1 ▎Que savez-vous de l'accord du participe passé ?

Lecture

2 ▎Que pense l'auteur de la règle du participe passé avec l'auxiliaire avoir ?

3 ▎Quel consensus observe-t-il chez les linguistes et pédagogues actuellement ?

4 ▎Quand ont été fixées les règles du participe passé ?

5 ▎Quelle était l'opinion de Molière sur l'accord du participe passé ?

6 ▎Quel exemple l'auteur cite-t-il pour montrer que les évolutions sont possibles ?

7 ▎Comment l'association belge de professeurs de français considère-t-elle les exceptions de l'accord du participe passé ?

8 ▎Pourquoi une simplification des règles d'accord reviendrait à « un édit de tolérance » ?

⌨ Production orale

9 ▎Que pensez-vous de la simplification des règles d'accord du participe passé ?

10 ▎Dans votre langue maternelle, y a-t-il une règle qui, selon vous, devrait être simplifiée ?

▸ Pour ▎contester une règle
- Si ça ne tenait qu'à moi,…
- Pas question de/que…
- Je le ferai quand même.
- C'est complètement absurde.

Unité 10

Grammaire

Le participe passé et le participe composé

Échauffement

1 | Dans les phrases suivantes, quelle est la fonction des participes passés soulignés ?

  a. J'en ai donc <u>discuté</u> en long et en large.

  b. C'est un poète français, <u>fasciné</u> par la Renaissance italienne, qui a <u>plaqué</u> sur les participes <u>passés</u> du français des règles italiennes.

  c. Des règles que les Italiens ont <u>simplifiées</u> des années plus tard !

  d. Molière a <u>écrit</u> toute son œuvre en suivant les règles <u>simplifiées</u>.

  e. Ceux ayant <u>appris</u> dans l'ancien système continuent avec le leur.

2 | Dans les phrases précédentes, expliquez pourquoi les participes s'accordent ou non.

Fonctionnement

Accords et usage du participe passé	Exemples
Le participe passé sans auxiliaire se comporte comme un adjectif. Il permet d'éviter la répétition de l'auxiliaire être.	*Leur décision prise, ils ont pris un billet pour Paris.* → *Ils ont pris leur décision et ils ont pris un billet pour Paris.*
Il a une valeur passive quand il est suivi de **par**.	*Utilisée par beaucoup, l'écriture inclusive a du succès.*

Le participe composé	Exemples
C'est la forme composée du participe présent (**ayant ou étant + participe passé**). Il s'utilise plutôt à l'écrit et dans la communication administrative. Il peut exprimer l'antériorité et/ou la cause.	*Ayant appris le français très jeune, je me considère comme bilingue.*

> **Remarques sur l'accord du participe passé**
>
> - Avec l'auxiliaire avoir : pas d'accord avec « en » qui n'est pas considéré comme un COD.
>   *Ex. : Des œuvres littéraires, j'en ai lu beaucoup.*
> - Avec les verbes pronominaux : le participe passé s'accorde si le pronom réfléchi représente le COD.
>   *Ex. : Ils se sont salués.*
>   (Ils ont salué qui ?)
>   *Ils se sont téléphoné.*
>   (Ils ont téléphoné à qui ?)
> - « Fait » et « laissé » ne s'accordent pas quand ils sont suivis d'un infinitif.
>   *Ex. : Elles se sont fait corriger leur orthographe.*

Entraînement

3 | Accordez si nécessaire et reformulez les phrases avec un participe passé ou un participe composé.

  a. Comme il avait besoin d'aide pour son devoir, il a cherché........, un prof particulier sur Internet.

  b. Puisque les dictées ont été corrigé........, les résultats seront bientôt publié........ .

  c. Si vous aviez été formé........ par ce grand linguiste, vous ne feriez plus jamais d'erreurs d'accord.

  d. Nora a décidé de participer aux Jeux de la Francophonie et elle s'est beaucoup préparé........ .

  e. Les règles de l'accord du participe passé sont trop compliqué........, c'est pourquoi un projet de simplification est nécessaire.

  f. Comme elle était influencé........ par ses parents, elle a étudié le français.

  g. Les places pour la fête de la Francophonie sont toutes vendu........, alors l'organisation a décidé de déplacer l'événement dans une salle plus grande.

4 | Expliquez l'accord des participes passés dans les phrases suivantes.

  a. Une réforme de l'orthographe a été décidée.

  b. Les dictionnaires qu'ils ont achetés ne sont pas bilingues.

  c. Ils se sont souvenu de leurs leçons de français pendant longtemps.

  d. Les leçons d'orthographe se sont succédé sans succès.

  e. Elle s'est fait recaler à cause de son écriture.

  f. Fais attention aux fautes d'orthographe, tu en as fait plein.

  g. Ils se sont rendu compte de leurs erreurs et ils les ont corrigées.

  h. J'ai amélioré mon orthographe une fois adulte, mais des fautes, j'en ai fait toute mon enfance.

Entraînez-vous !

Cahier d'activités

Documents

L ❙ Se préparer à un concours d'éloquence

 10 **Compréhension audiovisuelle**

Entrée en matière

1 ❙ L'éloquence est le talent de bien parler. Expliquez cette définition.

1ᵉʳ visionnage (en entier)

2 ❙ En quoi consiste le concours Eloquentia ?
3 ❙ Qui sont les participants ? Décrivez-les ?
4 ❙ Quels types d'exercices font-ils ?

2ᵉ visionnage (en entier)

5 ❙ Que faut-il pour être un bon orateur d'après l'enseignant ?
6 ❙ Pour quelles raison les participants veulent-ils prendre la parole ?

Production orale

7 ❙ Les concours d'éloquence sont-ils utiles dans les parcours universitaires selon vous ?

M ❙ Comment structurer son discours ?

1 Ne soyez plus dépendant de votre stress lors d'une prise de parole en public. Commencez par préparer votre discours bien à l'avance. Savoir et maîtriser son sujet vous donne déjà de l'assurance.

5 **Soignez votre entrée :**
Comme dans un spectacle, la première impression est toujours la bonne. Faites une bonne entrée en scène. Faites une citation, une belle phrase d'accroche. Si vous le pouvez, utilisez l'humour, le but est de captiver l'attention de votre public.

10 **Argumentez :**
Défendez votre point de vue, émettez des arguments et contre arguments. Utilisez des exemples pour étayez vos propos.

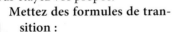
Mettez des formules de transition :
Afin d'épurer votre prise de parole en public, mettre des phrases de transition comme : « en premier lieu », « donc », « en outre ».

Les jeux des questions réponses, pour faire participer votre public :
Favorisez l'interactivité, l'échange. Posez des questions à votre public afin de tester leur compréhension. Laissez-les 25 réagir, intervenir et si vous le pouvez, partager vos idées.

Reformulez et explicitez :
Faites-vous comprendre. N'hésitez-pas à reformuler et à répondre aux questions de votre public. Le sujet paraît évident pour vous car vous maîtrisez votre sujet, mais cela 30 n'est pas évident pour tout le monde.

Essayez de terminer en beauté par une anecdote :
Dans un oral, on retient souvent le début et la fin ! Mais alors, comment finir son intervention sur une bonne note ? Faire émerger une idée qui permet à chacun de se projeter 35 dans l'avenir, montrer à son public un spectre plus large ! Vous pouvez également partager une citation inspirante qui illustre vos propos ! En résumé, travaillez le début et la fin pour votre prise de parole en public pour clôturer en beauté !

www.atelier-entreprise.com

Compréhension écrite

Entrée en matière

1 ❙ Pour vous, parler en public est-ce un plaisir ou une angoisse ?

Lecture

2 ❙ Quelle est la première chose à faire pour être moins stressé lors d'une prise de parole en public ?
3 ❙ Que faire pour :
a. convaincre son auditoire
b. laisser une bonne impression
c. transmettre ses idées
d. donner au public l'envie d'écouter

 Production orale

4 ❙ Quels autres conseils donneriez-vous pour réussir une prise de parole en public ?

> **Pour introduire un sujet de manière formelle**
> • Nous allons voir/analyser/traiter de...
> • Je voudrais relever/souligner que...
> • Voici le sujet/problème que je voudrais aborder...
> • On s'accorde à penser que..., mais...
> • Il est bien connu que...
> • Une question souvent évoquée est...
> • Il est intéressant de constater que...
> • Il serait utile d'examiner/de considérer...

Unité 10

Vocabulaire

Les langues vivantes

Jouez avec les mots ! > p. 10 « L'inventaire des m...

La richesse linguistique
- l'anglicisme (*m.*)
- l'antonyme (*m.*)
- la connotation
- l'expression (*f.*) idiomatique
- le franglish
- l'homonyme (*m.*)
- le jargon
- le néologisme
- la nuance
- le synonyme

1 | Retrouvez dans la liste les mots correspondants aux définitions suivantes :
- **a.** le contraire d'un mot
- **b.** le vocabulaire spécialisé d'une profession
- **c.** un mélange de français et d'anglais
- **d.** un mot nouveau
- **e.** un sous-entendu
- **f.** un mot dont le sens est très proche d'un autre
- **g.** la différence entre deux mots de sens proche

Structurer son propos
- l'accroche (*f.*)
- l'anecdote (*f.*)
- la conclusion
- le développement
- l'exemple (*m.*)
- l'introduction (*f.*)
- le plan
- la problématique
- le questionnement
- la transition

2 | Complétez le texte avec les verbes suivants :
poser – déployer – donner envie – rassembler – ouvrir – élaborer
D'abord il faut .... ses idées puis .... une problématique. À partir de là, on .... le plan qui va .... les différents aspects du questionnement. L'introduction doit .... de vous écouter et la conclusion permet d'........ sur d'autres perspectives.

Expressions
- avoir de l'assurance
- avoir de l'éloquence
- captiver l'attention du public
- faire un discours

Développer une idée
- analyser
- conceptualiser
- concevoir
- déduire
- démontrer
- étayer un argument
- expliciter
- généraliser
- induire
- synthétiser
- reformuler

3 | Expliquez la différence entre « induire » et « déduire » et entre « analyser » et « synthétiser ».

Expressions régionales
- dracher
- la malle
- péguer
- la pile
- que t'chi
- un schlouk

4 | Retrouvez dans la liste les mots correspondant aux définitions suivantes :
- **a.** « pleuvoir » dans le Nord
- **b.** « une gorgée » en Alsace
- **c.** « rien » dans la région de Grenoble
- **d.** « coller légèrement » dans le Sud
- **e.** « le coffre de la voiture » dans le Sud-Ouest
- **f.** « l'évier » dans le Sud-Est

5 | Imaginez une phrase avec chacun des mots de la liste.

🖳 Production orale

6 | Y a-t-il de nombreuses variantes régionales dans la langue de votre pays ?

Les variantes francophones

En Suisse	Au Québec	En Belgique
adieu / tchô	allô	au revoir
bonnard	au boute	la chique
la chiclette	bienvenu	chouette
le sandwich	bon jour	être bleu(e)
service	la gomme	de rien
tomber amoureux	le sous-marin	le pistolet
tschüss	tomber en amour	salut

7 | Reliez les équivalents. Comment dire ces expressions en français de France ?

Expressions imagées
- avoir la bouche sucrée
- camembérer
- donner une bonne-main
- être seul(e) dans sa gang
- voir quelqu'un dans sa soupe

8 | Retrouvez à quelles expressions correspondent les définitions suivantes.
- **a.** Au Bénin, cela veut dire être bavard.
- **b.** Au Sénégal, c'est sentir très fort des pieds.
- **c.** En Suisse, cela veut dire laisser un pourboire.
- **d.** Au Québec, on utilise cette expression quand on est amoureux.
- **e.** Au Québec, cela signifie qu'on est le seul à avoir une certaine opinion.

Les mots-valises
- le clavardage
- divulgâcher
- l'égoportrait
- l'hameçonnage
- le pourriel
- le service-au-volant

▶ Remarque
Les mots-valises sont souvent utilisés pour remplacer des mots anglais. Le principe consiste à créer un nouveau mot à partir du début d'un mot et de la fin d'un autre.

9 | Reconnaissez-vous les anglicismes qui ont été remplacés par les néologismes de la liste ?

Entraînez-vous !

Cahier d'activités

Grammaire/Vocabulaire

1. Mettez les verbes entre parenthèses à la forme qui convient (participe présent, gérondif ou adjectif verbal).

a. Il fait beaucoup d'erreurs de syntaxe (*écrire*).
b. Ce nouveau dictionnaire francophone va nous permettre de faire des activités (*exciter*).
c. Ta mère (*être*) professeure de français, tu peux lui demander de l'aide.
d. Ce cours de gymnastique mentale est vraiment (*fatiguer*).
e. Je mémorise l'orthographe des mots difficiles (*inventer*) des petites histoires.
f. J'ai rencontré deux personnes (*s'intéresser*) à la lexicographie lors du dernier séminaire.
g. J'utilise un dictionnaire (*rédiger*) mon devoir d'anglais.
h. (*Comprendre*) que je ne progresserais pas comme ça, j'ai changé de méthode.
i. Répondez aux questions (*suivre*).

2. Choisissez la forme correcte dans les phrases suivantes.

a. Cet orateur est très drôle mais aussi très **provocant/provoquant**.
b. Il faudrait trouver un mot **équivalent/équivalant**, un synonyme.
c. **Différent/Différant** de ses collègues, il a voté pour l'écriture inclusive.
d. Je n'ai pas trouvé ce spécialiste très **convaincant/convainquant**.
e. De nouvelles méthodes **émergeant/émergent**, il a décidé de suivre une formation.
f. Il a tellement parlé qu'il est sorti de scène **suffocant/suffoquant**.
g. Les personnes **communicant/communiquant** en langue des signes auront un interprète.
h. Ce marathon de l'orthographe est très **fatigant/fatiguant**.
i. Chaque étudiant **adhérent/adhérant** du club de français entrera gratuitement au spectacle.

3. Mettez les verbes soulignés au passé composé et accordez le participe si nécessaire.

a. Les livres que j'emprunte à la bibliothèque sont très intéressants.
b. Des discours ? Il en fait tous les jours.
c. Elles se doutent de votre excellent niveau de français.
d. Les règles du participe passé que je respecte dans mes courriers sont très discutables.
e. Ils se voient, se sourient et se parlent.
f. Les élèves se font reprocher leurs mauvais résultats en dictée.
g. Deux linguistes se lancent dans le spectacle.
h. Le dictionnaire *Robert* accepte de nouveaux mots, mais les Académiciens les refusent.
i. Je lis des livres sur l'interculturalité, je les trouve intéressants.

4. 53 Écoutez l'enregistrement et dites si les phrases sont extraites d'une situation formelle ou informelle.

5. Complétez le texte avec des mots de la liste (mettez-les au pluriel si nécessaire).
synthèse – perspective – nuance – accroche – introduction – jargon – généralité – le déroulé – plan – problématique – transition – exemple

Lors de vos prises de parole, évitez de dire des .... dans votre introduction. Trouvez une .... qui capte l'attention du public et posez votre .... Ensuite, annoncez votre .... comme des étapes que vous allez suivre. Illustrez votre thèse avec des .... Soignez bien vos .... entre chaque partie. Terminez votre exposé en ouvrant vers d'autres ....

Unité **10**

Participer à un concours d'éloquence

1 Situation

Vous allez participer à un concours d'éloquence en équipe, c'est-à-dire qu'une personne de votre groupe fera un discours sur un thème imposé que vous aurez préparé ensemble.

2 Mise en œuvre

▷ **En groupes**

- Choisissez un thème sur l'affiche et planifiez les étapes de préparation d'un discours.
- Rassemblez vos idées sur le thème.
  Une personne du groupe note toutes les idées.
- Sélectionnez les idées les plus pertinentes (les idées qui permettront à l'oratrice ou à l'orateur d'être convaincant(e)).
- Ordonnez-les dans un plan de développement.
  Ne rédigez pas, élaborez un brouillon pour l'orateur : notez les idées et les liens logiques qui permettent de les développer.
- Faites une conclusion.
- Élaborez une introduction.
  Pensez à rédiger une accroche pour capter l'attention du public.
- Entraînez-vous à prononcer votre discours.
  L'orateur s'entraîne et les autres membres du groupe lui donnent des conseils.
- Chaque orateur fait son discours devant la classe.

Cinq thèmes, cinq débats :
venez assister aux joutes oratoires !

19 h : Y a-t-il de bons préjugés ?
19 h 30 : Le mensonge est-il un mal nécessaire ?
20 h : Vaut-il mieux prévenir que guérir ?
20 h 30 : L'union fait-elle la force ?
21 h : Toute question ne mérite pas réponse.

NICE - LE 12 JUIN 2022

CONCOURS D'ÉLOQUENCE
DEMI-FINALE DÉPARTEMENTALE

Stratégies **Planifier**

- La planification est étroitement liée à la question du temps (quand ?), mais aussi aux objectifs (quoi ?), aux participants (qui ?), ainsi qu'aux méthodes et aux outils (comment ?).

- En groupe, la planification est essentielle pour faciliter la participation de tous et pour gagner du temps. Il est donc conseillé de :

  – **penser aux différentes étapes nécessaires** pour réaliser une tâche : *chercher des idées ou des informations, les sélectionner, les ordonner par exemple ;*

  – **ordonner ces étapes** : *quelle étape doit-être faite en premier ? quelles sont les suivantes ?*

  – **prévoir le temps que vous allez consacrer à chaque étape :** *en fonction du temps total dont on dispose, évaluer la durée nécessaire à chaque étape et garder un œil sur la montre.*

DELF B2
Préparation — Compréhension des écrits

Ces stratégies sont utiles pour préparer et réussir le DELF B2 (cf. épreuve blanche p. 189). L'épreuve dure 1 heure.

Exercice 1 Comprendre un texte informatif ou argumentatif

9 points

Qu'est-ce que l'habitat groupé ?

Spéculation foncière, paupérisation urbaine, crise des liens sociaux, pollution, sont autant de raisons qui ont amené des femmes et des hommes à monter un habitat groupé. Le principe ? Se mettre à plusieurs pour concevoir et financer son logement en y intégrant des valeurs telles que la solidarité, le respect de l'environnement, le partage ou encore la mixité sociale.

Né en France dans les années 70, l'habitat groupé, qu'on appelait « habitat autogéré », se veut à contre-courant de l'habitat classique.

Comment monter un habitat groupé ?

1. Constitution du groupe et formulation du projet : monter un habitat groupé est avant tout une aventure humaine, il est donc nécessaire de travailler la culture et les valeurs du groupe, mais aussi de s'assurer que tout le monde partage la même vision du projet. Une fois le groupe constitué, il faudra préciser les besoins et les exigences de chacun : milieu urbain ou rural, quelles surfaces nécessaires, accessibilité des transports et services de proximité, nombre d'espaces communs (jardin, salle, buanderie).

2. Élaboration du pré-programme architectural : à partir des besoins, des aspirations et des moyens définis dans la première étape, il faut maintenant définir la forme que prendra le projet. S'agira t-il d'un immeuble ou d'une maison ? Quelle sera la fonction et les surfaces des espaces partagés ? Combien y aura t-il de logements ?

3. Montage juridique et financier : une fois le programme établi, se pose la question des formes juridiques et du montage financier. L'assistance d'un juriste ou notaire est ici incontournable pour mettre à plat les différentes options possibles au regard des objectifs que se donne le groupe, des contraintes et opportunités comparées des différents statuts envisageables (association à but non-lucratif, copropriété ou coopérative).

4. Recherche du site et l'urbanisme : à partir des besoins identifiés et au regard des moyens mobilisables par le groupe, reste à trouver un site propre à accueillir le projet et à s'assurer que les règles d'urbanisme en vigueur sont compatibles avec le projet.

5. La conception : il s'agit de mettre en adéquation le programme architectural, les moyens financiers et le site retenu et de dresser les plans du futur cohabitat avec un architecte et éventuellement l'assistance d'un bureau d'études pour les questions techniques.

6. La construction : vous pouvez choisir d'autoconstruire ou de déléguer à un maître d'œuvre. Quoi qu'il en soit, il faudra suivre et piloter le chantier de construction et cela nécessite un minimum de connaissances techniques.

Pour répondre aux questions, cochez la bonne réponse.

1 | Les futurs habitants d'un habitat groupé… _(1 point)_
- A ☐ choisissent d'acheter un logement écologique.
- B ☐ se regroupent à plusieurs pour concevoir leur logement.
- C ☐ ont déjà tous vécu en colocation.

2 | Selon l'article, tous les cohabitants doivent… _(1 point)_
- A ☐ travailler leurs capacités de partage.
- B ☐ se connaître depuis un certain temps.
- C ☐ avoir le même objectif et des valeurs communes.

3 | Dans un habitat groupé, … _(1,5 point)_
- A ☐ les habitants disposent de véhicules en commun.
- B ☐ certains espaces et services sont collectifs.
- C ☐ tous les espaces sont partagés.

4 | Faire appel à un juriste ou un notaire dans le montage du projet est… _(1,5 point)_
- A ☐ conseillé.
- B ☐ envisageable.
- C ☐ nécessaire.

5 | Les cohabitants d'un habitat groupé choisissent la forme juridique… _(1 point)_
- A ☐ généralement la plus simple.
- B ☐ en fonction des caractéristiques du projet.
- C ☐ qui protège les projets d'habitat solidaire.

6 | De quels critères dépend le choix du site de construction ? _(1,5 point)_
- A ☐ Des besoins et capacités financières des cohabitants.
- B ☐ Des exigences et des envies des cohabitants.
- C ☐ Des moyens mobilisables par l'administration locale.

7 | L'élaboration du projet architectural… _(1,5 point)_
- A ☐ consiste à trouver un équilibre entre tous les critères.
- B ☐ doit être confié à un bureau d'étude.
- C ☐ dépend principalement des revenus des cohabitants.

Jusqu'où irons-nous ?

Objectifs
- Exprimer sa certitude
- Exprimer son incertitude
- Exprimer l'obligation (DELF)

" On n'arrête pas le progrès. "

Documents

A ▎Qu'est-ce que le progrès ?

« Au XIXᵉ siècle, le progrès était symbolisé par des machines plus puissantes. Aujourd'hui, avec la crise environnementale, le progrès c'est de remettre en cause certains choix techniques, comme la voiture. »

« On ne peut juger d'un progrès que par l'utilisation que les Hommes font des avancées technologiques : certaines innovations peuvent générer l'horreur. »

« Il faut que le progrès technique diminue les inégalités. »

« Le progrès, c'est travailler pour améliorer le quotidien du plus grand nombre. »

« Quand l'Homme aura exploité toutes les ressources naturelles de la Terre, il ne pourra plus progresser : il faut découvrir une nouvelle façon de fonctionner. »

« Chaque découverte scientifique devrait être discutée de manière collective et critique. »

 **Compréhension écrite**

Lecture

1 ▎Identifiez les principaux objectifs du progrès selon les auteurs.
2 ▎Quelles sont les limites des innovations techniques et scientifiques selon eux ?
3 ▎Laquelle de ces définitions est la plus proche de celle que vous auriez donnée ?
4 ▎Commentez la définition que vous avez choisie : vous pouvez l'expliquer et donner des exemples qui l'illustrent.

 Production orale

5 ▎À votre tour, donnez une définition du terme « progrès ».

 Production écrite

6 ▎Est-ce que vous pensez que le progrès technique peut rendre l'Homme heureux ? Vous donnerez votre opinion de manière argumentée.

> **Pour exprimer sa certitude**
> - Je suis absolument/tout à fait/ complètement/parfaitement sûr(e)/ certain(e)/convaincu(e)/persuadé(e) **de** ...
> - Il est sûr/certain/évident/indubitable/ incontestable **que**...
> - On ne peut pas nier que...
> - Ça ne fait pas l'ombre d'un doute/ça ne fait aucun doute !

> **Pour exprimer son incertitude**
> - Je ne sais pas (trop) quoi dire/penser à propos de...
> - Je me demande si...
> - Je suis perplexe quant à...
> - Ça me laisse perplexe !

B ı L'histoire du changement climatique

1 **Entretien avec Fabien Locher, historien et chercheur au CNRS, co-auteur avec Jean-Baptiste Fressoz d'une passionnante « histoire du changement climatique du XVe au XXe siècle » intitulée** *Les Révoltes du ciel* **(Seuil, 2020).**

5 **Usbek & Rica :** Votre ouvrage développe « dix thèses historiques sur le changement climatique ». La dernière, la plus iconoclaste, est que nous autres occidentaux, alertés depuis longtemps des dangers des changements climatiques, serions entrés à la fin du XIXe siècle dans une forme d'apathie 10 face à l'agir climatique. Comment expliquer ce tournant ?

Fabien Locher : Le point de départ de notre ouvrage est que la notion d'une action humaine sur le climat n'est pas récente, qu'elle a une histoire longue qui remonte au moment de l'exploration et la conquête de l'Amérique. On ne se pré- 15 occupe pas alors du CO_2 mais du cycle de l'eau. L'idée, en gros, est qu'en coupant les arbres, on va modifier ce cycle, ce qui va changer les pluies, les températures, la nature des saisons… Or dans des sociétés essentiellement agricoles, ce sont des éléments vitaux : une mauvaise saison veut dire une 20 mauvaise récolte, et peut-être des disettes, des famines, des émeutes… Nous montrons que ces interrogations sur l'action possible de l'Homme sur le climat, via les forêts, sont extrêmement fortes en Europe jusqu'à la fin du XIXe siècle.

Puis s'ouvre effectivement 25 un interlude de quelques décennies où cette question n'est plus débattue. Cet effacement est d'abord lié à l'essor du rail et des bateaux 30 à vapeur : avec ces technologies, la vulnérabilité aux fluctuations climatiques diminue. On peut désormais, si besoin, faire venir du blé 35 d'une autre région ou même de Russie ou d'Amérique. Parce que « le soleil brille toujours quelque part », on entre dans une période historique durant laquelle l'at- 40 tention portée à l'atmosphère et au climat ne revêt plus le caractère vital qu'elle avait pu avoir. On peut relever un paradoxe assez ironique : ce sont précisément les technologies carbonées qui sont en cause dans le changement climatique causé par le CO_2, qui nous ont fait oublier, pour un temps, 45 les menaces de mutations du climat.

Vincent EDIN, *Usbek et Rica*, 11 novembre 2020

Compréhension écrite

Lecture

1 ı Selon Fabien Locher, quand l'Homme a-t-il commencé à exercer une action négative sur le climat ?

2 ı À cette époque, quelles sont les conséquences redoutées de l'action de l'Homme ?

3 ı Quels développements technologiques font disparaître cette inquiétude ?

4 ı Pour quelle raison l'auteur juge-t-il que cela est paradoxal ?

Production orale

5 ı Selon vous, quelles sont les actions urgentes à mettre en place pour lutter contre le réchauffement climatique ?

C ı Les poubelles de l'espace  54

Compréhension orale

1re écoute (du début à 1'29")

1 ı Combien de tonnes d'objets gravitent autour de la Terre ?

2 ı Combien y a-t-il de satellites actifs ?

2e écoute (de 1'30" à la fin)

3 ı Que va-t-il se passer en 2025 ?

4 ı Qu'est-ce que le syndrome de Kessler ?

5 ı Pourquoi ce phénomène entraîne-t-il une augmentation continue et rapide du nombre de déchets ?

6 ı Selon le scientifique interviewé, quelle est la première action à entreprendre ?

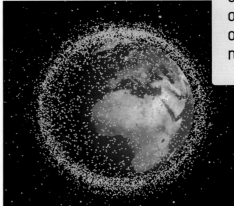

Un débris, c'est un objet artificiel en orbite et qui ne sert à rien.

Unité 11

Documents

D | Explorer Mars : l'échec n'est pas une option

1 **Que donneront les analyses des échantillons prélevés sur la planète rouge ? Qu'ils montrent qu'elle n'a jamais développé la vie serait un résultat en soi.**
5 **S'ils révélaient des traces de vie, notre vision de l'univers changerait.**

Mars fait consensus. Trophée de suprématie nationale pour les politiques, champ d'expérimentations technolo-
10 giques pour les industriels, source d'émerveillement pour les peuples, la planète rouge représente la plus belle quête pour les scientifiques qui, eux, cherchent méthodiquement si les
15 Martiens existent !
Tous les projets ne furent pas nécessairement coordonnés, mais trois phases se dégagent très clairement : la recherche d'eau liquide, la caractérisa-
20 tion de l'habitabilité passée de Mars et la recherche de traces de vie. Les deux premières étapes sont acquises : il y avait bien de l'eau liquide il y a plus de 3,5 milliards d'années et les conditions
25 physico-chimiques locales rendaient Mars habitable. Bien sûr, il nous faut encore préciser les mécanismes précis qui la firent sortir de cette zone de confort. Dans les grandes lignes, la

30 petite taille de Mars a dû jouer contre elle : très vite son cœur s'est refroidi, son champ magnétique a disparu et le vent du Soleil a balayé presque toute son atmosphère. La planète devenait
35 aride et froide, un désert minéral à perte de vue tel qu'on le connaît aujourd'hui.
Rappelons qu'à l'époque où Mars avait de l'eau liquide, la Terre lui res-
40 semblait. Plus grosse, un peu plus près du Soleil, son destin fut heureusement bien différent ! Mais de cette chance – qui nous engendra – naît une difficulté pour les scientifiques : la Terre a une
45 très mauvaise mémoire, l'érosion du vent, de l'eau, la tectonique des plaques ont tout effacé… Ainsi le « pitch scientifique » de l'exploration de la planète rouge prend encore plus d'envergure :
50 étudier sur Mars l'histoire oubliée de la naissance de la vie sur Terre.
Avec une telle mission, les scientifiques ne doivent pas échouer. La troisième phase est enclenchée : cher-
55 cher des traces de vie, et plus précisément des biominéraux qui auraient gardé le souvenir d'organismes vivants très simples, monocellulaires, des mi-

crobes martiens. Mais cette recherche
60 est difficile. Les instruments envoyés sur Mars sont des concentrés de technologies de quelques kilogrammes, mais ne peuvent rivaliser avec ce qui se fait sur Terre, d'où l'idée de collec-
65 ter des échantillons et de les rapporter pour les mettre à l'épreuve. Donnez à un géochimiste un caillou extraterrestre, et il vous dira tout de son origine et de son évolution, et bien sûr,
70 s'il a rencontré la vie.
C'est ainsi que la dernière mission de la Nasa, la plus perfectionnée, est aussi la première mission du programme de retour d'échantillons de Mars. Perse-
75 verance sélectionnera et préparera des échantillons (moins d'un kilogramme) qui seront rapportés sur Terre en 2031 par deux missions organisées conjointement par la Nasa et l'Agence spatiale
80 européenne (ESA). Les défis technologiques sont nombreux, en particulier le décollage d'une fusée depuis la surface de Mars.

Sylvestre MAURICE, astrophysicien et co-responsable de l'instrument SuperCam dans le *Journal du CNRS*, 16 février 2021

📄 Compréhension écrite

Entrée en matière

1 | Lisez le titre et le chapô. La dernière expédition sur Mars va permettre de prélever des échantillons : à quelle question leur analyse devra-t-elle répondre ?

Lecture

2 | D'après Sylvestre Maurice, qui est intéressé par l'exploration de Mars ?

3 | Quelles sont les trois questions clés pour les scientifiques ?

4 | Quelles sont les traces de vie recherchées ?

5 | Où et quand seront analysés les échantillons prélevés sur Mars ? Pourquoi ?

6 | Qu'est-ce qui pourrait expliquer le fait que la planète Mars ait changé au point de ne plus être habitable ?

7 | Pourquoi étudier Mars peut nous aider à mieux connaître la Terre ?

✍️ Production écrite DELF B2

8 | Une revue scientifique en ligne organise un forum sur le thème : existe-t-il une vie extraterrestre ? Vous décidez de participer au forum pour donner votre opinion sur cette question.

Grammaire

Le futur

Échauffement

1 | Dans les phrases suivantes, quel est le temps des verbes soulignés ?

a. Il y a une mission de nettoyage qui <u>va être lancée</u> pour 2025.

b. En coupant les arbres, on <u>va modifier</u> ce cycle, ce qui <u>va changer</u> les pluies, les températures, la nature des saisons…

c. Perseverance <u>sélectionnera</u> et <u>préparera</u> des échantillons qui <u>seront rapportés</u> sur Terre en 2031.

d. Quand l'Homme <u>aura exploité</u> toutes les ressources naturelles de la Terre, il ne <u>pourra</u> plus progresser.

e. Donnez à un géochimiste un caillou extraterrestre, et il vous <u>dira</u> tout de son origine et de son évolution.

f. Que <u>donneront</u> les analyses des échantillons prélevés sur la planète rouge ?

Fonctionnement

2 | Qu'est-ce que ces différentes formes expriment ? Complétez le tableau avec les phrases ci-dessus.

Le futur	• **le futur proche :** pour marquer un futur proche, pour marquer la quasi-certitude (phrase ....), pour marquer des relations de cause à effet (phrase ....).	• **le futur simple :** pour une prévision, pour un programme (phrase ....), pour un projet ou un rêve (phrase ....), pour marquer une action qui dépend d'une condition nécessaire (phrase ....).	• **le futur antérieur :** pour une action future qui se déroule avant un autre fait futur (phrase ....).
Le futur antérieur	Quand deux actions se réalisent dans le futur, on utilise le futur antérieur pour parler de la première action et le futur simple pour la deuxième action : *Quand l'Homme aura exploité toutes les ressources naturelles de la Terre, il ne pourra plus progresser.*	**Le futur antérieur** est un temps composé qui se conjugue avec « être » ou « avoir » suivi du participe passé : *Quand la fusée aura décollé, nous serons soulagés.* *Dès que les missions seront rentrées de Mars, les scientifiques disposeront d'échantillons.* *Une fois que les échantillons auront été analysés, nous saurons sûrement s'il y a déjà eu de la vie sur Mars.*	

> **Remarque**
>
> **On peut aussi utiliser le présent pour exprimer un fait futur, à condition d'être sûr et de préciser le moment dont on parle :**
> *Demain, la fusée décolle de Kourou.*

Entraînement

3 | Complétez les phrases suivantes en conjuguant le verbe au temps du futur qui convient : plusieurs réponses sont parfois possibles, expliquez les différences de sens que cela implique.

a. La mission de nettoyage .... *(réduire)* à la fois la pollution de l'espace et le risque de chute d'objet sur la Terre.

b. S'il ne pleut pas, la saison .... *(être)* mauvaise et on .... *(connaître)* un risque de famine.

c. L'humanité .... *(progresser)* lorsqu'elle .... *(comprendre)* qu'il est indispensable de préserver la biodiversité.

d. Quand on .... *(avoir)* la preuve qu'il y a eu de la vie sur Mars, notre conception de l'univers .... *(changer)*.

e. Un jour, l'Homme .... *(prendre)* conscience de la nécessité de trouver une autre manière de fonctionner.

Entraînez-vous !

Cahier d'activités

Vocabulaire

La technologie

Jouez avec les mots !
p. 10 « Le petit bac »

Le progrès
- l'avancée (f.) technologique
- le bond en avant
- la découverte scientifique
- la décroissance
- la haute technologie
- l'innovation (f.)
- le perfectionnement

1 | Expliquez les différents sens du terme « progrès » ou du verbe « progresser ».
- **a.** Depuis quelques années, la désertification progresse dans cette zone.
- **b.** La conquête spatiale nous a permis de réaliser de grands progrès technologiques.
- **c.** Les élèves ont beaucoup progressé.

2 | 55 **Intonation**
Écoutez les énoncés et expliquez-les. Vous pouvez préciser quel sentiment ils expriment.

 Production orale

3 | En groupe de deux, créez un sketch court ou apparaît un des énoncés entendus.

Les nouvelles technologies
- l'algorithme (m.)
- l'application (f.)
- l'intelligence (f.) artificielle
- l'imprimante (f.) 3D
- le logiciel
- l'objet (m.) connecté
- le pixel
- la réalité virtuelle
- la reconnaissance vocale/faciale
- le réseau social
- la robotique

Le changement climatique
- la catastrophe naturelle
- le climat
- un climato-sceptique
- la crise environnementale
- le dérèglement climatique
- la désertification
- les énergies (f.) fossiles
- l'érosion (f.)
- l'exploitation (f.) des ressources naturelles
- la famine
- la fonte des glaces
- la hausse du niveau de la mer
- l'inondation (f.)
- la pénurie
- se préoccuper
- le réchauffement climatique
- un réfugié climatique
- la sécheresse
- les technologies carbonnées
- la transition énergétique
- vulnérable

4 | Complétez avec des mots de la liste précédente.
Au XIXᵉ siècle, alors qu'il commençait à utiliser des .... , l'Homme a cessé de .... des menaces liées au .... Aujourd'hui, face aux nombreuses .... , on assiste a une nouvelle mobilisation visant à diminuer l'action de l'Homme sur le .... Il existe malheureusement toujours des .... qui mettent en doute les théories scientifiques en niant la responsabilité humaine dans ce phénomène.

La conquête spatiale
- l'astronaute
- l'atmosphère (f.)
- l'aérospatiale (f.)
- l'amarrage (m.), amarrer
- analyser des échantillons
- l'atmosphère (f.)
- la base de lancement
- le champ magnétique
- la collecte, collecter
- la collision

- la combinaison
- l'exoplanète (f.)
- la fusée
- la gravité, graviter
- la mission spatiale
- la navette spatiale
- l'orbite (f.)
- l'ovnilogie (f.)
- la pesanteur
- le prélèvement, prélever
- le propulseur, propulser
- le satellite
- la sonde spatiale
- la station spatiale

5 | Associez les termes suivants aux définitions : la gravité, l'orbite, la sonde spatiale, la station spatiale.
- **a.** Phénomène par lequel un corps subit l'attraction de la Terre.
- **b.** Véhicule spatial sans équipage qui explore l'espace.
- **c.** Courbe décrite par une planète autour du soleil ou par un satellite autour de sa planète.
- **d.** Installation spatiale habitée par un équipage placée en orbite ou déposée sur un astre.

6 | Retrouvez dans la liste qui précède les termes qui sont construits avec des préfixes.

7 | Il existe d'autres préfixes fréquemment utilisés dans le domaine scientifique. Trouvez des mots commençant par les préfixes suivants : bio-, mono-, télé-, infra-, ultra-, micro-, neuro-, thermo-, hydro-, radio-. Vous pouvez vous aider d'un dictionnaire si besoin.

Entraînez-vous !
Cahier d'activités

Le futur est déjà là

E | Les trois sources d'innovation

L'innovation basée sur un usage consiste à modifier la manière d'utiliser un produit, de consommer un service. Par exemple les téléphones portables qui ne servent plus seulement à téléphoner.

L'innovation design consiste à modifier le design d'un produit existant afin de créer une expérience client innovante. Les capsules de café sont une innovation design.

L'innovation incrémentale consiste à apporter une amélioration sensible à un service ou un produit déjà existant. Elle est utilisée dans le secteur de l'automobile, les téléphones portables…

Schoolab,
6 mars
2020

Jules Verne

LA JOURNÉE D'UN journaliste Américain en 2889 suivi par Le Humbug

NAUTILUS

F | Qui conduira ?

LA VOITURE SANS CONDUCTEUR

J'AI DIT : PAPIERS DU VÉHICULE

Source : *Courrier international*

1 | Pouvez-vous donner d'autres exemples d'innovations design, d'innovations basées sur l'usage et d'innovations incrémentales ?

2 | Parmi ces innovations, laquelle est pour vous la plus indispensable ?

3 | Dans quelle mesure ces inventions représentent selon vous un progrès ?

4 | Quel objet, qui n'existe pas encore, aimeriez-vous voir inventé ? Pourquoi ?

G | 2889 comme imaginé en 1889

1 « La journée d'un journaliste américain en 2889 » est officiellement une nouvelle écrite par Jules Verne : elle est néanmoins souvent attribuée à son fils Michel. Parue en 1889, elle permet à l'auteur d'imaginer
5 la vie en 2889 : il s'agit d'un écrit d'anticipation car l'action se déroule dans le futur.

Francis Benett, ce matin-là, s'est réveillé d'assez maussade humeur. Voilà huit jours que sa femme est en France et il se trouve un peu seul. Le croirait-on ? De-
10 puis dix ans qu'ils sont mariés, c'était la première fois que Mrs. Edith Benett, la *professional beauty*, fait une si longue absence. D'ordinaire, deux ou trois jours suffisent à ses fréquents voyages en Europe, et plus particulièrement à Paris, où elle va acheter ses chapeaux.
15 Dès son réveil, Francis Benett mit donc en action son phonotéléphote, dont les fils aboutissent à l'hôtel qu'il possède aux Champs-Élysées.
Le téléphone, complété par le téléphote, encore une conquête de notre époque ! Si la transmission de la pa-
20 role par les courants électriques est déjà fort ancienne, c'est d'hier seulement qu'on peut aussi transmettre l'image. Précieuse découverte, dont Francis Benett ne fut pas le dernier à bénir l'inventeur, lorsqu'il aperçut sa femme, reproduite dans un miroir téléphotique,
25 malgré l'énorme distance qui l'en séparait.
Douce vision ! Un peu fatiguée du bal ou du théâtre de la veille, Mrs. Benett est encore au lit. Bien qu'il soit près de midi.

Unité 11

Documents

H | Serons-nous remplacés par l'IA ?

📱11 Compréhension audiovisuelle

Entrée en matière

1 | Connaissez-vous des exemples d'utilisation quotidienne de l'intelligence artificielle ?

1er visionnage (du début à 1'42")

2 | À l'intelligence de qui Pierre-Julien Grizel compare-t-il le niveau de l'intelligence artificielle ?

3 | Quel type de tâches l'intelligence artificielle permet-elle de réaliser ?

4 | Quels sont les trois exemples d'utilisation de l'intelligence artificielle cités ?

2e visionnage (de 1'43" à la fin)

5 | Comment un programme apprend-il à reconnaître un chat ?

6 | Comment une machine apprend-t-elle à produire une image qui ressemble à une peinture ?

7 | Quel exemple permet à Pierre-Julien Grizel d'illustrer le fait que l'intelligence artificielle commet des erreurs ?

8 | Qui permet à un algorithme de fonctionner ? Comment ?

💬 Production orale

9 | « C'est pas l'outil qui va faire l'emploi, c'est l'usage qu'on en fait » : selon vous, que veut dire ici Pierre-Julien Grizel ?

📝 Production écrite

10 | Utilisez-vous souvent des applications de géolocalisation ou de reconnaissance vocale ? Sont-elles essentielles dans votre quotidien ? Ont-elles fondamentalement changé vos habitudes ?

I | La technique au service des animaux 📱56

> Un seul but : leur protection et leur conservation.

👂 Compréhension orale

Entrée en matière

1 | Regardez le paratexte. Quelles technologies permettant de protéger les animaux sauvages connaissez-vous ?

1re écoute (du début à 1'00")

2 | À quoi sert le robot-méduse ?

3 | Quels sont ses deux principaux intérêts ?

2e écoute (de 1'01" à la fin)

4 | Que permettent les drones dont parle la journaliste ?

5 | Pourquoi est-il difficile de recenser les éléphants ?

6 | Qu'est-ce qui va remplacer les avions ?

7 | Que permet l'algorithme intelligent évoqué par la journaliste ?

📝 Production écrite DELF B2

8 | Vous êtes directeur(-trice) d'un parc national, vous rédigez un courrier au ministre de l'environnement pour suggérer des solutions techno-logiques pour lutter contre le braconnage d'espèces animales menacées et demander une aide financière supplémentaire.

> **Pour** exprimer l'obligation
>
> • Il faut absolument/ obligatoirement…
> • Il est indispensable/nécessaire de/que…
> • Nous sommes obligés/forcés/tenus de/dans l'obligation de…
> • Nous exigeons que/de…
> • Cela s'impose !

J | Les algorithmes peuvent-ils détecter les discours haineux ?

1 La chercheuse Farah Benamara, maître de conférence HDR en informatique à l'université Paul Sabatier de Toulouse, nous éclaire sur les avancées du traitement automatique du langage évaluatif, derrière lequel se cache l'expression
5 d'opinions ou de sentiments positifs ou négatifs.

Qu'est-ce que le langage évaluatif et comment est-il étudié ?

Farah Benamara. Le langage évaluatif couvre tout ce qui est utilisé pour exprimer les sentiments, points
10 de vue, souhaits, attentes et intentions futures. Il concerne ainsi le domaine du ressenti et des émotions, et se retrouve donc beaucoup dans les contenus en ligne tels que les réseaux sociaux. La recherche s'y intéresse depuis la fin des années 1990, en identifiant automa-
15 tiquement les adjectifs porteurs d'expressions subjectives du langage. Dans la décennie suivante, le développement de la linguistique computationnelle a permis de créer des lexiques de mots polarisés selon qu'ils dégagent un aspect positif ou négatif. On s'est ensuite rendu compte que cela
20 ne suffisait pas, puisque le ton global d'un texte dépend énormément du contexte. Les connexions entre les mots et les phrases découlent de nombreuses informations qui ne sont pas écrites. Par exemple, l'adjectif «long» peut exprimer une opinion négative ou positive selon le contexte :
25 « une longue durée de vie » contre « une longue attente ». On peut très bien dire « super, il fait beau ! » alors qu'en fait, il pleut. L'ironie et le sarcasme empêchent d'analyser les mots de façon trop simple et directe. De même, lorsque l'on souhaite détecter automatiquement des messages ra-
30 cistes ou sexistes, les propos sont souvent atténués par de l'humour, ce qui complique la tâche.

Comment vous êtes-vous intéressée à ce domaine ?
F. B. J'ai commencé par la détection du langage évaluatif dans les critiques de films et de restaurants, ainsi que sur

ET COMME ÇA, JE VAIS PEUT-ÊTRE ÉCHAPPER AUX ALGORITHMES...

NONO

35 les commentaires de la presse en ligne. Le modèle classique consiste à compter les mots positifs et négatifs, puis à en calculer la différence. Cela ne suffit pas, car de nombreuses critiques vont énumérer les aspects négatifs d'un film, mais conclure qu'ils ont quand même passé un bon
40 moment au cinéma. Or c'est cela que les lecteurs vont retenir avant tout. Dans la même lignée, j'ai coencadré une thèse de doctorat sur la détection de l'ironie et du sarcasme en 2013, car ces phénomènes impactent grandement sur les performances des systèmes de détection de la polarité
45 d'une phrase.

Vous travaillez aussi sur les discours haineux. Comment sont-ils abordés par la recherche ?
F. B. Je me suis en effet attaquée à la détection automatique de tels messages, en particulier ceux qui visent les
50 femmes. Nous voulons développer des modèles capables de modérer les contenus de manière semi-automatique. À long terme, notre objectif consiste à entraîner efficacement des intelligences artificielles (IA) sans avoir à systématiquement recréer des corpus de données étiquetées à
55 la main, un procédé cher et fastidieux.

Martin KOPPE, *Journal du CNRS*, 8 janvier 2021

Compréhension écrite

Entrée en matière

1 | Lisez le titre : dans quel objectif l'intelligence artificielle est-elle utilisée ici ?

Lecture

2 | Qu'est-ce que le langage évaluatif ?

3 | Au début des années 1990, qu'est-ce qui était identifié de manière automatique ?

4 | Qu'a-t-on créé dans les années 2000 ?

5 | Comment procèdent traditionnellement les algorithmes qui estiment si un texte est « positif » ou « négatif » ?

6 | Quel est l'objectif des recherches qui s'intéressent à la détection automatique des messages haineux ?

7 | Pourquoi est-il important de prendre en compte le contexte dans lequel les mots sont utilisés ?

8 | Pourquoi l'ironie et le sarcasme ont-ils un impact sur les capacités de détection du système ?

9 | Selon Farah Benamara, est-ce que les algorithmes classiques sont suffisants ? Pourquoi ?

Production écrite DELF B2

10 | Quelles sont selon vous les pratiques les plus efficaces pour lutter contre les discours haineux en ligne ?

Unité 11

Grammaire

Exprimer la manière

Échauffement

1 | Soulignez les expressions de la manière dans les phrases suivantes.

a. Le ton global d'un texte dépend énormément du contexte.

b. Lorsque l'on souhaite détecter automatiquement des messages racistes ou sexistes, les propos sont souvent atténués par de l'humour.

c. L'ironie et le sarcasme empêchent d'analyser les mots de façon trop simple et directe.

d. Ces phénomènes impactent grandement sur les performances des systèmes.

e. Les données sont étiquetées à la main.

f. C'est un travail qui est éminemment humain : c'est l'humain qui nourrit l'IA avec suffisamment de données.

g. À long terme, notre objectif consiste à entraîner efficacement des intelligences artificielles sans avoir à systématiquement recréer des corpus de données.

h. Nous voulons développer des modèles capables de modérer les contenus de manière semi-automatique.

Fonctionnement

2 | Complétez le tableau avec des expressions de manière issues des phrases ci-dessus.

On exprime principalement la manière à l'aide d'**adverbes qui se terminent en -ment**. Pour former les adverbes : • on ajoute -ment aux adjectifs qui se terminent par une voyelle. *Exemples : poli**ment**, concrète**ment***. Phrases .... et .... • on ajoute -ment au féminin des adjectifs qui se terminent par une consonne : *Exemple : douce**ment***. Phrase .... • quand l'adjectif se termine par -ent ou -ant, l'adverbe se forme avec -emment ou -amment. Phrase	**Exceptions :** Pour des raisons phonétiques -ement devient -ément. *Exemple : profond → profondément.* Phrase .... Autres exceptions : bref → brièvement, gai → gaiement, gentil → gentiment
On peut aussi exprimer la manière en utilisant les expressions de **façon + adjectif ou de manière + adjectif**. Phrases .... et	**Place de l'adverbe de manière :** Avec un temps composé, les adverbes de manière se placent généralement entre l'auxiliaire et le participe passé : *L'IA s'est **concrètement** mise au service de la protection des animaux.*
Il est aussi possible de former des locutions adverbiales avec une **préposition** (à, de, avec, sans, etc.) suivie d'un nom ou d'un verbe. Phrases .... Exemples de locutions adverbiales exprimant la manière : d'habitude, sans cesse, avec peine, en cachette, à tue-tête...	

Entraînement

3 | Transformez les phrases en utilisant un adverbe en -ment.

a. Il cherche avec obstination une solution pour réduire les déchets spatiaux.

b. L'IA a modifié notre quotidien de manière profonde.

c. Les drones permettent de lutter avec efficacité contre le braconnage.

d. Elle agit de façon concrète pour lutter contre les discours haineux en ligne.

e. Son succès a été très bref.

4 | Que signifient les expressions suivantes ? Utilisez-les dans une phrase.

(*s'en donner*) à cœur joie, (*courir*) à toutes jambes, (*faire quelque chose*) à contrecœur, (*avancer*) à tâtons, (*parler*) à tort et à travers, (*travailler*) d'arrache pied.

Entraînez-vous !

Cahier
d'activités

Documents

K | Repulp, la tasse en peaux d'orange

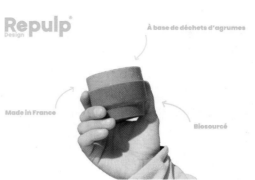

1 Repulp Design, la jeune pousse marseillaise fondée il y a un an, revalorise les déchets issus des agrumes pour créer un nouveau matériau biosour-
5 cé et recyclable et ainsi proposer une véritable alternative au plastique. Ce choix de miser sur les agrumes plutôt qu'un autre matériau s'explique par la difficulté de les recycler. « C'est un
10 produit dont on ne sait pas quoi faire. Les agrumes ne sont pas bons pour la nourriture animale ou le compost, du fait de leur acidité. Il n'y a donc pas d'autre solution que l'incinération », expliquent-ils.
15 Partant de ce constat, Victoria Lièvre, diplômée en design produit, et Luc Fischer, diplômé de *Kedge business school*, ont entamé il y a deux ans et demi une première étape de recherche et développement en laboratoire pour créer ce matériau sur-mesure, et aujourd'hui breveté. Les déchets
20 sont déshydratés, et, à la suite d'un procédé chimique, cela crée une matière première sous la forme de granulés, ensuite chauffés et moulés. Grâce à une campagne de financement participatif qui a dépassé leurs attentes et à l'obtention de la bourse French Tech Tremplin, les deux créateurs ont pu autofinancer leur entreprise sans lever de fonds. Leur premier produit est une tasse de 250 mL. « La tasse est un produit que tout le monde peut s'acheter. Et puis, cela avait du sens car on y boit son jus de fruit... », indique Victoria Lièvre.

Pour aller au bout de sa philosophie responsable, Repulp
35 Design s'attache à développer son produit en circuit court. Les agrumes viennent d'un producteur de jus de fruits frais dans le Vaucluse et les tasses sont ensuite fabriquées dans une usine d'Aubagne. « Nous nous appuyons sur des outils déjà précieux, qui ont mis des décennies à se construire »,
40 indique Luc Fischer.

Karine SARRAZIN, *Les Nouvelles Publications*, 3 novembre 2021

 Compréhension écrite

Entrée en matière

1 | Utilisez-vous des produits recyclés ? Si oui, lesquels ?

Lecture

2 | Quelle est la particularité de l'invention évoquée dans cet article ?

3 | Q'est-ce qui explique le choix de la matière première ?

4 | Comment les peaux d'orange sont-elles transformées en tasse ?

5 | Comment le projet a-t-il été financé ?

6 | Pourquoi peut-on dire que le produit est développé en circuit court ?

 Production orale

7 | Vous souhaitez commercialiser un nouveau produit que vous avez créé. Pour demander un financement participatif, vous présentez votre entreprise, votre produit et vos besoins financiers.

▶ En direct sur rfi SAVOIRS

L | Produire un combustible écologique 🔊57

 Compréhension orale

1ʳᵉ écoute (en entier)

1 | Pourquoi le centre Balou a-t-il abandonné l'utilisation du charbon de bois ? Par quoi l'a-t-il remplacé ?

2 | Combien de tonnes de ce produit sont vendues chaque jour ?

2ᵉ écoute (en entier)

3 | Quels sont les déchets qui permettent de produire le nouveau combustible ?

4 | Quelle étape y a-t-il entre la production et la vente du produit ?

Activité complémentaire
rfi SAVOIRS

« C'est l'équivalent d'un terrain de foot qui est détruit chaque seconde. »

Vocabulaire

Le changement, le processus de transformation

▷ p. 10

Jouez avec les mots !

« Les devinettes »

Changer, le changement
- le bouleversement
- l'évolution (f.)
- la fluctuation
- l'innovation (f.)
- la métamorphose
- la modification
- la mutation
- le procédé de transformation
- la révolution
- la transformation
- la variation

1 | Quels adjectifs correspondent aux verbes suivants ?
a. Bouleverser
b. Innover
c. Fluctuer
d. Révolutionner

L'amélioration
- la modernisation
- le progrès
- la progression
- le renouvellement
- la rénovation

L'aggravation
- la chute
- la décadence
- le déclin
- la dégradation
- la détérioration
- la régression

2 | Choisissez le mot qui convient.
a. La décadence / la régression c'est le fait de revenir en arrière après avoir connu une période de progrès.
b. La chute / le déclin c'est le fait d'arriver progressivement à la fin.
c. La progression / le progrès c'est le fait d'avancer de manière organisée.
d. Le renouvellement / la rénovation c'est le fait de remettre quelque chose à neuf.
e. La détérioration / la métamorphose c'est le fait de mettre quelque chose en mauvais état.

L'augmentation
- l'accélération (f.)
- l'accroissement (m.)
- l'agrandissement
- l'allongement
- la croissance
- le développement
- le doublement
- l'élargissement (m.)
- l'étalement(m.)
- l'essor (m.)
- l'expansion (m.)
- l'extension (m.)
- le grossissement
- la hausse
- l'intensification (m.)
- la montée
- la multiplication
- le renforcement

La diminution
- l'abaissement
- l'affaiblissement
- l'amincissement
- l'amaigrissement
- la baisse
- décroitre
- décroissant
- le raccourcissement
- le ralentissement
- la réduction

3 | Complétez le texte suivant avec : *étalement, accélération, ralentissement, diminution, développement, accroissement*
Avec l'........ des progrès techniques et notamment le .... des transports, on assiste à un phénomène d'........ des villes. Cela se fait au détriment de la nature et la part de forêts connait une .... inquiétante. Du fait de l'........ de la population mondiale, il est cependant difficile d'envisager un .... de cette tendance.

4 | Quels sont les verbes qui correspondent aux noms suivants ? Que constatez-vous ?
a. le maintien
b. le ralentissement

c. l'élargissement
d. le grossissement
e. l'affaiblissement

> **Remarque**

Les suffixes -ir, -iser, -ifier peuvent aussi exprimer un changement :
- devenir plus rouge : rougir
- rendre plus stable : stabiliser
- rendre plus complexe : complexifier

La couleur
- assombrir
- blanchir
- bleuir
- éclaircir
- foncer
- jaunir
- noircir
- pâlir
- rougir
- verdir

Le changement d'état
- l'évaporation (f.)
- devenir granuleux
- se liquéfier
- se solidifier
- se biodégrader
- biodégradable

L'absence de changement
- la conservation
- la continuité
- l'équilibre (m.)
- le maintien
- la préservation
- la stabilisation
- la stabilité
- la stagnation

Production orale

5 | a. Avez-vous peur du changement ? Pourquoi ?
b. Aimez-vous changer des choses dans votre vie ? Lesquelles et pourquoi ?
c. Est-ce que vous pensez que l'on doit s'adapter aux innovations ? A-t-on le choix ?

Entraînez-vous !

Cahier d'activités

Grammaire/Vocabulaire

1 Complétez les phrases suivantes en conjuguant les verbes indiqués au futur antérieur.
Vous pouvez compléter librement les deux dernières phrases, en utilisant le futur antérieur.

Je serai optimiste le jour ......

a. où les Hommes ...... (*comprendre*) qu'il est temps de réfléchir à un autre mode de fonctionnement.

b. où nous ...... (*choisir*) un modèle égalitaire où le progrès profitera à tous.

c. où les plus riches ...... (*apprendre*) à partager leurs biens.

d. où on ...... (*décider*) que l'IA ne doit pas être utilisée pour contrôler les Hommes.

e. où nous ...... (*abandonner*) nos projets de colonisation de l'espace.

f. où on ...... (*réussir*) à sauver toutes les espèces animales menacées.

g. où ......

h. où ......

2 Remplacez les adverbes en -ment par une locution adverbiale et les locutions adverbiales par des adverbes en -ment.

a. Nous avons progressé **très rapidement**.

b. Grâce à cet algorithme, nous n'avons plus besoin de faire ce travail **à la main**.

c. Les scientifiques ont développé leurs analyses **secrètement**.

d. Les échantillons ont été prélevés **avec délicatesse**.

e. L'IA a battu le champion d'échecs **avec brio**.

f. Nous avons analysé les images satellitaires **soigneusement**.

3 Complétez le dialogue avec les mots suivants. Pensez à conjuguer les verbes.

progresser – réduire – allonger – modifier – améliorer – innover – régresser – préserver – progrès – inventions – modernisation

Anna : Pour moi, le ...... c'est ce qui me permet de vivre ma passion : parcourir le monde !

Olivier : Cela me semble très égoïste ! Pour moi, c'est ce qui touche à la ...... de notre système de soins : je considère que les plus belles ...... sont celles qui relèvent du domaine de la médecine. Aujourd'hui notre durée de vie s'est considérablement ....

Samir : C'est vrai, mais ta définition reste égoïste malgré tout. Il est pour ma part important d' ...... dans l'objectif d' ...... le quotidien de tous.

Agathe : Oui, je suis tout à fait d'accord avec toi. J'ajouterais que cela doit être fait dans le respect de la nature que nous devons ....

Olivier : Dans ce cas, il faut sans doute que nous acceptions de ...... certaines de nos habitudes : il faut que nous ...... notre impact sur la planète ! Et cela signifie vivre autrement.

Anna : Vous êtes donc pour que nous ...... ?

Samir, Olivier et Agathe : Non mais pour que nous ...... différemment !

4 Chassez l'intrus :

a. un astronaute, un géophysicien, un climato-sceptique, un politicien.

b. l'aérospatiale, l'assistant personnel, la géolocalisation, la reconnaissance vocale.

c. prélever, propulser, analyser, collecter.

d. l'innovation, l'invention, la création, la modification.

e. l'expansion, le raccourcissement, la croissance, l'intensification.

Unité **11**

Atelier médiation

Faire visiter une usine à un groupe d'enfants

Objectifs

- Résumer les points essentiels d'un texte source
- Passer d'un texte écrit à une communication orale
- Identifier et expliquer en s'adaptant au destinataire et au contexte

1 Situation

Vous allez accompagner un groupe d'enfants âgés de 8-10 ans dans une usine de recyclage de papier. Pour préparer votre visite, vous vous appuierez sur le document, qui vous a été remis par l'usine.

2 Mise en œuvre

▷ **Individuellement, puis en groupes**

- Individuellement, lisez le texte et notez les étapes clés de la fabrication du papier recyclé.
- Essayez d'associer chaque étape au lieu dans lequel elle se déroule.
- Par groupes de trois, mettez ensuite votre travail en commun : établissez un plan en choisissant les éléments les plus pertinents ensemble. *Pensez à tenir compte de votre public.*
- Collectivement, préparez les éléments que vous souhaitez communiquer aux enfants. *Ne notez pas votre discours, mais mentionnez les mots clés.*
- Chaque groupe présentera une des étapes de la visite. *L'enseignant(e) désigne les groupes à tour de rôle.*

Stratégies

- **S'adapter au destinataire et au contexte**
  - Vous allez avoir besoin de faire des changements de style et de registre : pensez à utiliser des synonymes, des comparaisons ou des paraphrases.

- **Simplifier un texte**
  - Pour simplifier un texte, vous pouvez ajouter des informations utiles, des exemples ou des explications. Vous pouvez aussi utiliser la répétition.

  - À d'autres moments, vous aurez besoin de retirer des idées qui ne sont pas essentielles, des parties du texte qui n'apportent pas d'information nouvelle ou des éléments qui ne sont pas adaptés au public.
  - Vous pouvez également regrouper les idées du texte de manière à souligner les points importants.

Documents médiation

—IL A DÛ SE TROMPER...

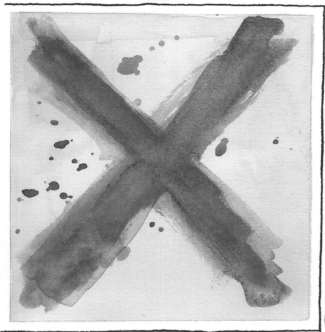

La force des arts

Objectifs

- Donner son point de vue sur la relation entre l'art et l'argent
- Exprimer ses goûts en matière d'art
- Écrire une lettre de motivation pour une formation en art-thérapie (DELF)
- Décrire ses émotions à la suite d'un spectacle

 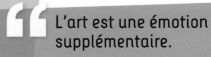 L'art est une émotion supplémentaire.

A | Des tableaux de Picasso et de Mondrian retrouvés dans la forêt

Pablo PICASSO, *Tête de femme*, 1939

1 Presque une décennie est passée depuis ce jour où un homme s'est introduit à la Pinacothèque d'Athènes pour y dérober un tableau signé Pablo Picasso
5 ainsi qu'un autre, réalisé de la main de Piet Mondrian. Contrairement à ce que beaucoup ont cru au départ, l'auteur du méfait n'a rien d'un cambrioleur professionnel : il s'agit d'un simple
10 maçon de 49 ans. Arrêté par les autorités le 29 juin 2021, le suspect est immédiatement passé aux aveux : son butin se trouvait dans une forêt, à une cinquantaine de kilomètres d'Athènes,
15 dans la région rurale de Ketarea.
Les faits se sont déroulés le dimanche 8 janvier 2012. Après six mois à venir régulièrement au musée – plus d'une cinquantaine de fois selon ses dires –,
20 le suspect passe à l'acte. Il est vingt et une heures, le musée a déjà fermé ses portes. Il escalade alors un balcon dépourvu de caméras. À peine introduit, il manque déjà de se compromettre :
25 une alarme se déclenche alors qu'il pousse une porte. Mais l'homme a plus d'un tour dans son sac. Il décide de faire sonner plusieurs fois la même alarme sans entrer dans le bâtiment,
30 trompant le vigile qui croit à une défaillance technique. La suite de son aventure, il la passe à ramper, jusqu'à se retrouver nez à nez avec un Picasso, une *Tête de femme* réalisée en 1939.
35 C'est le coup de cœur. Il n'avait pas décidé à l'avance des œuvres dont il s'emparerait. Il se saisit aussi d'une toile du Hollandais Piet Mondrian datant de 1905 ainsi qu'un dessin du peintre
40 maniériste italien Guglielmo Caccia, dit Il Moncalvo (1568-1625). À quatre heures, un vigile finit par apercevoir l'intrus, mais il est trop tard, ce dernier a déjà pris la fuite. Les fruits de son lar-
45 cin restent cachés chez des membres de sa famille pendant de nombreuses années, jusqu'en mai dernier, quand il apprend par la presse que la police est sur une piste… Aussitôt, il place les
50 deux tableaux dans une large mallette qu'il dépose en pleine forêt. Mais une fois face aux forces de l'ordre[1], il ne garde pas son secret bien longtemps et révèle la localisation des œuvres.
55 Malencontreusement[2], le voleur n'a jamais rien pu tirer de son butin. Une inscription manuscrite de Picasso lui-même, figurant au dos de son tableau le rendait impossible à vendre : « Pour
60 le peuple grec hommage de Picasso. » L'artiste en a fait don à l'État grec après la Seconde Guerre mondiale pour saluer la résistance du pays aux forces de l'Axe. Mauvaise pioche, pour
65 l'homme qui risque tout de même 10 ans de prison. Quant au tableau de Picasso, il n'était pas au bout de ses malheurs. Durant une conférence de presse, après que les œuvres ont été
70 retrouvées et alors que les caméras des chaînes grecques sont rivées sur les tableaux, la *Tête de femme* glisse du présentoir et se retrouve au sol. Les deux tableaux regagneront leur musée
75 d'origine après une restauration dont ils auront bien besoin.

Numéro, 7 juillet 2021

1. policiers
2. malheureusement pour lui

 ## Compréhension écrite

Entrée en matière

1 | Lisez le titre de cet article. Dans quelle rubrique le classeriez-vous ?

Lecture

2 | Où et quand le vol de tableaux a-t-il eu lieu et qui en est l'auteur ?

3 | Comment le voleur avait-il préparé son coup ?

4 | Comment a-t-il fait pour entrer dans le musée et échapper au vigile ?

5 | Le voleur avait-il prévu de dérober une œuvre de Picasso ? Quelle a été sa motivation ?

6 | Qu'a-t-il fait de son butin pendant dix ans ? Où a-t-il finalement déplacé les œuvres et pour quelle raison ?

7 | Quelle est la particularité du tableau de Picasso ?

8 | Les œuvres retrouveront-elles leur place en l'état au musée ?

Vocabulaire

9 | Trouvez des équivalents de :
a. une décennie
b. passé aux aveux
c. son butin
d. une toile
e. se retrouver nez à nez

 ## Production écrite

10 | Et vous, si vous deviez dérober une œuvre d'art, ce serait laquelle ? Expliquez les raisons avouables et inavouables qui motiveraient ce vol dans un mail à un(e) ami(e).

B | *La Joconde* se rebelle

12 **Compréhension audiovisuelle**

Entrée en matière

1 | Observez l'image. Quel est l'élément comique de la scène ?

1er visionnage (en entier, sans le son)

2 | Observez les émotions de *La Joconde* et imaginez le sujet de la conversation entre elle et son interlocuteur.

2e visionnage (en entier, avec le son)

3 | Qui Mona Lisa appelle-t-elle ?

4 | Pourquoi est-elle en colère ?

5 | Comment réagit son interlocuteur ?

6 | Pourquoi souhaite-t-elle être transférée dans le tableau de *La Cène* ? Est-ce possible ?

7 | Aime-t-elle son sourire ? Son interlocuteur est-il d'accord avec elle ? Pour quelles raisons ?

8 | Que lui annonce son agent pour détourner la conversation ?

9 | Que se passe-t-il à la fin de la conversation ?

Vocabulaire

10 | Reformulez en français standard les expressions familières suivantes :

a. Alors quoi de neuf ?

b. J'ai la mâchoire déglinguée.

c. Papoter avec 13 personnes.

d. Je vais me faire brancher.

e. Ça rigole pas, hein ?

❯ En direct sur **rfi SAVOIRS**

C | L'art du recyclage 58

Appolinaire GUIDIMBAYE

" **Y a des tonnes de trucs que je récupère.** "

2e écoute (en entier)

4 | Vrai ou faux ? Justifiez votre réponse.

a. Enfant, Appolinaire fabriquait ses jouets avec de vieilles chaussures.

b. Les gens sont bienveillants quand il collecte des déchets en ville.

c. Doff, son nom d'artiste, signifie « le fou » en wolof.

d. Ses tableaux sont colorés et de petits formats.

e. Dans ses œuvres, les douilles dénoncent les inégalités et l'agressivité.

f. Appolinaire a fait des études pour devenir artiste.

g. Doff n'a exposé ses pièces qu'au Tchad.

Compréhension orale

Entrée en matière

1 | Décrivez la photo.

1re écoute (en entier)

2 | Qui est Appolinaire ? Où vit-il ?

3 | Que récupère-t-il pour composer ses tableaux ?

Production orale

5 | Selon vous, une œuvre d'art doit-elle être porteuse d'un message ? Connaissez-vous des artistes ou des œuvres d'art qui ont pour but de dénoncer quelque chose ?

Activité complémentaire

rfi SAVOIRS

Unité **12**

Grammaire

Indicatif, subjonctif ou infinitif ?

Échauffement

1 | Observez les phrases suivantes et justifiez l'emploi du mode souligné.

a. Un homme s'est introduit à la Pinacothèque d'Athènes pour y <u>dérober</u> un tableau.

b. Une alarme se déclenche alors qu'il <u>pousse</u> une porte.

c. Il rampe jusqu'à <u>se retrouver</u> nez à nez avec un Picasso.

d. Durant une conférence de presse, après que les œuvres <u>ont été retrouvées</u> et alors que les caméras <u>sont rivées</u> sur les tableaux, la *Tête de femme* glisse du présentoir et se retrouve au sol.

Fonctionnement

2 | Qu'expriment les phrases ci-dessus ?

Les conjonctions suivies de l'indicatif		Les conjonctions suivies du subjonctif	
La cause	**Le temps (simultanéité)**	**La cause**	**Le temps (antériorité)**
• car	• alors que	• pour que	• avant que
• parce que	• dès que	• afin que	• jusqu'à ce que
• puisque	• lorsque	• de sorte que	• en attendant que
	• pendant que	• de façon que	
La conséquence	• tant que		**Les sentiments**
• de sorte que		**La concession**	• de peur que
• de façon que	**Le temps (postériorité)**	• bien que	• de crainte que
• de manière que	• après que	• quoique	
• si ... que	• depuis que		
• si bien que	• une fois que	**La condition**	
• tellement ... que		• à condition que	
		• à moins que	
		• en admettant que	

> **Rappel**
>
> Quand le sujet de la proposition principale est le même que celui de la subordonnée, il est généralement impossible d'avoir le subjonctif.
> On utilise **l'infinitif** :
> *Payez votre billet avant d'entrer.*
> (et non pas *que vous entriez*)
>
> Cependant, on utilise **bien que** + subjonctif.
> *Bien qu'il ait lu une bonne critique, il n'a pas envie de voir cette exposition.*

Entraînement

3 | Complétez les phrases suivantes.

a. Elle a eu un coup de cœur pour cette œuvre dès que ....

b. Organise ton expo dans cette célèbre galerie de façon que ....

c. Ce peintre est au sommet de son art si bien que ....

d. Le voleur a dissimulé la statuette dans sa poche de sorte que ....

e. Ce tableau de Picasso n'est pas authentique car ....

f. Il a fait un don de 10 000 euros au musée après que ....

g. Tout le monde parle de ce designer quoique ....

h. Tu peux acheter cette toile à condition que ....

4 | Remplacez les noms par des verbes. Utilisez l'indicatif, le subjonctif ou l'infinitif.

a. Je serai dans mon atelier jusqu'à ton retour.

b. L'artiste est énervé à cause d'une mauvaise critique dans *Art Mag*.

c. Pendant sa jeunesse, il avait appris le dessin à l'école des Beaux-Arts.

d. J'aime la vie d'artiste malgré le manque d'argent.

e. Depuis quelques années, le nombre d'expositions sur Internet croît rapidement.

f. On a embauché Léa après sa contribution au site de ce musée.

g. Ils feront tout pour la réussite du projet.

Entraînez-vous !

Cahier d'activités

Documents

D | Art et argent, une relation difficile

Ben VAUTIER

1 Si, au premier abord, on peut se sentir choqués de mêler l'argent à l'essence de l'art, *ces deux notions sont-elles totalement incompatibles ? Qu'est-ce*
5 *que l'art ?* Qu'est-ce qui devrait écarter l'art de toute marchandisation ?
Il peut apparaître de mauvais goût ou gênant d'un point de vue éthique, de mêler le pécuniaire à l'exercice de
10 l'artistique. En effet, l'acte créateur tendrait vers une certaine noblesse et un désintérêt pour l'argent ; on peut toutefois constater qu'il s'inscrit dans une logique économique ou même dans un marché.
On peut également se rendre compte que l'art est souvent présent sur des terrains relevant du domaine marchand ou commercial : publicité, partenariats,
15 etc. Cependant il existe une frange artistique où, sans porter de jugement de valeur morale, l'œuvre d'art devient une forme d'investissement commercial s'inscrivant dans un patrimoine du domaine particulier. C'est par exemple le cas dans le domaine des ventes aux enchères de tableaux. Il en est de même lorsque les créations s'industrialisent dans des ateliers, comme chez Jeff Koons à qui il
20 arrive de ne jamais intervenir dans le processus de réalisation.
Ainsi l'œuvre d'art devient un bien commercial ou un investissement placé sur une échelle économique, voire sur des plans comparables à une action boursière.

Olivier GOUZOWSKY, *Deuxième Temps*, 18 avril 2018

Compréhension écrite

Entrée en matière

1 | Observez l'œuvre de l'artiste Ben. Que soulève-t-il selon vous ?

Lecture

2 | Selon l'auteur, pourquoi peut-il être embarrassant de mélanger art et argent ?

3 | À quel moment, selon l'auteur, une œuvre d'art devient-elle également un produit ?

4 | Qu'est-ce qui caractérise les créations et le travail de Jeff Koons ?

5 | Dans quel cas l'auteur compare-t-il une œuvre d'art à une action boursière ?

Production écrite

6 | Réagissez sur le site de ce magazine. Donnez votre point de vue sur le mariage de l'art et du monde des affaires.

E | Une visite au Mucem 59

Compréhension orale

1re écoute (en entier)

1 | Quelle est la situation ? Qui parle ?

2 | Quel est le sujet de la conversation ?

2e écoute (en entier)

3 | Comment réagissent les deux visiteurs à la vue des sculptures de Jeff Koons ?

4 | Quelle vision l'homme a-t-il d'une œuvre d'art ?

5 | Que lui reproche la femme ?

6 | À quelle condition retourneront-ils voir une exposition ensemble ?

Vocabulaire

7 | Réécoutez l'enregistrement et relevez les différentes expressions d'appréciation figurant dans le dialogue.

Production orale

8 | Et vous, que pensez-vous des œuvres de Jeff Koons ? Iriez-vous les admirer dans une exposition ?

9 | Quel type d'art préférez-vous ? Pourquoi ?

> « C'est très pop, j'adore ! »

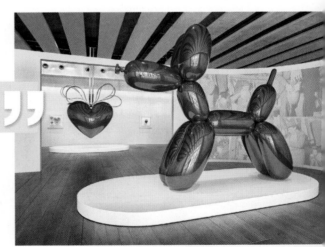

Jeff KOONS au Mucem, 2021

> **Pour** parler de ses goûts
>
> • Je suis dingue/fan de cet artiste.
> • Je suis sensible aux couleurs, aux formes, à la douceur de...
> • Je suis horrifié(e) par ces installations.
> • L'art moderne, ça me laisse indifférent.

Unité 12

Vocabulaire

Jouez avec les mots !
p. 10 « Les expressions imagées »

L'art, l'appréciation

Le monde de l'art
· l'amateur(-trice) d'art
· l'artiste (*m. et f.*)
· le collectionneur
· le connaisseur
· le créateur
· le (la) critique d'art
· le marchand d'art
· le mécène
· l'expert(e)

Les pratiques artistiques
· l'aquarelle (*f.*)
· la bande dessinée
· la caricature
· la fresque
· le graffiti
· l'installation (*f.*)
· la performance
· la photographie
· le portrait
· la sculpture

1 I Donnez la définition des pratiques artistiques suivantes : l'aquarelle, la fresque, le graffiti, la sculpture.

L'appréciation positive
· C'est adorable, attrayant, enchanteur, excellent, exceptionnel, fabuleux, impressionnant, inoubliable, magique, merveilleux, original, pittoresque, ravissant, unique.

Expressions
· Avoir un bon coup de crayon
· C'est de premier ordre.
· Ça en vaut la peine.
· Ça sort de l'ordinaire.
· Être au sommet de son art.
· Faire un tabac

L'appréciation négative
· C'est affreux, artificiel, banal, confus, ennuyeux, grotesque, kitsch, laid, lamentable, moche, nul, scandaleux, snob, vulgaire.

Expressions
· C'est une croûte.
· C'est de mauvais goût.
· C'est pas top/pas terrible.
· Ça ne casse pas des briques.
· Une horreur !
· Ce n'est pas ma tasse de thé.
· Ça ne me fait ni chaud ni froid.
· Ça ne m'emballe pas.

2 I Utilisez un adjectif et une expression pour qualifier :
a. le musée du Louvre
b. une sculpture de Jeff Koons
c. *la Joconde*
d. le dernier concert de Vanessa Paradis
e. un poème de Victor Hugo

3 I Retrouvez les expressions correspondant aux définitions suivantes.
Exemple : C'est sans intérêt → Ça ne casse pas des briques.
a. Cela manque de raffinement. → ....
b. Ça me laisse indifférent. → ....
c. Ce n'est pas génial. → ....
d. Je ne suis pas très enthousiaste. → ....
e. C'est un tableau sans valeur. → ....

ENQUÊTE

Les jeunes aiment la culture

■ Le cinéma et la lecture arrivent en tête des activités culturelles de la jeunesse. Voilà quelques-uns des résultats d'une enquête nationale menée en 2019 auprès de 4 500 personnes de métropole et d'outre-mer, âgées de 18 à 30 ans. Elle indique aussi que les principaux obstacles demeurent le coût (50 %) et le temps (43 %).

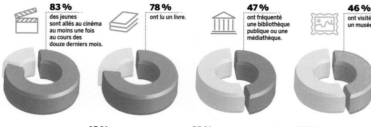

83 % des jeunes sont allés au cinéma au moins une fois au cours des douze derniers mois.

78 % ont lu un livre.

47 % ont fréquenté une bibliothèque publique ou une médiathèque.

46 % ont visité un musée.

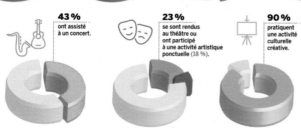

43 % ont assisté à un concert.

23 % se sont rendus au théâtre ou ont participé à une activité artistique ponctuelle (18 %).

90 % pratiquent une activité culturelle créative.

Production orale

4 I Lisez cette enquête. Êtes-vous surpris par les résultats ? Pourquoi ? Les jeunes de votre pays ont-ils des pratiques culturelles similaires ?

5 I « Aujourd'hui, plus que jamais, les gens ont besoin de la culture. La culture nous rend plus résistants. Elle nous donne de l'espoir. Elle nous rappelle que nous ne sommes pas seuls. » (UNESCO)
En binômes, évoquez la place de la culture dans votre vie.

Entraînez-vous !

Cahier d'activités

Source : baromètre 2019 DJEPVA (Direction de la jeunesse, de l'éducation populaire et de la vie associative) sur la jeunesse, en collaboration avec le Crédoc (Centre de recherche pour l'étude et l'observation des conditions de vie).

Beaux Arts magazine, 2020

Cultures

Se tirer le portrait

F | Selfie et image de soi

**1 Un aboutissement
de la connaissance de soi**

Jusqu'au XIXᵉ siècle, à part leur reflet dans l'eau, la plupart des gens
5 n'ont jamais vu leur visage. Les miroirs existent depuis des millénaires, mais sont réservés à la bourgeoisie. La commercialisation massive des miroirs et la photographie boule-
10 versent le regard que l'on porte sur nos visages.

Une démocratisation de la visibilité

Le portrait avait le plus souvent pour fonction d'asseoir une autorité.

15 La démocratisation du selfie a effacé cette fonction pour en prendre une nouvelle : la reconnaissance de soi. Aujourd'hui, cette reconnaissance se fait souvent à travers des filtres, du
20 buzz, des likes, assumant le rapport publicitaire de nos images.

Une marchandisation des échanges

Devenu un contenu que l'on produit gratuitement le selfie est à la fois
25 source d'émancipation et de servitude volontaire. Dès les premiers portraits, il y a eu marchandisation des images. Des visages se sont échangés, ont été

commercialisés, mais c'est la numéri-
30 sation à partir des années 1990 qui a fait exploser les échanges.

Une mise en scène pour mieux se retrouver

Le selfie permet des transformations
35 radicales via les filtres proposés par les applications, mais ce phénomène n'est pas nouveau. Dès l'apparition du portrait, le visage a été transformé par le maquillage, le déguisement, la
40 mise en scène ou encore le masque.

Elsa MOURGUES, *France Culture*,
20 mars 2020

G | Quand les internautes reproduisent des œuvres d'art

1 Vous aussi, faites appel à votre créativité pour réinterpréter à la maison des œuvres d'art ! Le Musée Fabre invite les internautes à reproduire chez eux et avec les moyens du bord des tableaux et des œuvres d'art issus
5 des collections. Pour participer, il suffit de parcourir les collections du musée en ligne pour choisir l'œuvre que vous souhaitez imiter puis de recréer celle-ci avec les objets qui vous entourent. « Les versions humoristiques sont acceptées », explique le musée.

Caroline COUFFINHAL, *La Gazette de Montpellier*,
10 avril 2020

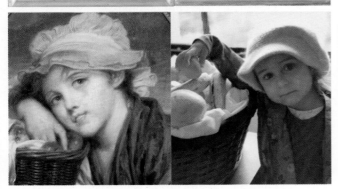

Œuvres du musée Favre reproduites par des internautes.

1 | Quelle œuvre d'art aimeriez-vous réinterpréter ? Pourquoi ?

2 | Prenez-vous beaucoup de selfies ? Dans quels buts ?

3 | Pensez-vous, comme l'auteur, que le selfie permet « une mise en scène pour mieux se retrouver » ? Selon vous, faut-il contrôler l'image que l'on donne de soi-même ? Pour quelles raisons ?

4 | Accordez-vous de l'importance à l'esthétique de ces portraits de vous-même ? Utilisez-vous des filtres ou d'autres procédés ?

Unité 12

H | L'art est-il bon pour la santé ?

1 Les études sont formelles : les visites au musée, l'art-thérapie ou la simple contemplation d'œuvres nous font du bien. Mais quels sont vraiment les bienfaits de l'art sur la santé ?

5 « Il y a un siècle, les gens n'étaient pas persuadés que le sport était bon pour la santé. Nous nous trouvons dans le même cas de figure aujourd'hui avec les œuvres d'art », affirme Nathalie Bondil, directrice et conservatrice en chef du Musée des beaux-arts de 10 Montréal (MBAM), très actif sur ces questions. La devise du musée résume l'approche : « L'art fait du bien. Mais il peut aussi soigner. » À n'en pas douter ! Depuis une trentaine d'années, en France, de nombreuses structures de santé partagent ce constat avec l'art-thérapie, qui reste 15 encore méconnue. En utilisant toutes les formes artistiques (par exemple le dessin pour les plus jeunes, la photo et la vidéo pour les personnes âgées), l'art-thérapie améliore l'humeur du patient, lui permet de réduire sa dose de médicaments, et réduit sa convalescence. Mais que se 20 passe-t-il concrètement dans notre cerveau ?

L'art réveille notre empathie

D'après Platon, « le premier bien est la santé, le deuxième la beauté » (*Lois II*, 22). Les études en neurosciences de ces dernières années ont confirmé les intuitions des 25 philosophes de l'Antiquité : regarder une œuvre d'art, faire de la musique, a des effets directs sur notre cerveau.

Pour Pierre Lemarquis, neurologue, tout se passe comme si « l'art nous caressait le cerveau ». Son ouvrage, *Portrait du cerveau en artiste*, explique que la contemplation d'une 30 œuvre d'art sollicite le cortex frontal, siège de la raison (lorsque nous cherchons à comprendre une installation d'art contemporain, par exemple). Si celle-ci nous plaît, notre cerveau augmente la luminosité, le contraste et les couleurs pour en profiter pleinement. Très vite, nous 35 réveillons nos neurones miroirs, c'est-à-dire nos neurones de l'empathie. Plus étonnant encore, le gyrus fusiforme bilatéral s'active aussi. C'est la zone impliquée dans la reconnaissance des visages : on voit un beau tableau comme on voit une personne aimée ! Tout cela se ressent 40 sur notre santé. Récemment, une enquête de chercheurs de l'University College de Londres, publiée dans le *British Journal of Psychiatry*, concluait ainsi que les visites culturelles réduisent les risques de souffrir de dépression au cours de la vie : 32 % de risques en moins de tomber 45 en dépression en devenant sénior, quand on se rend au cinéma, au théâtre ou au musée plusieurs fois par an. Le chiffre grimpe à 48 % de risques en moins pour ceux qui s'y rendent une fois par mois ou plus.

Malika BAUWENS, *Beaux Arts*, 22 janvier 2019

 ## Compréhension écrite

Entrée en matière

1 | Selon vous, quels pourraient être les liens entre art et santé ?

Lecture

2 | Quel parallèle est établi entre la pratique du sport au siècle dernier et l'art-thérapie de nos jours ?

3 | Quelle institution culturelle est très concernée par les bienfaits de l'art sur la santé ?

4 | Quels sont les bénéfices de l'art-thérapie sur un patient ?

5 | En quoi Platon et les philosophes de l'Antiquité étaient-il des précurseurs ?

6 | Comment notre cerveau réagit-il à la contemplation d'une œuvre d'art ? Quel sentiment fait-elle naître en particulier ?

7 | Sur quelle maladie les sorties culturelles présentent-elles des bienfaits ?

Vocabulaire

8 | Expliquez les mots suivants :
a. les études sont formelles (l. 1)
b. la devise (l. 10)
c. convalescence (l. 19)
d. l'empathie (l. 36)

 ## Production orale

9 | Suite à la lecture de cet article vous essayez d'encourager votre ami stressé par son travail à pratiquer une activité artistique. Imaginez un dialogue en binôme et jouez la scène.

I ▍Se soigner l'âme, le corps et l'esprit au musée 60

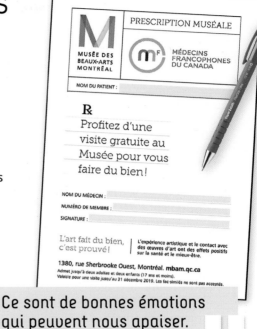

🎧 Compréhension orale

Entrée en matière

1 ▍ Selon vous, quelles « bonnes émotions » peut-on ressentir lors d'une visite au musée ?

1ʳᵉ écoute (en entier)

2 ▍ Que présente Denyse Lalonde pour visiter le musée des beaux-arts de Montréal gratuitement ?

3 ▍ Pourquoi son médecin lui a-t-elle prescrit cette visite muséale ?

2ᵉ écoute (en entier)

4 ▍ Quel projet pilote Hélène Boyer a-t-elle lancé avec le musée des beaux-arts de Montréal ?

5 ▍ Pourquoi ce musée était-il le partenaire idéal ?

6 ▍ Quel type d'émotions procure le contact avec l'art ?

7 ▍ Que ressent Denyse lors de ses visites au musée ?

Vocabulaire

8 ▍ Expliquez les énoncés suivants :

a. ça m'émeut   **b.** ça génère des émotions positives   **c.** être mieux connecté avec soi-même

> Ce sont de bonnes émotions qui peuvent nous apaiser.

💬 Production orale

9 ▍ Que pensez-vous de ce projet ? Une telle initiative existe-t-elle déjà dans votre pays ?

10 ▍ Que ressentez-vous au contact de l'art (peinture, littérature, danse, musique...) ?

J ▍Devenir art-thérapeute

Formation **ART-THÉRAPIE**

■ Certification d'art-thérapeute
Formation qualifiante

■ Collaboration avec les facultés de médecine de Tours, Lille-Ucl et Grenoble

Musicothérapie,
Arts plastiques et thérapie,
Arts graphiques et thérapie,
Arts corporels et thérapie...

L'art-thérapie est l'utilisation et l'évaluation des effets de l'esthétique par la pratique artistique dans l'objectif de valoriser les potentialités et la partie saine de la personne en souffrance.

L'art-thérapie s'adresse aux personnes qui souffrent de troubles de l'expression, de la communication, ou de la relation.

Exercée avec toute forme d'art, discipline à part entière et complémentaire, l'art-thérapie est alignée sur les professions paramédicales officielles.

L'art-thérapeute exerce son activité sous l'autorité médicale (chef de service d'un hôpital par ex.) ou institutionnelle (directeur d'Ehpad par ex.).

Réf. art. 9 du code de déontologie art-thérapeutique.

📄 Compréhension écrite

Lecture

1 ▍ Qu'est-ce que l'art-thérapie ? Quelles disciplines artistiques sont concernées ?

2 ▍ À qui s'adresse cette brochure ?

3 ▍ L'art-thérapie se classe dans quel type de profession ?

4 ▍ Qui régit l'activité d'art-thérapeute ?

5 ▍ Cette profession existe-t-elle dans votre pays ?

✏️ Production écrite ▐DELF▌B2

6 ▍ Vous souhaitez devenir art-thérapeute et décidez de postuler à cette formation proposée à la faculté de Tours. Dans votre lettre de candidature, vous insistez sur votre motivation et sur les qualités qui font de vous le(la) candidat(e) idéal(e).

Afratapem, 2021

Unité 12

Vocabulaire

Les sentiments

Jouez avec les mots !
> p. 10 « Poèmes en rimes »

La colère
- l'agressivité (*f.*)
- la fureur
- la rage
- s'emporter
- s'indigner

Expressions
- bouillir de colère
- être hors de soi
- voir rouge

L'énervement (*m.*)
- l'agacement (*m.*)
- la contrariété
- être tendu(e)
- se crisper

Expressions
- Ça me prend la tête, le chou
- Ça me rend fou, dingue

1 I Trouvez les contraires des noms et expressions suivants :
- **a.** la bienveillance, la douceur
- **b.** être relax
- **c.** garder son calme
- **d.** ne pas se compliquer la vie

L'inquiétude (*f.*)
- être fou(folle) d'inquiétude
- l'affolement (*m.*)
- l'anxiété (*f.*)
- la préoccupation
- le tourment
- se tourmenter
- se faire du souci

La gêne
- cacher sa gêne
- être mal à l'aise
- la confusion
- l'embarras (*m.*)
- rougir jusqu'aux oreilles
- le trouble

Production orale

2 I Certaines émotions comme la peur, la colère, la tristesse, la culpabilité et la honte sont considérées comme négatives. Êtes-vous d'accord ? Pourquoi et dans quelles circonstances le sont-elles ?

3 I Les émotions sont exprimées de façons très diverses selon les cultures. Dans votre pays, est-il bien vu ou mal vu de se laisser aller à ses émotions en public, en famille... ?

La joie
- la bonne humeur
- jubiler
- s'enthousiasmer
- se réjouir

Expressions
- être aux anges
- être un boute-en-train
- sauter au plafond

La surprise
- l'étonnement (*m.*)
- la stupéfaction
- surprendre

Expression
- ne pas en croire ses yeux

4 I Existe-t-il des expressions équivalentes dans votre langue pour exprimer la joie et la surprise ?

La tristesse
- être abattu(e), accablé(e), désespéré(e)
- éprouver du chagrin, de la détresse
- ressentir de la mélancolie, de la nostalgie, de la peine

5 I Quels noms correspondent aux adjectifs suivants ?
- **a.** abattu(e)
- **b.** accablé(e)
- **c.** affligé(e)
- **d.** désespéré(e)

Expressions
- avoir le cafard
- avoir le moral dans les chaussettes
- avoir les larmes aux yeux
- en avoir gros sur le cœur
- pleurer à chaudes larmes
- voir le verre à moitié vide

6 I Couleurs et sentiments : complétez avec une couleur en faisant les accords si nécessaires.
- **a.** voir la vie en ....
- **b.** broyer du ....
- **c.** rire ....
- **d.** voir ....
- **e.** être .... de rage
- **f.** faire .... mine

Exprimer ses sentiments et ses émotions
- être bouleversé(e), ému(e), émerveillé(e)
- générer des émotions positives ≠ négatives
- procurer du bien-être, du plaisir
- ressentir, éprouver
- se sentir apaisé(e), fort(e), mieux connecté(e) avec soi-même

Production écrite

7 I Vous avez pris cette photo lors d'un spectacle et décidez de la poster et de rédiger un commentaire sur un réseau social. Imaginez où et quand vous avez pris cette photo, et décrivez vos émotions. Aidez-vous des expressions ci-dessus.

8 I 61 Intonation
Écoutez ce poème puis récitez-le en essayant d'imiter le ton de la comédienne.

Entraînez-vous !

Cahier d'activités

Documents

K ▌ Art brut

1 La collection d'Art brut du Centre Pompidou vient de considérablement s'étoffer. Le centre d'art a annoncé accepter la donation de
5 921 œuvres réalisées par 242 artistes et provenant de la collection privée de Bruno Decharme. Souhaitant protéger ces productions précieuses et méconnues, le collectionneur désirait en effet en faire don à une
10 institution à même de les protéger et de les mettre en valeur. Ce précieux ensemble permettra à ce mouvement de prendre sa juste place dans l'histoire de l'art et de dialoguer avec les œuvres modernes et contemporaines.

Pascal-Désir MAISONNEUVE, *Sans titre*, 1928

Mise en valeur exceptionnelle

15 Cette collection très imposante, de presque un millier d'œuvres, sera exposée dans une nouvelle salle dédiée au cinquième étage, au sein de laquelle les pièces exposées changeront tous les 6 mois. La rotation des œuvres permettra de montrer la richesse de ce fonds exceptionnel,
20 qui représente environ un sixième de la collection totale de Bruno Decharme.

L'Art brut, un patrimoine méconnu

Pour le créateur et fervent défenseur du terme « Art brut », Jean Dubuffet (1901-1985), ce mouvement
25 se caractérise par l'absence de culture artistique des artistes qui le composent. Il s'agit pour lui d'un art extrêmement inventif, spontané, qui puise non pas dans des codes prédéfinis par les standards artistiques passés ou contemporains, mais une expression « où se mani-
30 feste la seule fonction de l'invention ». Si Jean Dubuffet défendait une vision de l'Art brut déconnectée par essence des mouvements artistiques traditionnels, Bruno Decharme souhaite que sa collection, qui comprend les œuvres d'artistes de nombreux pays, puisse être mise

en relation avec les autres œuvres du Musée national d'art moderne. La notion d'absence de culture artistique chez les créateurs d'Art brut était parfois relativement souple et les interactions entre les différents mouvements du XXᵉ siècle et l'Art brut peuvent être intéressantes à observer pour les visiteurs, et à étudier pour les chercheurs. Avec cette donation, le public pourra ainsi découvrir un pan peu connu de l'histoire de l'art à travers des œuvres capitales et étonnantes. On retrouvera ainsi pêle-mêle des illustrations du *Dictionnaire du surréalisme* d'André Breton, des broderies de Jeanne
50 Tripier, une lettre de 6 mètres de long écrite par Harald Stoffers ou encore une série d'œuvres produites par des personnes souffrant de handicaps mentaux. La question psychiatrique
55 est, entre autres, au cœur des productions de l'Art brut. La caractérisation de cet art comme un courant en
60 tant que tel a en effet commencé par une série de visites de Jean Dubuffet au sein d'hôpitaux psychiatriques
65 où les patients étaient invités à dessiner.

Jean DUBUFFET, *Autoportrait II*, 1966

Antoine BOURDON,
Connaissance des Arts,
10 juin 2021

 ## Compréhension écrite

Entrée en matière

1 ▌ Observez les photos. Selon vous, pourquoi parle-t-on d'Art brut ?

Lecture

2 ▌ Qui est Bruno Decharme ? Quel don a-t-il fait au Centre Pompidou ? Pour quelle raison ?

3 ▌ Comment le Centre Pompidou va-t-il mettre en valeur cette nouvelle acquisition ?

4 ▌ Qui a inventé le concept d'« Art brut » ? Quelle définition en donne-t-il ?

5 ▌ Comment Bruno Decharme souhaite-il que sa collection soit exposée ? Pourquoi ?

6 ▌ Quels artistes sont représentés dans sa collection ? Quelles œuvres ont-ils produites ?

7 ▌ Qu'est-ce qui caractérise les premiers artistes de l'Art brut ?

Vocabulaire

8 ▌ Relevez les mots en relation avec le thème de l'art.

 ## Production orale

9 ▌ Jean Dubuffet a écrit : « Le vrai art, il est toujours là où on ne l'attend pas. Là où personne ne pense à lui ni ne prononce son nom. » Qu'en pensez-vous ?

Unité 12

Grammaire

Les pronoms relatifs

Échauffement

1 ∎ Dans les phrases suivantes, quels sont les pronoms relatifs simples et les pronoms relatifs composés ?

a. Cette collection sera exposée dans une nouvelle salle au cinquième étage, au sein de laquelle les pièces exposées changeront tous les six mois.

b. Il s'agit d'un art extrêmement inventif, spontané, qui puise non pas dans des codes prédéfinis par les standards artistiques passés ou contemporains, mais une expression où se manifeste la seule fonction de l'invention.

c. On retrouvera ainsi des illustrations du *Dictionnaire du surréalisme* d'André Breton dont la couverture est illustrée par Yves Tanguy, des broderies de Jeanne Tripier sur lesquelles prend forme un univers inventif et coloré.

Fonctionnement

2 ∎ Observez les pronoms relatifs composés dans les phrases précédentes. Quelle est leur fonction et avec quoi s'accordent-ils ?

Prépositions	
à	**à qui** (pour les personnes) *ou* **auquel / à laquelle / auxquels / auxquelles** (pour les personnes et les choses)
préposition + **de** (près de, loin de…)	**de qui** (pour les personnes) *ou* **duquel / de laquelle / desquels / desquelles** (pour les personnes et les choses)

Autres prépositions		
sur, sous, avec, dans, pour, chez, par, etc.	**+**	**qui** (pour les personnes) *ou* **lequel / laquelle / lesquels / lesquelles** (pour les personnes et les choses)

Entraînement

3 ∎ Complétez en choisissant parmi les pronoms relatifs suivants : *qui/que/dont/où – duquel/ de laquelle/desquels – auquel/à laquelle/auxquels/auxquelles*

a. Le Musée des beaux-arts de Montréal est l'endroit .... Sophie travaille. Elle y accueille des visiteurs munis d'une ordonnance depuis 2020, année .... le musée a débuté un projet d'art-thérapie. Les patients-visiteurs déambulent dans les salles au sein .... ils s'imprègnent avec bonheur de la beauté des œuvres d'art .... ils contemplent avec attention.

b. La sortie au théâtre a fait découvrir aux jeunes des quartiers populaires un univers .... on leur parle peu dans leur milieu. Après le spectacle, les jeunes ont rencontré les comédiens auprès .... ils ont parlé du métier d'acteur. Cette rencontre leur a permis de découvrir l'existence d'une scène théâtrale .... ils pourront aussi participer grâce à des ateliers.

4 ∎ Complétez avec un pronom relatif et, si nécessaire, une préposition.

a. C'est le médecin à .... vous devriez vous adresser pour l'art-thérapie.

b. Bachir a écrit une thèse sur l'Art brut dans .... il fait une analyse des œuvres de Jean Dubuffet.

c. Les tableaux .... je pense sont au Musée d'Art contemporain de Marseille.

d. Ce plasticien utilise des techniques spécifiques .... il n'existe pas de formation.

e. La chaise .... Mina est assise a été créée par Philippe Starck.

f. Le collectionneur .... je négocie est très intéressé par mes sculptures.

5 ∎ Reformulez les phrases suivantes en utilisant des pronoms relatifs composés.

Exemple : Elie se rend régulièrement au musée <u>pour</u> des raisons médicales. →
Les raisons pour lesquelles Elie se rend régulièrement au musée sont médicales.

a. Lors du vernissage, tu étais assise <u>à côté d</u>'un grand critique d'art. → L'homme ....

b. Le peintre range ses dessins <u>dans</u> un dossier rouge. → Le peintre a un dossier rouge ....

c. Il avait stocké ses photos <u>sur</u> une clé USB. → Il ne retrouve plus la clé USB ....

d. Cet artiste travaille <u>avec</u> des matériaux récupérés et recyclés. → Les matériaux ....

Entraînez-vous !

Cahier d'activités

Grammaire/Vocabulaire

1 | **Indicatif ou subjonctif ? Conjuguez le verbe à la forme correcte.**

a. Je t'ai envoyé une invitation afin que tu (*venir*) .... au vernissage de mon expo.

b. Vous devriez passer chez mon ami galeriste avant qu'il s'en (*aller*) ....

c. Puisque tu (*être*) .... allergique à l'art contemporain, j'irai au Mucem toute seule.

d. Vous pouvez entrer gratuitement à condition que vous (*avoir*) .... une ordonnance muséale.

e. Bien que cet artiste (*être*) .... renommé, ses peintures me laissent froid.

f. Lorsque tu (*acheter*) .... le billet d'entrée, je te rejoindrai.

g. J'achèterai cette toile à ce peintre dès qu'il la (*terminer*) ....

h. Après qu'elle (*partir*) ...., je me suis préparé pour aller au concert.

2 | **Complétez les phrases suivantes par un pronom relatif et, si nécessaire, une préposition.**

a. Jeff Koons est un artiste .... on parle beaucoup dans les médias.

b. Cet ami est un amateur d'art .... je peux compter.

c. C'est une bande dessinée .... j'ai envie d'acheter.

d. La boutique à côté .... se trouve le musée va bientôt fermer.

e. Vous connaissez Honfleur ? C'est une ville .... on trouve de nombreuses galeries d'art.

f. L'expert avec l'aide .... j'ai écrit ce livre est un spécialiste de l'art contemporain chinois.

g. Ce collectionneur m'a fait une proposition .... je vais réfléchir sérieusement.

h. Les personnes vers .... je me tourne, quand j'ai des soucis, sont mes amis artistes.

3 | 📱62 **Écoutez ces appréciations. Dites si elles sont positives ou négatives.**

4 | **Quel est le sentiment exprimé dans les phrases suivantes ?**

la joie – la gêne – la tristesse – l'inquiétude – la colère –
la surprise – l'énervement

a. Les mauvaises critiques commencent à me casser les pieds.

b. Il est embarrassé par les demandes d'autographes.

c. Ses œuvres ont tant de succès qu'elle n'en croit pas ses yeux.

d. Les compliments l'ont fait rougir jusqu'aux oreilles.

e. Tant de bienveillance à son égard la comble de bonheur.

f. L'incompréhension du public le met hors de lui.

g. Elle a pleuré toutes les larmes de son corps suite à l'échec de son expo.

h. Je me fais du souci pour cet artiste sans le sou.

i. Elle est aux anges d'avoir vendu une de ses toiles.

5 | **Associez les éléments.**

a. être au sommet de son art

b. avoir un bon coup de crayon

c. faire un tabac

d. sortir de l'ordinaire

e. avoir le cafard

f. être gai comme un pinson

g. être un boute-en-train

h. voir le verre à moitié vide

i. se prendre la tête

1. être pessimiste

2. avoir du succès

3. amuser les autres

4. s'énerver

5. être le meilleur dans son domaine

6. avoir les idées noires

7. être très joyeux

8. bien dessiner

9. se démarquer

Unité **12**

Atelier médiation

Exprimer une réaction personnelle à l'égard d'une œuvre d'art

1 Situation

Vous visitez un musée avec votre ami(e). Vous avez chacun(e) un coup de cœur pour une œuvre différente. Vous allez exprimer l'effet que produit cette œuvre sur vous.

2 Mise en œuvre

▷ **En binômes**

- Chacun choisit une œuvre d'art différente.

- Vous allez réagir face à cette œuvre :
  – expliquer pourquoi vous aimez cette œuvre à votre binôme ;
  – donner une interprétation personnelle de l'œuvre ;
  – décrire vos émotions.

- Votre binôme réagit et vous présente à son tour une œuvre d'art.

Stratégies **Parler de l'effet produit par une œuvre d'art sur un individu**

- Pour évoquer l'effet qu'une œuvre d'art a sur vous, vous allez présenter clairement vos réactions, développer vos idées et les étayer par des exemples. Vous pourrez par exemple :

  – décrire l'émotion suscitée par l'œuvre et expliquer pourquoi elle déclenche cette réaction ;

  – décrire le/les personnages et dire auquel vous vous identifiez le cas échéant ;

  – établir des rapports entre certains aspects de l'œuvre (forme d'expression, style, contenu...) et votre propre expérience ;

  – relier vos sensations et vos émotions.

Documents médiation

Diplôme d'études en langue française DELF B2

Nouvelle épreuve

Niveau B2 du Cadre européen commun de référence pour les langues

NATURE DES ÉPREUVES	DURÉE	NOTE SUR
1. Compréhension de l'oral Réponse à des questionnaires de compréhension portant sur plusieurs documents enregistrés (deux écoutes maximum). *Durée maximale de l'ensemble des documents : 15 min*	**30 minutes environ**	/25
2. Compréhension des écrits Réponse à des questionnaires de compréhension portant sur plusieurs documents écrits.	**1 heure**	/25
3. Production écrite Prise de position personnelle argumentée (contribution à un débat, lettre formelle, article critique…).	**1 heure**	/25
4. Production orale Présentation et défense d'un point de vue à partir d'un court document déclencheur.	**20 minutes** *Préparation : 30 minutes*	/25
	NOTE TOTALE :	/100

Seuil de réussite pour obtenir le diplôme : 50/100

Note minimale requise par épreuve : 5/25

Durée totale des épreuves collectives : 2 heures et 30 minutes

DELF
B2

1. Compréhension de l'oral [25 points]

Vous allez écouter plusieurs documents.
Avant chaque écoute, vous entendez le son suivant : 📣*.*
Pour répondre aux questions, cochez ⊠ *la bonne réponse.*

📱63 Exercice 1 [9 points]

Vous allez écouter 2 fois un document.

Vous écoutez une émission à la radio.
Lisez les questions, écoutez le document puis répondez.

1 | Selon le journaliste, la dictature du « changement perpétuel » imposée par les marques est le fait de… [1,5 point]

A ☐ créer un désir constant de consommation.
B ☐ vendre en très grande quantité très régulièrement.
C ☐ produire des vêtements qui ne durent pas longtemps.

2 | D'après Amélie Meunier, l'innovation des marques… [1 point]

A ☐ est souvent trompeuse.
B ☐ répond parfois à un besoin.
C ☐ s'inspire généralement des médias.

3 | Pour Amélie Meunier, on devrait choisir un vêtement… [1,5 point]

A ☐ qui promet de nous embellir.
B ☐ qui nous plaît au premier regard.
C ☐ avec lequel on crée un rapport affectif.

4 | Pourquoi les nouvelles stratégies marketing inquiètent-elles Amélie Meunier ? [1 point]

A ☐ Elles déshumanisent le consommateur.
B ☐ Elles font la promotion de valeurs négatives.
C ☐ Elles utilisent certaines données pour faire vendre.

5 | Pour Amélie Meunier, notre tenue reflète… [1 point]

A ☐ notre degré de réussite.
B ☐ notre capacité à nous intégrer.
C ☐ nos émotions à travers notre créativité.

6 | D'après Amélie Meunier, quelles sont les conséquences de l'absence d'inclusion dans la mode ? [1,5 point]

A ☐ Les ventes de certains modèles sont en baisse.
B ☐ Les tailles inadaptées augmentent le gaspillage.
C ☐ Les acheteurs ressentent un manque de représentation.

7 | Selon Amélie Meunier, la vente en ligne… [1,5 point]

A ☐ contribue à l'augmentation du gaspillage.
B ☐ dégrade les conditions des salariés de la mode.
C ☐ rend les achats difficiles pour les morphologies différentes.

64 Exercice 2

Vous allez écouter 2 fois un document.

Vous écoutez une émission à la radio.
Lisez les questions, écoutez le document puis répondez.

1 | Selon Amina Janin, la gestion des émotions…

1,5 point

- **A** ☐ est un outil de management à la mode.
- **B** ☐ n'a pas sa place dans le cadre du travail.
- **C** ☐ a un rôle favorable sur les performances professionnelles.

2 | Pour Léo Terrier, certains milieux professionnels…

1,5 point

- **A** ☐ valorisent l'expression des émotions positives.
- **B** ☐ offrent des formations pour gérer les émotions.
- **C** ☐ apportent un soutien psychologique à leurs employés.

3 | Léo Terrier déplore…

1,5 point

- **A** ☐ l'incapacité des employés à gérer leurs émotions
- **B** ☐ l'inexistence d'entreprises qui acceptent les émotions.
- **C** ☐ l'incompétence des supérieurs hiérarchiques à recevoir les émotions.

4 | D'après Amina Janin, des différences de traitement existent selon…

1 point

- **A** ☐ le milieu professionnel.
- **B** ☐ le type d'émotion exprimée.
- **C** ☐ les personnes qui s'expriment.

5 | Comment sont perçus les hommes occupant des postes à responsabilité quand ils s'énervent ?

1 point

- **A** ☐ On considère que cela reflète leur ambition.
- **B** ☐ On s'interroge sur leur capacité à se contrôler.
- **C** ☐ On leur attribue un manque de professionnalisme.

6 | Selon Léo Terrier, l'expression de la colère…

1,5 point

- **A** ☐ doit être évitée au travail.
- **B** ☐ peut se faire à certaines conditions.
- **C** ☐ peut être perçue comme de la faiblesse.

7 | D'après Léo Terrier, quelle est la clé d'une bonne gestion émotionnelle ?

1 point

- **A** ☐ Prendre de la distance lors de conflits.
- **B** ☐ Éviter les situations génératrices d'anxiété.
- **C** ☐ Communiquer efficacement sur ses ressentis.

DELF B2

 65 **Exercice 3**   `7 points`

Vous allez écouter 1 fois trois documents.

Document 1
Lisez les questions. Écoutez le document puis répondez.

1 D'après l'intervenante, les rumeurs sur le recyclage
des médicaments sont…   `1 point`

 A ☐ tout à fait fondées.
 B ☐ partiellement vraies.
 C ☐ complètement mensongères.

2 Selon l'intervenante, l'augmentation du recyclage
des médicaments est due à…   `1 point`

 A ☐ l'efficacité du système mis en place.
 B ☐ une prise de conscience écologique.
 C ☐ la sensibilisation menée par les pharmaciens.

Document 2
Lisez les questions. Écoutez le document puis répondez.

1 Selon l'émission, l'objectif des classes multipositions
est de favoriser…   `1 point`

 A ☐ l'attention
 B ☐ l'autonomie   …des élèves.
 C ☐ la motivation

2 Selon l'intervenante, en faisant leurs devoirs,
les élèves devraient…   `1,5 point`

 A ☐ alterner le travail seul, puis accompagné.
 B ☐ organiser leur travail en plusieurs temps.
 C ☐ accéder aux écrans pendant un temps délimité.

Document 3
Lisez les questions. Écoutez le document puis répondez.

1 Comment fonctionne l'entreprise présentée ?   `1 point`

 A ☐ Elle propose des services d'aide à la personne.
 B ☐ Elle aide les associations à trouver des bénévoles.
 C ☐ Elle recrute des personnes pour d'autres entreprises.

2 Selon l'intervenant, les difficultés rencontrées
par certaines femmes sont dues à…   `1,5 point`

 A ☐ une absence de postes adaptés.
 B ☐ un manque de disponibilité de leur part.
 C ☐ la discrimination exercée par les employeurs.

2. Compréhension des écrits   (25 points)

Répondez aux questions en cochant ⊠ la bonne réponse.

Exercice 1   (9 points)

Vous lisez un article dans un journal francophone.

La viande de laboratoire : une vraie solution ?

Attaquée de tous les côtés, la viande ne vit pas ses meilleurs jours. Elle est pointée du doigt pour son impact sur l'environnement, ses conséquences sur la santé et la maltraitance animale. Pourtant, effacer complètement la viande des menus est un choix que peu de carnivores sont prêts à faire. Pour eux, plusieurs start-up développent une alternative qui serait plus écologique et meilleure pour la santé : la viande in vitro.

« Pour produire de la viande cultivée, nous isolons chez le bœuf les cellules qui produisent du tissu musculaire et nous les faisons pousser dans des conditions contrôlées », résume Didier Toubia, PDG d'une des compagnies pionnières. Cette approche serait beaucoup moins coûteuse pour l'environnement. « Pour l'élevage, on doit subvenir pendant 2 ans aux besoins énergétiques du bétail, pour au final n'utiliser que 30 % de l'animal, alors que pour la viande cultivée nous n'utilisons que les ressources nécessaires à la production de la viande pendant quelques semaines, en alimentant directement les cellules et pas l'animal entier. »

Mais ces bienfaits environnementaux ne font pas l'unanimité chez les experts. « Les études sur l'impact environnemental de la viande artificielle sont contradictoires, certaines disent que c'est semblable à l'élevage, voire plus important sur le long terme », tempère Sghaier Chriki, chercheur à l'Institut supérieur d'agriculture.

Pour Bruno Dufayet, éleveur, il y a aussi des aspects positifs de l'élevage qu'il faut prendre en compte dans cette comparaison : « En plus des émissions de gaz à effet de serre, il faut considérer le stockage de CO_2 réalisé par les prairies qui nourrissent les bœufs et le bienfait pour la biodiversité de ces prairies », se défend-il.

Un autre point fort mis en avant par les producteurs de viande in vitro est leur capacité à contrôler le milieu dans lequel cette viande est produite, diminuant le risque de contamination : « La viande est cultivée d'une façon stérile, dans un circuit fermé hermétique aux contaminations extérieures, donc nous n'avons pas besoin d'utiliser d'antibiotiques », précise Didier Toubia. Mais ce qui est vrai pour la production en laboratoire ne le sera pas forcément lors d'une production industrielle. « Il est probable qu'il faudra des antibiotiques au stade industriel, car une production à grande échelle augmente considérablement le risque éventuel de contamination », explique Jean-François Hocquette, ingénieur agronome.

Enfin, même si les producteurs de viande cultivée font l'effort d'imiter le goût et la texture de la viande issue de l'élevage, les experts s'accordent à dire que le produit final ne peut pas être considéré comme de la viande. De toute façon, cette alternative n'est pas encore prête. On doit plutôt se pencher sur des alternatives déjà disponibles, comme réduire le gaspillage, changer nos habitudes alimentaires et favoriser la biodiversité en ayant des élevages plus respectueux de l'environnement. ∎

Nicolas Gutierrez C., www.scienceetavenir.fr, 2020

DELF B2

Pour répondre aux questions, cochez la bonne réponse.

1 | Selon l'article, les conséquences écologiques de l'élevage de la viande… `1 point`

- A ☐ sont difficilement mesurables sur le long terme.
- B ☐ sont plus importantes que les autres aspects liés à l'élevage.
- C ☐ ne sont pas suffisantes pour changer les comportements alimentaires.

2 | D'après Didier Toubia, que réduit la technologie de la viande de synthèse ? `1 point`

- A ☐ Le gaspillage lors de la production.
- B ☐ Les émissions de gaz dues aux animaux.
- C ☐ Les transports pour acheminer les matériaux.

3 | Les inquiétudes de Sghaier Chriki concernant la viande de laboratoire portent sur… `1,5 point`

- A ☐ les conséquences futures.
- B ☐ les processus de production.
- C ☐ la disparition progressive des élevages.

4 | Selon Bruno Dufayet, l'élevage… `1 point`

- A ☐ assure des emplois.
- B ☐ fait partie de la culture.
- C ☐ est bénéfique pour l'écosystème.

5 | Pour Jean-François Hocquette, la production de viande de synthèse… `1,5 point`

- A ☐ pourra se faire sans antibiotique.
- B ☐ soulèvera des questions sanitaires.
- C ☐ sera difficile à mettre en place de façon industrielle.

6 | D'après les experts, la viande de synthèse… `1,5 point`

- A ☐ va avoir du mal à se faire accepter.
- B ☐ doit progresser en matière d'aspect.
- C ☐ ne mérite pas l'appellation de « viande ».

7 | D'après l'auteur de l'article, il faut… `1,5 point`

- A ☐ fermer progressivement les élevages.
- B ☐ changer nos comportements de façon globale.
- C ☐ continuer à encourager les développements scientifiques.

Exercice 2

9 points

Vous lisez un article dans un journal francophone.

Préparer les jeunes aux métiers numériques de demain

Tarik Abbas, anciennement professeur de mathématiques, a créé « Evolutech » pour proposer – sur place et en ligne – des ateliers de programmation, de robotique et de découverte de l'intelligence artificielle. L'objectif : former aux métiers numériques de demain.

Il explique la création de l'entreprise : « je m'intéresse à la science et l'ingénierie depuis mon enfance. J'ai décidé de me tourner vers l'enseignement et c'est là que je me suis posé la question de comment mettre mon expertise au service de la jeunesse. »

Nous ne connaissons pas encore 80 % des nouveaux métiers qui existeront en 2030 et ils seront essentiellement tournés vers l'intelligence artificielle. Il est donc nécessaire de former les jeunes et les préparer aux métiers numériques du futur, tout en permettant l'inclusion.

Avec son entreprise, Tarik Abbas tente de démystifier la technologie en permettant de mieux la maîtriser et d'en avoir moins peur. Cela passe par des cours sur le fonctionnement des algorithmes, du code, mais aussi par des ateliers de robotique.

Grâce à l'enseignement en ligne, il espère dépasser les murs de l'école pour mieux former les enfants au numérique. Selon lui, il faut rendre l'accès au code plus égalitaire. Cependant, Tarik Abbas nuance : « Je ne pense pas qu'il soit possible de tout passer en ligne. La présence d'un professeur reste essentielle car on aura toujours besoin d'interaction humaine. Mais il est possible d'évoluer vers une hybridation des pratiques pour en tirer le meilleur des deux approches. Il est nécessaire de tester, d'essayer et d'interroger les premiers concernés : les élèves. »

Au-delà de la formation au code et à l'intelligence artificielle, l'objectif est bien d'identifier les jeunes motivés, avec le plus de talents, pour les aider dans leurs études et les faire connaître auprès des entreprises.

Pour augmenter les chances d'accès au monde du travail de ces jeunes, il leur enseigne également des compétences personnelles. « Si vous ne pouvez pas travailler en équipe ou ne savez pas communiquer, vous pouvez être le meilleur développeur de la planète, cela ne servira à rien dans le monde du travail. Par exemple, nous demandons aux jeunes de faire une présentation devant des professionnels sous la forme d'un projet formalisé qu'ils mettent en avant. Ça leur permet de se valoriser en même temps. »

Bien que les jeunes d'aujourd'hui aient plus de facilités à manipuler la technologie, il ne faut pas penser non plus qu'ils sont complètement à l'aise et qu'ils sont de fins connaisseurs. Ils savent peut-être tous utiliser la réalité augmentée sur certaines applications, mais ils ne savent généralement pas comment elle fonctionne. La mission d'Evolutech est de les aider à comprendre les mécanismes en jeu et voir comment ils pourraient utiliser ces technologies.

Pour répondre aux questions, cochez la bonne réponse.

1 ▮ L'entreprise « Evolutech »... `1 point`
- **A** ☐ veut rendre accessible à tous l'apprentissage en ligne.
- **B** ☐ permet aux enseignants de se former aux nouvelles technologies.
- **C** ☐ propose un enseignement de qualité dans le monde du numérique.

2 ▮ Selon l'article, les métiers du futur... `1 point`
- **A** ☐ seront accessibles à tous.
- **B** ☐ seront nouveaux et inédits.
- **C** ☐ demanderont moins de main d'œuvre.

3 ▮ L'une des approches pédagogiques de Tarik Abbas est... `1,5 point`
- **A** ☐ de faire commencer dès le plus jeune âge.
- **B** ☐ de faire comprendre pour s'approprier une notion.
- **C** ☐ d'éviter une approche théorique de la connaissance.

4 ▮ Selon Tarik Abbas, les cours en ligne permettent de... `1,5 point`
- **A** ☐ toucher un plus grand nombre d'élèves.
- **B** ☐ motiver davantage les nouvelles générations.
- **C** ☐ découvrir plus efficacement les métiers du numérique.

5 ▮ D'après Tarik Abbas, la réussite des cours en ligne est possible si... `1 point`
- **A** ☐ on évite les modèles trop compliqués.
- **B** ☐ on forme les professeurs correctement.
- **C** ☐ on prend en compte les besoins des élèves.

6 ▮ L'entreprise « Evolutech » espère augmenter les chances de réussites de ses élèves... `1,5 point`
- **A** ☐ en les aidant à se créer un réseau professionnel.
- **B** ☐ en exigeant un grand investissement de leur part.
- **C** ☐ en leur enseignant des savoirs autres que techniques.

7 ▮ Pour Tarik Abbas, quel est le paradoxe entre les jeunes et la technologie ? `1,5 point`
- **A** ☐ Ils s'y intéressent mais ils l'envisagent rarement comme un métier.
- **B** ☐ Ils s'y connaissent mais ils ne maîtrisent pas toujours le côté technique.
- **C** ☐ Ils l'utilisent au quotidien mais ils ne savent pas toujours bien s'en servir.

Exercice 3

7 points

Vous lisez l'opinion de ces trois personnes sur un forum français dont le sujet est « Faut-il arrêter de prendre l'avion ? »

Forum

Rechercher

Pablo

Pour moi voyager, c'est essentiel. Mais depuis peu, j'ai appris à le faire autrement pour limiter mes trajets en avion. C'est trop paradoxal de faire plein de petits gestes au quotidien pour sauver la planète si c'est pour prendre l'avion pour partir en week-end. Maintenant, je découvre ma région ou des coins accessibles en train voire à vélo ! Je trouve ça encore plus enrichissant de prendre le temps et ça permet de faire plein de rencontres inattendues. Finalement, on peut se faire plaisir et voyager en restant dans notre région. Et en plus, ça veut dire des vacances plus accessibles à tous car moins coûteuses.

Amale

Alors certes, si nous continuons dans cette direction, la planète telle que nous la connaissons va disparaître. Mais il me semble qu'on doit laisser le choix des moyens aux gens. Arrêter ou réduire ses trajets en avion apparaît comme une solution assez efficace. Malgré tout, je ne sais pas si je suis prête à renoncer à voyager loin pour toujours. Je n'ai pas l'âme d'un coureur cycliste ! Parfois, je ressens vraiment le besoin de changer d'air, de faire de nouvelles rencontres, d'apprendre de nouvelles cultures. Je pense que je préfère arrêter de manger de la viande plutôt que de dire adieu complètement à l'avion. Et puis, je crois que les plus gros pollueurs sont quand même les entreprises. Arrêtons de culpabiliser les gens !

Christine

C'est un peu facile de dire qu'il faut arrêter de prendre l'avion pour sauver la planète. Tout le monde ne prend pas l'avion pour faire des vacances paradisiaques sur une île déserte. Plein de gens vivent loin de leur famille et l'avion est le seul moyen possible pour se déplacer dans certains cas. Il faut voir la réalité en face : on n'a pas tous le temps de traverser un continent à vélo ! Je suis d'accord qu'il y a urgence. Mais on nous fait encore croire que c'est aux individus de changer leurs comportements quotidiens alors qu'en attendant les grandes entreprises polluent à grande échelle. Il est grand temps que les gouvernements les responsabilisent.

À quelle personne associez-vous chaque point de vue ? Pour chaque affirmation, cochez la bonne réponse.

1 Les entreprises doivent aussi prendre leur responsabilité dans la crise environnementale. **(1,5 point)**

   A ☐ Pablo   **B** ☐ Amale   **C** ☐ Christine

2 Voyager ne signifie pas forcément faire beaucoup de kilomètres. **(1 point)**

   A ☐ Pablo   **B** ☐ Amale   **C** ☐ Christine

3 Les voyages sans avion permettent de prendre le temps de découvrir différemment. **(1 point)**

   A ☐ Pablo   **B** ☐ Amale   **C** ☐ Christine

4 Arrêter de prendre l'avion n'est pas adapté à toutes les situations. **(1 point)**

   A ☐ Pablo   **B** ☐ Amale   **C** ☐ Christine

5 Les voyages à vélo ne sont pas une alternative réaliste au transport aérien. **(1 point)**

   A ☐ Pablo   **B** ☐ Amale   **C** ☐ Christine

6 Arrêter d'utiliser l'avion doit venir d'une volonté individuelle. **(1,5 point)**

   A ☐ Pablo   **B** ☐ Amale   **C** ☐ Christine

DELF B2

B2

3. Production écrite

25 points

250 mots minimum

Vous habitez une ville francophone. La mairie a décidé d'organiser une course de voitures dans le centre-ville. En tant que membre de l'association des riverains, vous adressez un courrier à la maire de la ville pour exprimer votre mécontentement et demander l'annulation de la course. Vous expliquerez que, malgré les retombées positives, cet événement sera néfaste pour la ville et ses habitants.

Nombre de mots : ....

4. Production orale

25 points

Vous dégagerez le problème soulevé par le document que vous avez choisi puis vous présenterez votre opinion sur le sujet de manière claire et argumentée (5 à 7 min). Vous défendrez votre point de vue au cours du débat avec l'examinateur (10 à 13 min).

Sujet 1

Interdire les écrans à certains moments de la journée ?

Les enfants exposés aux écrans (télévision, console de jeux, tablette, smartphone, ordinateur) le matin avant l'école ont trois fois plus de risque d'avoir des troubles du langage, selon des chercheurs. Si en plus, ils discutent « rarement, voire jamais », du contenu des écrans avec leurs parents, ces enfants multiplient par six leur risque d'avoir des troubles du langage, d'après une étude de l'agence sanitaire Santé publique.

« Ce n'est pas le temps passé devant les écrans, en moyenne vingt minutes le matin, mais le moment de la journée qui a un impact », précise l'étude. « Cela va épuiser leur attention et les rendre moins aptes aux apprentissages ».

D'autant plus si les écrans ne sont pas l'occasion de créer des moments d'échanges entre les parents et leurs enfants.

Du côté des parents, les écrans pour les enfants sont quelques fois la seule alternative pour pouvoir trouver du temps pour gérer la maison ou parfois même se reposer.

D'après www.huffingtonpost.fr avec AFP, 14 janvier 2020

Sujet 2

Arrêter les études pour créer son entreprise

Ils sont de plus en plus nombreux à quitter leurs études prometteuses pour se lancer dans la vie active et créer leur entreprise. Martin fait partie de cette génération qui ne croit plus aux études. Il témoigne.

« Quand j'ai pris la décision d'arrêter mes études, j'avais compris que devenir un entrepreneur était moins risqué que l'alternative traditionnelle. Concrètement, les diplômes sont des bouts de papier. »

Il estime que pour la génération de ses parents que le diplôme était un ticket vers « un bel avenir »... mais que pour la génération actuelle, ça n'est pas aussi évident. En effet, beaucoup de jeunes se retrouvent coincés dans un travail qui ne leur plaît pas – ou pire, ne trouvent pas d'emploi.

« De plus en plus de recruteurs veulent savoir ce qu'on a fait et non quels sont nos diplômes », ajoute-t-il. « Avoir nos propres projets vous aide aussi à démontrer les traits de personnalités qui ne sont pas enseignés à l'école : l'esprit d'initiative, la créativité, l'autonomie... »

Transcriptions Documents audios

Page 13, L'écologie, une affaire de femmes ?

Voix off : Planète Bleue Benoît Prospero

Benoît Prospero : Selon vous, est-ce que l'écologie est plus un truc d'homme ou un truc de femme ?

Petite voix : Ah ah ah. C'est une vraie question ?

Benoît Prospero : Absolument.

Petite voix : C'est un truc de mec, de mâle, de bonhomme. Enfin tu m'as compris quoi ?

Benoît Prospero : Selon plusieurs études…

Petite voix : Allez vas-y balance !

Benoît Prospero : … les hommes…

Petite voix : Ça va péter colonel !

Benoît Prospero : … d'une manière générale…

Petite voix : Ouais !

Benoît Prospero : … seraient moins écolos que les femmes.

Petite voix : C'est une plaisanterie ? Ah j'ai hâte de connaître tes arguments Bertrand.

Benoît Prospero : D'abord, l'écologie est perçue la plupart du temps comme efféminée.

Petite voix : C'est-à-dire ?

Benoît Prospero : C'est-à-dire que la protection de la planète est perçue par les hommes et par les femmes comme plus féminine que masculine.

Petite voix : Bla bla bla bla bla. Exemple ?

Benoît Prospero : En France, aux dernières élections européennes, deux fois plus de femmes que d'hommes ont voté en faveur de l'écologie.

Petite voix : Mouais. La politique euh. Bon, autre exemple ?

Benoît Prospero : Quand on leur demande de choisir pour faire leurs courses, les hommes choisiront majoritairement un sac en plastique alors que pour les femmes ce sera plutôt un sac en toile réutilisable.

Petite voix : Bref, à part ça, t'as autre chose ?

Benoît Prospero : En France, il y a plus de femmes que d'hommes, 5% de plus, qui considèrent le réchauffement climatique comme un sérieux problème.

Petite voix : Mouais, en même temps rien ne prouve que le dérèglement… J'écoute.

Benoît Prospero : Ironie du sort, d'après les chiffres de l'ONU, dans les pays en développement, les femmes sont les premières victimes du dérèglement climatique…

Petite voix : Mais pourquoi ?

Benoît Prospero : Elles ont quatorze fois plus de chance de mourir lors d'une catastrophe naturelle.

Petite voix : Bah pourquoi ?

Benoît Prospero : Elles ont moins accès à l'information que les hommes et donc moins accès aux informations de repli.

Petite voix : T'as les chiffres ?

Benoît Prospero : Malheureusement oui. Lors du tsunami dans l'Océan Indien en 2004, 80 % des victimes en Indonésie étaient des femmes.

Petite voix : Ah tu vas voir, il va inventer un truc chelou comme l'écoféminisme ou un truc comme ça, tu vas voir.

Benoît Prospero : L'écoféminisme, ça existe.

Petite voix : Et voilà, on y est.

Benoît Prospero : Le terme a été inventé en 1974 en France par Françoise d'Eaubonne, pionnière de la décroissance.

France Bleu, 8 mars 2020.

Page 16, Le relou de l'immeuble

[On frappe à la porte.]

Monsieur Fougère : Bonjour monsieur Prevost, c'est monsieur Fougère.

Monsieur Prevost : Ah, bonjour. Oui.

Monsieur Fougère : Oui, écoutez, je, voilà, je veux pas vous déranger, je vous amenais juste des sacs. Vous savez, je vous en avais parlé, des sacs qui ne se jettent pas quoi, que vous gardez.

Monsieur Prevost : Oui, oui.

Monsieur Fougère : Parce que je vous ai vu, que vous aviez beaucoup de sacs plastique, c'est un peu idiot, je les retrouve dans la poubelle. Et comme ça, avec ça ben, vous réutiliserez…

Monsieur Prevost : Je les réutilise, oui. Ben merci beaucoup, merci.

Monsieur Fougère : Voilà. Et dites, je vois que vous, excusez-moi, oui vous laissez votre chargeur de portable branché, mais il n'y a pas le portable au bout. C'est, c'est un peu c'est dommage parce que ça consomme de l'électricité.

Monsieur Prevost : Oui, mais c'est mon chargeur là.

Monsieur Fougère : Oui, mais si vous voulez, c'est intéressant. Vous savez ça consomme quand ça reste branché sur la prise. Voilà, enfin je vous dis…

Monsieur Prevost : Non, non, d'accord. Merci Serge, merci beaucoup.

Monsieur Fougère : Voilà.

Monsieur Prevost : Parce que là, excusez-moi, mais je, hein…

Monsieur Fougère : Oui. D'accord.

Monsieur Prevost : OK, non, mais j'enlève, j'enlève.

Monsieur Fougère : Merci monsieur Prevost, bonne soirée monsieur Prevost.

[La porte se ferme.]

[En aparté au journaliste.] Les gens ont de mauvaises habitudes de vie. Ils n'ont pas appris, c'est tout, donc il faut leur apprendre. Chaque jour, chacun, individuellement peut améliorer le sort de la planète en étant vigilant sur des petites choses.

[On frappe à la porte.]

Monsieur Fougère : C'est monsieur Fougère, bonjour.

Madame Forest : Oh Serge bonjour.

Monsieur Fougère : Bonjour Madame Forest. Oui, je vous dérange pas ?

Madame Forest : Non, pas du tout.

Monsieur Fougère : Bon, écoutez, je passais vous voir parce que je rentrais là du travail, et en fait, j'ai acheté un journal et je voyais dedans qu'il y avait un article très intéressant sur les litières à chat. Parce que, vous savez, vos litières elles sont pas…

Madame Forest : Oui.

Monsieur Fougère : Elles sont pas complètement économiques ni…

Madame Forest : Bon, vous voulez un petit café, vite fait ?

Monsieur Fougère : Ah, c'est pas de refus, oui !

Madame Forest : Allez un petit café. Je mets le journal de côté.

Monsieur Fougère : Je vous avais donné des filtres là, vous savez, les filtres naturels.

Madame Forest : Des filtres ?

Monsieur Fougère : À café.

Madame Forest : Vous m'en avez donné plusieurs alors je me souviens plus. Pour la cafetière ?

Monsieur Fougère : Oui, pour la cafetière, les filtres naturels vous savez ?

Madame Forest : Oui, oui…

Monsieur Fougère : Qui sont pas traités…

Madame Forest : Absolument, absolument, le café est délicieux avec.

Monsieur Fougère : Je suis bien content.

Madame Forest : Allez, asseyez-vous.

Monsieur Fougère : Oui, c'est gentil.

Madame Forest : Il y a un peu des sacs plastique partout parce que j'ai fait des courses.

Monsieur Fougère : Oui. Vous utilisez pas le sac que je vous ai donné, vous savez ?

Madame Forest : Si, si, mais là, je l'avais oublié.

Monsieur Fougère : Ah.

Madame Forest : Mais je l'utilise hein, à chaque fois.

Monsieur Fougère : Non parce que c'est vraiment bien, c'est vraiment pratique.

Madame Forest : Pas de souci. Je reviens tout de suite, je vais faire le café.

Monsieur Fougère : D'accord, à tout de suite. Oh bah attendez, je peux vous aider.

Madame Forest : Oh, ben, c'est gentil, mais... *[Au journaliste en aparté.]* Il a l'impression qu'il fait ça pour nous, pour notre bien, alors c'est difficile de lui dire les choses d'une façon définitive ou agressive. C'est pas possible, il est gentil comme tout.

Madame Forest : Alors...

Monsieur Fougère : Oh vous avez une plaque allumée, là !

Madame Forest : Ah bah oui j'ai oublié !

Monsieur Fougère : Vous avez oublié.

Madame Forest : Oui, vous avez frappé à la porte. Alors j'ai oublié !

Monsieur Fougère : Vous savez combien ça consomme une plaque comme ça ? Au niveau kilowatt...

Madame Forest : Oui, c'est dangereux, je sais bien.

Monsieur Fougère : Ouais et puis ça coûte.

Madame Forest : *[Au journaliste en aparté.]* Je suis persuadée qu'il est extrêmement sensible. Mais, il faut qu'il change d'attitude, ça serait quand même mieux.

Madame Forest : C'est du café bio !

Monsieur Fougère : Et vous n'êtes pas dans votre chambre à coucher là, si je me trompe ? Parce qu'il y a une lumière allumée qui sert rien. Je vous le dis comme ça.

Madame Forest : J'ai dû oublier. Bon c'est pas grave, c'est pas grave.

Monsieur Fougère : Non, c'est pas grave.

Madame Forest : Vous me faites penser à ma mère.

Monsieur Fougère : Vous savez...

Madame Forest : À chaque fois que j'oubliais la lumière, elle me tançait vertement.

Monsieur Fougère : Oui mais les parents, ils avaient raison. Moi aussi, on me disait : éteins ta lumière en sortant. Je le faisais pas au début. Maintenant je le fais. Vraiment !

Madame Forest : Oui c'est mieux.

Monsieur Fougère : Quand on est enfant, on le fait pas.

Madame Forest : Des fois on oublie.

Monsieur Fougère : On est grand maintenant.

Madame Forest : Bon, santé !

Monsieur Fougère : Merci c'est gentil. Il est très bon ce café.

Arte Radio, 22 octobre 2015.

Page 21, Les tortues marines au Congo

Franck Mounzeo : On va voir la tortue luth. Comment on appelle cette sorte de tortue ?

Les enfants : La tortue luth.

Loïcia Martial : École Notre Dame du Rosaire, à Tchimbamba, près de l'aéroport de Pointe-Noire. Les élèves du cours élémentaire suivent cet après-midi une leçon sur la protection des tortues marines, animée par Franck Mounzéo, éducateur environnemental à Renatura Congo.

Franck Mounzeo : Nous pensons que la tortue, elle joue un rôle important pour le fonctionnement de la chaîne alimentaire. C'est une espèce qui est carrément au centre, au milieu de la chaîne alimentaire, donc la disparition de cette espèce peut entraîner la disparition de plusieurs espèces. C'est pour cette raison que nous passons dans les écoles, nous donnons les formations

aux enfants, et au travers des enfants, nous croyons aussi que nous pouvons sensibiliser d'autres personnes pour qu'on puisse comprendre l'importance de cette espèce dans la nature.

Loïcia Martial : Le cours, très passionné, a duré une demi-heure. Un temps suffisant pour que les élèves, éveillés, retiennent une histoire et quelques notions sur les tortues marines.

Une élève : Une fille qui s'appelait Kady. Elle voulait manger une tortue, mais la tortue a parlé. Elle a dit : « Non, non, non. Si tu me manges, c'est ma famille qui disparaît. »

Franck Mounzeo : Tu as retenu qu'il y a beaucoup de tortues ?

Une élève : Oui, il y a les tortues marines et les tortues qui vivent sur terre.

Franck Mounzeo : Et lesquelles pondent les œufs ?

Une élève : Les tortues femelles.

Loïcia Martial : Les éducateurs de Renatura Congo, une ONG internationale de protection des tortues, font la ronde des écoles de Pointe-Noire depuis 2014. Ils ont déjà sensibilisé des milliers d'élèves. Selon Franck Mounzéo.

Franck Mounzeo : Nous avons un système de transmission qui est très, très adapté par rapport aux apprenants. Par année, nous sensibilisons près de 50 000 enfants. Durant la période des vacances, quand l'école est fermée je veux dire, nous sortons de Pointe-Noire pour aller travailler dans les villages qui sont sur le littoral.

Loïcia Martial : Le travail de Renatura Congo va au-delà de la sensibilisation dans les écoles. D'après Alexandre Farge, son responsable de la communication :

Alexandre Frage : On a un pôle de sensibilisation, qui pour moi est un des plus importants de l'association. Nous avons aussi le pôle pêche. En fait Renatura organise, avec les autorités maritimes, des patrouilles pour empêcher les navires, les navires étrangers de pêcher dans les zones artisanales.

Loïcia Martial : Au Congo, les tortues marines sont une espèce intégralement protégée. Ceux qui enfreignent la loi pour les tuer et les commercialiser encourent de lourdes peines d'emprisonnement. Loïcia Martial, de retour de Pointe-Noire, sur la côte atlantique, RFI.

RFI, 17 décembre 2019.

Page 22, intonation – exercice 10

a. Je t'assure que je suis écolo : je n'achète que du bio. **b.** Je vais peut-être diminuer ma consommation de viande ! **c.** Le secteur du numérique exploite probablement trop de ressources non-renouvelables. **d.** Vivre à la campagne, jamais de la vie. **e.** Le mode de vie zéro déchet me laisse perplexe... **f.** Vous avez bien raison de vous reconnecter à la nature. **g.** La crise écologique, je n'y crois pas un seul instant.

Page 23, l'essentiel – exercice 1

Maëlys : Salut Jérémy, demain je vais participer à une opération de nettoyage de la plage. Tu veux m'accompagner ?

Jérémy : Éventuellement. Ton engagement en faveur de l'écologie m'impressionne.

Maëlys : Pourtant, il n'y a rien d'impressionnant ! Cela fait partie de mon éducation. Ne pas gaspiller, se déplacer en transports en commun ou encore acheter local, c'est vraiment faisable. Et tu sais quoi, j'ai décidé d'aller encore plus loin et d'expérimenter une transition vers le zéro déchet.

Jérémy : Tu vas cultiver tes légumes et apprendre à tricoter ?

Maëlys : On dirait que tu te moques de moi ?

Jérémy : En fait, ça me laisse perplexe. Je ne t'imagine pas vivre en autonomie.

Maëlys : Tu te trompes. C'est un acte de résistance contre notre société de consommation qui prône le plaisir éphémère et immédiat.

Jérémy : Changer radicalement de mode de vie nécessite surtout du temps et l'organisation !

Maëlys : Je suis persuadée que j'y arriverai. Et tu ferais bien de t'y mettre toi aussi !

Jérémy : Ça, c'est hors de question !

Maëlys : Alors, tu viendras demain, oui ou non ?

Jérémy : Ça consiste en quoi cette opération de nettoyage ?
Maëlys : Eh bien, nous allons collecter des déchets sur la plage. D'abord, tu prends un seau. Ensuite, tu ramasses les déchets et enfin, tu les mets dedans ! Rendez-vous demain à 9 h, d'accord ?
Jérémy : Sérieusement, c'est peu probable. J'ai trop de travail. Mais tu me raconteras !
Maëlys : Ah, tu ne changeras jamais toi...

Unité 2 Être ou avoir ?

Page 27, La méthode BISOU

La présentatrice : Et aujourd'hui avec Katell, on va parler de cette méthode BISOU. J'ai presque envie de dire bisou bisou bisou. Alors c'est pour consommer plus responsable.
L'animateur : On peut plus se faire de bisous en fait.
La présentatrice : Bisou comme un bisou, Katell.
Katell : Bisou comme un bisou, B, I, S, O, U.
La présentatrice : Au singulier quoi.
Katell : Voilà, comme un moyen mnémotechnique qui permet de se poser cinq questions essentielles avant de sortir la carte bleue. Et comme c'est un petit peu la période. Donc B comme : à quel besoin cet achat répond-il chez moi ? Je vous laisse réfléchir.
L'animateur : Déjà on peut s'arrêter au B.
Katell : I comme immédiatement. En ai-je besoin immédiatement ?
L'animateur : Mais bien sûr.
Katell : S comme semblable. Est-ce que j'ai pas déjà quelque chose d'un peu semblable qui pourrait faire l'affaire ?
L'animateur : Non !
La présentatrice : Ouais, mais dans ce cas-là, on n'achète plus de chaussures, plus de sac à main, plus rien quoi.
Katell : O, quelle est l'origine de ce produit ? Lieu, matériaux, conditions de fabrication. Et puis surtout le U, la lettre la plus importante : cet objet va-t-il m'être réellement utile ?
L'animateur : Mais bien sûr !
Katell : Alors cette méthode BISOU fait le buzz sur les réseaux sociaux. On la doit à deux femmes, Herveline Giraudeau et Marie Duboin, qui ont d'ailleurs un groupe Facebook : Gestion budgétaire, entraide et minimalisme.
L'animateur : Tout un programme !
Katell : Tout un programme ! Je vous assure qu'une fois que vous vous vous serez posé ces cinq questions, vous allez plus souvent reposer l'objet en rayon que l'acheter.
L'animateur : Ben oui.
Katell : C'est la lutte contre le marketing qui réussit à créer des besoins là où il n'y en a pas. Et puis la lutte contre l'immédiateté, qui est le deuxième levier utilisé pour déclencher l'impulsion d'achat. Genre : « Attention ! La super promo expire dans trois heures, après il sera trop tard ! » Alors qu'en réalité, des promotions, il y en a tout le temps.
L'animateur : Il y en a tout le temps oui.
Katell : Voilà, c'est la méthode BISOU pour reprendre un petit peu le contrôle. Essayez au moins une fois en faisant vos achats pour le 24 et vous m'en direz des nouvelles.
La présentatrice : Non, mais j'avoue, c'est vrai. Tu as raison, il y a des fois, on regrette même.
L'animateur : Oui bien sûr, on regrette après.
La présentatrice : On se dit : mais pourquoi j'ai acheté ça ? Et après tu le donnes.
Katell : J'avais un truc quasiment identique, c'est ridicule.
La présentatrice : Ouais, non mais c'est clair.
Katell : Oh, je vais le prendre quand même.

Hit West, 15 janvier 2021.

Page 28, intonation – exercice 4

a. Vous voulez consommer moins ? Vos voisins veulent acheter des affaires de seconde main ? Vendez-les leur ! **b.** Votre mère est absorbée dans sa lutte contre les pièges du marketing ? Elle a besoin d'une pause détente dans un spa ? C'est le moment de l'y inviter ! **c.** Les vêtements en coton sont les plus solides pour les enfants. Vous devriez leur en acheter ! **d.** Votre fille de vingt ans rêve d'un voyage autour du monde ? Offrez-le lui ! Elle vous en sera reconnaissante pour toujours. **e.** Votre mari a envie de se faire plaisir dans les magasins de vêtements ? Pourquoi ne pas l'y accompagner ? **f.** Vous dites souvent à vos enfants que vous allez leur acheter de nouveaux jouets ? Si vous n'allez pas vraiment le faire, ne leur en faites pas la promesse !

Page 29, Slow fashion à Dakar

Théa Ollivier : Dans les coulisses cachées par des palissades en paille, les mannequins attendent leur tour sur des nattes avant de défiler au milieu de baobabs illuminés, loin des luxueux hôtels de Dakar. Une mise en scène d'un retour aux sources pour promouvoir la slow fashion, mode qui ne produit pas en masse afin de réduire son impact environnemental, explique Adama Ndiaye, styliste et productrice de la Dakar Fashion Week.
Le présentateur du défilé : La reine de cette manifestation : Adama Paris. Un grand bravo.
Adama Ndiaye : Ce qui est le plus important, c'est le processus créatif qu'on doit implémenter dans la tête des créateurs et des acheteurs. Et je pense que de plus en plus, les gens ont une conscience d'achat et que les gens n'achètent plus juste du mass market. Ils veulent savoir ce qu'ils achètent, d'où ça vient.
Le présentateur du défilé : Tout a été fait artisanalement.
Théa Ollivier : Conceiçao Carvalho, de la marque guinéenne Bibas, a créé sa première collection éco-responsable pour l'occasion.
Conceiçao Carvalho : On a travaillé les pagnes tissés en coton, c'est le fil de coton le plus organique possible. Et même la teinture, c'est avec des produits organiques. On a fait avec les haricots verts, les oignons, le bissap. Je suis rentrée dans un monde complètement nouveau.
Théa Ollivier : Pour Hélène Daba, designer de Sisters of Africa, l'identité de sa marque repose sur la confection de robes teintées en coton, qu'elle essaie de rendre le plus local et artisanal possible malgré quelques difficultés.
Hélène Daba : On travaille avec une association de femmes teinturières, on achète nos cotons localement. Après, on n'en trouve pas beaucoup parce que la culture cotonnière est très, très limitée. Tout le coton du Sénégal est exporté, donc, nous, les acteurs locaux ici, on a du mal quand même à en trouver. Mais parfois, on trouve pas, on est obligé d'aller dans le marché acheter le coton, je pense, qui vient de la Chine peut-être, du Bangladesh.
Théa Ollivier : Cet événement fait donc la promotion des matières premières africaines comme l'indigo, le pagne tissé ou le bazin, des matières que travaille Élisa Thio, styliste de Zadada.
Élisa Thio : Ces matériaux sont propres à la culture africaine, qu'on trouve de génération en génération dans les familles. En Afrique, on n'est pas encore dans le stade de la reproduction industrielle. On ne maîtrise pas encore toute la chaîne logistique de l'éco-responsable, mais on fait ce qu'on peut. Et c'est bien qu'on parle de mode éco-responsable parce que ça nous permet de repenser l'industrie de la mode en fait.
Théa Ollivier : Une meilleure traçabilité des matières premières et fabriquer davantage d'accessoires et de mercerie en Afrique, autant de défis à relever avant d'atteindre une mode africaine 100 % durable. Théa Ollivier, de retour de Nguékhokh, RFI.

RFI, 20 décembre 2020.

Page 31, Un métier qui pose problème ?

Les influenceurs, c'est une catégorie qui a émergé il y a à peu près dix ans, qui sont des personnes ayant énormément de ce qu'on appelle des « followers », des abonnés sur les réseaux sociaux. Alors, ça peut être Instagram, Snapchat... Ça peut être YouTube, ou alors Twitch aussi. Et ces influenceurs ont cette particularité de réunir une communauté autour d'eux qui est assez importante et qui vise finalement un public assez jeune, qui échappe à d'autres, à d'autres médias comme la télévision, la radio, la presse écrite, ce qui fait que ça les rend très intéressants pour les marques. Alors, ce qui change, c'est qu'auparavant, on avait un marché très cadré, par exemple à la télévision vous avez un programme télé, un spot de publicité bien identifié et le programme reprend. Là, tout est mélangé. En fait, l'influenceur va créer du contenu et en même temps va parler de produits, qui sont en fait de la promotion, donc on a ce, cet aspect qui est assez inédit. On a pu voir du placement de marque, en fait, au cinéma, du placement de produit. Là, c'est le cas, mais au quotidien avec des influenceurs qui racontent leur vie ou qui créent du contenu sur un sujet en mêlant dedans de la publicité. C'est un marché qui est en train de se créer, qui est en plein boum, et on compte actuellement 500 000 influenceurs dont 4 % gagnent très bien leur vie grâce aux partenariats, grâce à la publicité qu'ils génèrent et pour certains, ça peut représenter des dizaines de milliers d'euros, voire des centaines de milliers d'euros par mois. Donc c'est des budgets qui sont colossaux et une marque peut demander à un influenceur de faire un partenariat dans son contenu pour plusieurs dizaines de milliers d'euros.

France Inter, 18 juin 2021.

 Page 33, Février sans supermarché

Éric Delvaux : Et bien c'est l'heure du Social Lab avec vous, salutations Valère Corréard.

Valère Corréard : Salut Éric.

Éric Delvaux : Alors il paraît qu'à partir de, de demain et pour tout le mois de février, vous n'irez pas au supermarché ?

Valère Corréard : Ben disons que ce serait un peu un comble Éric, parce que j'ai décidé cette année de soutenir l'opération « Février sans supermarché ». Ça fait 5 ans que le média suisse En vert et contre tout a réactualisé, démocratisé cette initiative qui avait été créée en fait, il y a une trentaine d'années. En 2020, ce sont quand même 50 000 personnes qui ont affirmé avoir tenté l'aventure. Parce que c'est une aventure finalement, qu'on pourrait renommer, pas forcément « Février sans supermarché », ça pourrait par exemple, Éric, s'appeler « Février en favorisant les commerces indépendants et en soutenant les petites fermes ». C'est notamment ce qu'on peut lire sur le site de l'opération et c'est pas si bête. Vous l'avez compris, il s'agit surtout en fait de nous inciter à nous reposer cette question : mais qu'est-ce que je soutiens comme modèle avec ma carte bancaire ?

Éric Delvaux : Alors, pourquoi s'en prendre spécifiquement aux supermarchés ?

Valère Corréard : Alors, c'est un exemple en fait parmi d'autres des dérives de la société de surconsommation. Des lieux où, quoi qu'on en dise, tout est trop. Et puis encore une fois pour Leïla Rölli, porte-parole de « Février sans supermarché », il ne s'agit pas tant d'être contre les supermarchés que d'être pour des alternatives.

Leïla Rölli : Le défi c'est vraiment de, de pouvoir essayer au maximum de favoriser l'économie locale, le circuit court, que ce soit alimentaire ou pour des, des produits comme les livres, comme les fleurs pourquoi pas, comme les, les quincailleries. Ce sont énormément de commerces qui ont été remplacés où qui tendent à être remplacés par la, par la grande distribution. Donc c'est favoriser l'emploi, c'est se dire qu'on sait à qui va l'argent qu'on dépense. Je vais donner, je sais pas, quelques francs – parce que comme j'habite en Suisse, je suis toujours en francs – quelques francs à mon boulanger pour lui acheter du pain, ben c'est de l'argent qu'il va probablement dépenser chez, dans le salon de coiffure du coin, qui va aller dans le, acheter son journal au kiosque du village, ou je ne sais pas, aller manger dans le restaurant le plus proche. Enfin c'est, c'est garder l'argent localement, créer de l'emploi et créer du lien aussi.

France Inter, 31 janvier 2021.

 Page 37, l'essentiel – exercice 2

a. Je voudrais vraiment que tu penses à notre compte en banque quand tu utilises la carte bleue. b. Il est probable que la boutique bio ferme au mois d'août. c. Il est préférable que les enfants ne regardent pas trop les publicités à la télé. d. Je crains que les magasins sans argent ne proposent pas grand-chose d'intéressant. e. Sara prétend que les boutiques éthiques vendent des produits de meilleure qualité. f. Akim ne se souvient pas que nous prévoyons d'aller au centre commercial cet après-midi.

DELF entraînement à la compréhension orale

 Page 39, exercice type 1 et 2

La présentatrice : Et on continue notre matinale avec la chronique environnement.

Saïd : Bonjour tout le monde.

La présentatrice : Bonjour Saïd. Alors aujourd'hui, nous allons assister au match gourde contre bouteille en plastique.

Saïd : Oui et vous allez sans doute me dire que c'est plié comme une bouteille d'eau minérale à recycler, puisque la gourde, elle, est résistante et peut être réutilisée à l'infini. Eh bien, comme d'habitude, c'est un peu plus compliqué si on regarde de plus près l'impact sur la planète. Voyons les chiffres, qui ne sont pas toujours d'accord entre eux d'ailleurs : nous, Français, utilisons 96 bouteilles en plastique par an et par personne. Ça représente quand même 400 000 tonnes en tout ! Et seulement la moitié est recyclée, l'autre moitié finit incinérée ou dans la nature si vous égarez votre bouteille. Je vous rappelle au passage qu'il faut 1 000 ans à une bouteille pour se dégrader en semant des microparticules dans tous les sens. En gros, c'est la cata. La gourde fait donc figure de sauveuse de la planète : non seulement elle est écolo, mais en plus elle permet de faire genre : « Regardez comme je prends bien soin de la planète, moi. Pas comme vous, sales pollueurs ! »

La présentatrice : Et comme d'habitude il y a un mais j'imagine.

Saïd : Nobody is perfect. Effectivement, et la gourde non plus. *Il y a le feu au lac*, le super podcast du journal *Ouest France*, fait justement le point cette semaine sur l'impact écologique de nos gourdes. Face aux bouteilles en plastique, elles gagnent mais à plusieurs conditions : il faut d'abord n'en posséder qu'une seule, ensuite l'utiliser longtemps et enfin choisir le modèle adéquat.

La présentatrice : Vous voulez parler du matériel de la gourde ? En plastique ou...

Saïd : Oui : plastique, verre ou inox. Ce dernier est le plus répandu, mais c'est le pire pour le processus de fabrication qui se révèle très lourd. Il faut trois ans d'utilisation pour compenser cette fabrication. Et si votre gourde est en inox isotherme, c'est encore plus long puisqu'il n'y a que la Chine qui produit ces gourdes, seule à posséder l'outil industriel pour. Peu importe le design, toutes ces gourdes sortent du même endroit, eh oui. Alors, pour celles en verre, c'est deux mois d'utilisation exclusive, je le répète, pour compenser et cinq mois pour les gourdes en plastique classiques. Mais dans ce cas, attention : celles en plastique sont légères et moins chères, sauf que cela reste du plastique qui fait rentrer des particules fines dans le corps et qui persiste dans l'environnement si vous la jetez ou la perdez. À choisir donc, la gourde en verre gagne la palme. Une dernière chose : ne tombez pas dans le piège « mode » : s'acheter des gourdes différentes pour aller avec vos tenues. Les fabricants ont bien saisi l'opportunité. Vous avez vu le nombre de modèles ? C'est incroyable. Mais bon, vous aurez beau avoir trop cool avec votre motif arc-en-ciel le lundi et géométrique le mercredi, cela n'aura absolument aucun intérêt et le sale pollueur de la bouteille en plastique aura un petit peu le droit de vous vanner.

 Page 40, exercice type 3

Présentatrice : C'est l'heure de la consultation avec la chronique du docteur Marcel Karmine, *Tous en forme*. Allez c'est parti. Bonjour Marcel.

Marcel Karmine : Bonjour.

Présentatrice : Donc docteur, vous allez nous parler aujourd'hui de notre cerveau, parce qu'en effet, le cerveau c'est comme le reste : ça s'entretient.

Marcel Karmine : Eh bien oui ! Pas de doute là-dessus. Un de mes collègues m'a recommandé un livre formidable que je vous recommande à mon tour : *Les incroyables pouvoirs de votre cerveau* de Michel Deguen. Eh bien dans ce livre, il est question des capacités du cerveau qui peuvent s'améliorer tout au long de la vie, mais à condition de l'entretenir. Saviez-vous qu'en trois semaines de vacances, on perd 20 points de QI ? On se repose, oui, mais on pense de plus en plus lentement et on a des difficultés à bouger. Et ce qui est étonnant d'ailleurs, c'est que si le cerveau se repose, eh bien il n'est pas forcément heureux pour autant. Ce qui le rend heureux, c'est le mouvement justement, de faire des découvertes, de ressentir des choses. Et quand on se met trop au repos, il ne se passe plus rien d'intéressant.

Présentatrice : Les sciences et l'innovation le dimanche avec Gaston Oumarou. Bonjour Gaston.

Gaston Oumarou : Bonjour à tous les auditeurs en ce dimanche !

Présentatrice : On va s'intéresser ce matin aux vêtements du futur. Alors, on ne parle pas de s'habiller en soldat de l'empire comme dans *Star Wars*, n'ayez pas peur ! Non, il s'agit de tenues en apparence normales mais qui ont des pouvoirs calmants ou stimulants.

Gaston Oumarou : En effet, ce sont des pulls, des T-shirts, des chemises ou encore des robes qui sont complètement normaux à première vue, mais dans lesquels des dizaines de petits micromoteurs ont été cousus le long des manches, dans le dos, près de la taille, etc. Et ensuite, ces micromoteurs sont programmés pour vibrer en cadence avec des mouvements circulaires ou encore des petits tapotements. Grâce à ces différentes vibrations, ces vêtements seraient capables de reproduire toute une palette de sensations comme nous rendre plus léger ou encore nous galvaniser.

Présentatrice : Et ça marche vraiment ?

Gaston Oumarou : Bon, pour être sincère je n'ai pas essayé moi-même. Mais d'après le fabricant, c'est l'interaction entre la vibration des micromoteurs et la matière du tissu qui produirait des sensations complètement différentes. Le résultat sera donc différent avec du synthétique, de la maille ou encore du coton.

Jean-Paul Huchin : Bonjour, je suis Jean-Paul Huchin. Je suis un des fondateurs de la société coopérative Ethichoc qui fait du chocolat de qualité et dans des conditions dignes pour tous les acteurs de la chaîne. Eh bien, Ethichoc a pris la décision de relocaliser sa production de tablettes de chocolat dans la Nièvre. Après plusieurs années d'expérience, nous avons acquis des savoir-faire pour acheter des cacaos, des matières premières sans intermédiaire auprès de coopératives de petits producteurs à un prix plus juste pour eux. Nous avons aussi appris à distribuer le chocolat en tablette en France dans les rayons bio des supermarchés par exemple. Cependant, il nous manquait cette étape de fabrication justement de la tablette de chocolat. Jusqu'ici, cette fabrication était déléguée à une autre entreprise dans un autre pays européen. Nous sommes donc en train de construire nos installations dans la Nièvre pour relocaliser cette activité. Nous projetons ainsi de créer une trentaine d'emplois sur le territoire français et ainsi ne plus être dépendants d'une sous-traitance. Ce pas en avant dans l'autonomie nous permet également d'apporter plus de valeur ajoutée pour les petits producteurs, pour notre coopérative et en fin de chaîne de pouvoir baisser les prix pour le consommateur.

Unité 3 Chercher sa voie

14

Page 42, L'éducation a remplacé la richesse

Patricia Loison : Mh, vous dites, c'est un, un, une de vos lignes de forces, l'éducation a remplacé la richesse, le patrimoine, même si parmi ces sur-diplômés certains viennent de familles qui ont eu un héritage, qui ont du patrimoine, mais vous dites aujourd'hui l'éducation a remplacé la richesse. Ça aussi, je trouve c'est un message qui est intéressant et je renvoie tous les jeunes qui nous écoutent à lire ça parce que euh sur les réseaux ce qui fait le buzz c'est la télé-réalité, c'est l'argent facile, la richesse un peu étalée, et vous, vous dites, attention, ça c'est pas la vraie richesse, c'est celle d'apprendre et de, de se cultiver.

Jean-Laurent Cassely : Oui et de transmettre. C'est-à-dire que nous ce qu'on dit c'est : regardez qui sont les gens qui font des start up aujourd'hui, qu'on admire, qui sont les gens qui sont les influenceurs culturels, qui sont les gens qui parlent de la consommation alternative, du monde d'après, de l'écologie, c'est les diplômés, c'est pas les riches. En fait aujourd'hui le monde des riches, c'est le monde de Donald Trump en fait, de, de gens qui passent leur journée à jouer au golf alors que le monde s'effondre.

Patricia Loison : Oui c'est pas très intéressant.

Jean-Laurent Cassely : Ça fait rêver personne.

Patricia Loison : Ouais. Euh... Moi j'avais juste noté parce que vous dites l'éducation est le nouveau capital, mais vous vous citez les Ivy Leagues américaines, les grandes, les dix plus grandes universités américaines dont Harvard évidemment, euh, elles coûtent très cher, c'est pas gratuit l'éducation on est bien d'accord, c'est, en tout cas dans le monde anglo-saxon c'est excessivement coûteux.

Jean-Laurent Cassely : Oui, alors la grande différence...

Patricia Loison : Faut avoir les moyens de se l'offrir cette éducation qui nous rend libre.

Jean-Laurent Cassely : Oui, vous avez raison, la grande différence avec la France c'est que en France les études ne sont pas très chères, c'est vraiment l'excellence, en fait, méritocratique qui est visée. Alors on sait très bien depuis qu'il y a des travaux sur l'éducation que les, les parents des milieux plutôt favorisés transmettent en fait à leurs enfants leur fameux capital culturel, euh, même s'ils ne sont pas forcément très riches hein, par exemple les enseignants souvent ont des élèves, ont des enfants qui sont de très bons élèves, qui passent des concours, des classes prépa, des grandes écoles, donc en France, voilà, c'est pas forcément l'argent qui fait la transmission, c'est aussi le diplôme et le capital culturel et ça, ça compte de plus en plus pour arriver aux étages de plus en plus élevés en fait de la course aux diplômes puisqu'on sait qu'il y a encore, par rapport à il y a trente ans, aujourd'hui c'est pas juste avoir le Bac, c'est pas juste un Bac + 5 c'est peut-être un double diplôme, c'est peut-être un diplôme français et un diplôme à l'étranger, voilà, c'est peut-être parler deux langues quand on s'insère sur le marché du travail. Donc cette course aux diplômes quelque part ne s'arrête jamais, et, et c'est pour ça que je, qu'on insiste vraiment là-dessus, sur cette l'importance qu'a ce, ce titre aujourd'hui, parce que ça c'est quelque chose que personne ne peut vous enlever. On peut, on peut vous enlever toute votre richesse monétaire, mais jamais votre diplôme.

France Télévision, 27 janvier 2021.

15

Page 45, Grandes écoles et mixité

Guillaume Erner : À l'École normale supérieure, à Sciences Po, à HEC ou dans les écoles d'ingénieurs, malgré des vœux pieux et des dispositifs d'aide restés pour l'instant sans effet, les grandes écoles se sont-elles vraiment démocratisées ? Bonjour Julien Grenet.

Julien Grenet : Bonjour.

Guillaume Erner : Vous êtes économiste et directeur de recherches au CNRS. Alors qu'observe-t-on au travers de ces études ?

Julien Grenet : Ben, ce qu'on observe c'est que euh malgré les dispositifs d'ouverture sociale qui ont été mis en place par les grandes écoles depuis la Charte pour l'Égalité des chances de 2005 euh, leur composition sociale, l'origine géographique des étudiants, la répartition filles-garçons, rien n'a changé depuis, depuis 15 ans maintenant, on a une sur-représentation des catégories favorisées, une sur-représentation des Parisiens, des Franciliens et une sous-représentation assez forte des filles.

Guillaume Erner : Alors, rien n'a changé, on se dit que s'il n'y avait pas eu des dispositifs d'aide, parce qu'il y en a eu un certain nombre malgré tout, la situation serait peut-être pire aujourd'hui ?

Julien Grenet : Alors, c'est pas certain parce que ces dispositifs d'aide quand on regarde dans le détail, ils concernent en réalité très peu d'étudiants, ils sont, ils sont très parcellaires. Le dispositif le plus connu, Les Cordées de la Réussite, qui consiste en des dispositifs de tutorat ou d'accompagnement de lycéens en Éducation prioritaire, en fait chaque année il ne bénéficie qu'à moins de 2 % des collégiens ou des lycéens en France, donc c'est pas ça qui va changer la donne, qui va élargir le, le recrutement des grandes écoles. Les conventions Éducation prioritaire de Sciences Po, qui est l'autre grand dispositif phare, ne concerne chaque année qu'une centaine d'élèves sur des promotions de 1500.

Guillaume Erner : Donc ce sont des dispositifs qui sont insuffisants quantitativement, qu'est-ce que l'on pourrait imaginer comme autre dispositif, est-ce qu'il faudrait par exemple étendre ce qui existe et l'ouvrir à plus de personnes ?

Julien Grenet : Alors, je pense qu'il y a plusieurs leviers pour agir. Il y a d'abord de prendre en compte la, l'extraordinaire concentration des classes préparatoires, des grandes écoles sur le territoire francilien, qui constitue une véritable barrière pour les étudiants qui viennent d'autres régions, euh, quand on regarde la composition de l'École normale, de HEC, de Polytechnique, on se retrouve qu'on a 25 % de Parisiens, alors qu'ils ne représentent que 3 % de la population, c'est une sur-représentation considérable et qui ne s'explique pas par des écarts de niveau scolaire. Donc euh généralement…

Guillaume Erner : Déjà ça c'est un biais effectivement objectif.

Julien Grenet : Objectif, généraliser les exonérations de frais de scolarité pour les boursiers ce qui n'est pas systématiquement le cas, favoriser les aides à la mobilité, euh, permettre une meilleure, euh, disons diffusion de l'information sur ces formations, dans tout un tas d'établissements beaucoup d'élèves de très haut niveau n'ont juste pas, ne connaissent pas ces formations je pense que ça fait partie des leviers et puis plus généralement je pense qu'il faut réfléchir sérieusement aux mécanismes de discrimination positive qui peuvent être mis en place dans le système.

France Culture, 20 janvier 2021.

 Page 49, Investir dans son pays d'origine

Nathalie Amar : Quand des entrepreneurs de la diaspora investissent dans leur pays d'origine : nous sommes au Mali ce matin avec Maurice Coulibaly. Bonjour !

Maurice Coulibaly : Bonjour Nathalie.

Nathalie Amar : Vous êtes coach en ingénierie d'affaires et vous nous parlez d'un programme, Construire le Mali, qui accompagne le développement de ces entreprises : de quoi s'agit-il ?

Maurice Coulibaly : C'est d'abord une belle histoire d'amour entre ces hommes et ces femmes et leur pays. Rokiatou Traoré qui commercialise sous sa propre marque la moringa, elle en confie la production, la transformation et le conditionnement aux normes européennes à des groupements de femmes. Il y a aussi Appolline Dakou, qui veut lancer une plate-forme de distribution de produits maraîchers bio sous forme d'abonnement : un panier par semaine, un peu de tout. Et c'est des défis quand on connaît les difficultés à s'approvisionner régulièrement en produits frais et bon marché. Et puis Amadou Haba Haidara qui a été formé en France au métier d'auditeur et qui a décidé de se lancer dans l'entreprenariat au Mali : il s'est aussi positionné sur le marché des fruits tropicaux accommodés pour produire de délicieux smoothies. Avec son offre de purées de fruits il est désormais à la tête d'une start-up employant plusieurs jeunes Maliens.

Nathalie Amar : Tous ces entrepreneurs, Maurice, ont débuté en octobre dernier dans le cadre de ce programme : quels sont les résultats 6 mois plus tard ?

Maurice Coulibaly : Des résultats extrêmement prometteurs : sur les 50 projets qui ont été accompagnés depuis le départ, plus de 80 % ont monté leur entreprise. C'est pas loin de 400 emplois créés qui sont anticipés. Et ce n'est pas fini puisqu'une seconde cohorte qui compte 50 entrepreneurs supplémentaires a fini d'être recrutée il y a quelques semaines.

Nathalie Amar : Alors à l'image d'Appoline, Rokiatou, Isma, 50 nouveaux entrepreneurs auront l'occasion de lancer leur

entreprise en bénéficiant des services d'experts. Qu'est-ce qui rend, Maurice, ce projet si original ?

Maurice Coulibaly : D'abord, ces Maliens sont tous issus de la diaspora. Ils appartiennent à différentes générations d'immigrés et ils ont en commun d'être portés par une envie solidement chevillée au corps : celle de déployer les compétences acquises et l'expérience capitalisée au cours de leur séjour hors du pays, en France notamment, au service de leurs compatriotes.

Nathalie Amar : Merci Maurice Coulibaly et bonne journée à Bamako.

Maurice Coulibaly : Merci Nathalie.

RFI, 13 mai 2021.

 Page 50, intonation – exercice 5

a. Si j'avais su que tu étais malade, je ne t'aurais pas appelé. **b.** Si mon chef était juste avec moi, je travaillerais mieux. **c.** Si je lui avais manifesté plus de reconnaissance, elle n'aurait pas démissionné. **d.** Si tu ne t'étais pas penchée pas sur ce dossier, on n'aurait jamais fini à temps ! **e.** Si vous alliez à cette réunion, vous apprendriez peut-être des choses. **f.** Si tu ne m'avais pas raconté tous tes problèmes, j'aurais fini mon mail depuis longtemps.

 Page 53, l'essentiel – exercice 4

a. Non mais regarde, je n'ai toujours pas été augmenté ! **b.** Nous constatons aujourd'hui un vieillissement de la population active. **c.** Oui ! J'ai réussi ! Je suis admis ! Je suis admis ! **d.** On veut une vraie retraite ! **e.** J'ai déjà occupé un poste au sein de l'entreprise Moulinex. **f.** Ça y est, ils m'ont embauchée, j'ai enfin trouvé un job !

Unité 4 Être connecté ou ne pas être

Page 57, Sauvegarder ses documents

Voix off : Bye bye le papier. Aujourd'hui, la dématérialisation s'impose dans de nombreux secteurs. C'est pourquoi *L'instant Conso* vous explique comment gérer vos documents dématérialisés.

Sylvie Dekeister : Un document dématérialisé c'est un document au format numérique. On parle de dématérialisation « duplicative » pour les documents scannés et de dématérialisation « native » pour les documents directement produits au format numérique, à partir d'un système d'information.

Voix off : Dématérialiser c'est donc s'affranchir du papier ! Et sachez qu'un contrat numérique équivaut à un contrat papier aux yeux de la loi ! Deux conditions sont à respecter cependant.

Sylvie Dekeister : Les signataires du contrat doivent être clairement identifiés et l'intégrité du document doit être garantie.

Voix off : Un système de signature électronique doit en effet certifier l'identité de l'expéditeur et du destinataire, garantir que le document n'a pas été modifié, et enfin que le destinataire est le seul à pouvoir l'ouvrir.

Sylvie Dekeister : La dématérialisation concerne maintenant tous les domaines : celui des contrats et des démarches administratives, comme par exemple les démarches auprès du service des impôts, de la CAF ou encore de la Sécurité sociale.

Voix off : Ces documents sont uniquement produits au format numérique. Ne pas les conserver revient donc à ne pas avoir de trace ! Cela peut poser des problèmes lorsqu'il s'agit d'apporter des justificatifs ou des preuves.

Sylvie Dekeister : Cela peut s'avérer notamment très gênant en cas de litige avec une entreprise car l'entreprise n'est pas tenue de vous fournir le double du contrat !

Voix off : De plus, certaines administrations peuvent supprimer les données au-delà d'un certain délai. Vous devez donc télécharger les documents reçus par mail, les classer et les sauvegarder sur un support : une clé USB, un disque dur externe, ou un coffre-fort numérique. N'hésitez pas à sauvegarder des copies sur différents supports.

Sylvie Dekeister : Enfin, si vous choisissez le coffre-fort numérique, vérifiez au préalable le sérieux du fournisseur.

Voix off : En bref : notez qu'un contrat dématérialisé équivaut à un contrat papier, ne dépassez pas les délais de conservation des documents et enfin, sauvegardez vos documents sur différents supports.

INC, 20 janvier 2020.

Page 58, intonation – exercice 5

a. Zoé n'a pas assez d'argent. C'est pour cela qu'elle ne s'achète pas d'ordinateur. **b.** Ma mère ne sait pas bien utiliser Internet, d'où son énervement face à la dématérialisation. **c.** Du fait de son emploi du temps chargé, il n'a pas le temps de se rendre au guichet d'accueil. **d.** Mes récentes publications sur Twitter ont suscité la haine de nombreux internautes. **e.** À partir du moment où tu refuses d'avoir un smartphone, c'est normal que tu sois complètement déconnecté. **f.** Yann m'a raconté que son addiction aux jeux vidéo a provoqué son divorce. **g.** Vu ton état de fatigue, tu ferais mieux de remettre tes démarches administratives à demain. **h.** Suite à une panne de courant, mon ordi a bugué. **i.** Il m'a dit qu'il avait tant stressé qu'il avait raté son test d'admission en ligne.

Page 62, Jamais sans mon portable

Laurent : Salut Julie. Oh, tu as l'air contrariée.
Julie : Je suis même fâchée. Fâchée après ma fille. Elle me supplie de lui rendre son téléphone.
Laurent : Tu lui as encore confisqué ?
Julie : Écoute, dès qu'elle sort du collège, elle a le nez collé dessus, au point même d'en oublier de me regarder quand je lui parle.
Laurent : À une époque, tu me racontais que cela te rassurait de pouvoir joindre et localiser ta fille à tout moment. Au départ, tu disais même que tu lui avais acheté un portable pour te permettre de garder le contact en permanence avec elle.
Julie : C'est vrai, oui. Mais maintenant, elle ne le lâche plus. C'est carrément devenu une extension de son bras !
Laurent : Être connecté à tout instant, c'est le credo des adolescents, non ? Leur portable, c'est toute leur vie.
Julie : Imagine-toi que pendant le week-end, Sophie a envoyé plusieurs centaines de SMS à ses copains, plusieurs centaines par jour. Tu te rends compte ? Et maintenant, c'est son petit frère qui réclame un mobile. Il a sept ans, sept ans ! Tu imagines, bientôt, ils seront chacun dans leur coin à tapoter sur leur truc !
Laurent : Je ne veux pas être désagréable, mais je voudrais te faire remarquer que tu n'es pas vraiment un modèle en la matière pour tes enfants.
Julie : Pardon ? Tu plaisantes ?
Laurent : Écoute Julie, tu ne quittes jamais ton portable non plus. Regarde, là, tu le tiens dans la main en me parlant. Tu ne peux pas le nier quand même !
Julie : Mais c'est normal, j'ai toute ma vie dedans : mes photos, mes vidéos, mes contacts, ma musique, mes livres...
Laurent : D'accord, d'accord, mais ce n'est pas la peine de crier ! Enfin, je suis sûr que si je te le confisquais, tu ferais une terrible crise de nerfs. Et ton mari, il regarde tout le temps des vidéos sur son téléphone. Tout est prétexte pour utiliser un téléphone ou une tablette dans votre famille. Je suis désolé de te dire tout cela, mais tu dois ouvrir les yeux ! Punir ta fille n'est pas la solution ! Il faut commencer par changer vos comportements.
Julie : Et toi ? Tu fais comment alors ?
Laurent : Moi, j'ai posé des limites. Pas de mobile pendant les repas et...
[Sonnerie de téléphone.]
Julie : Allo ? Non, non, et non, je ne te dirai pas où il est ! *[Elle raccroche.]* Excuse-moi, c'était Sophie qui m'appelait avec le téléphone de son copain. Elle me demandait encore de lui rendre son portable, elle voulait savoir où je l'avais caché. Bref, elle se plaignait que j'étais une mère indigne. Tu disais, Laurent ? Pardon ?
Laurent : Je t'expliquais qu'il fallait poser des limites.

Page 66, Addiction aux écrans

Caroline Paré : Dr Pierre Poloméni, bonjour.
Pierre Poloméni : Bonjour.
Caroline Paré : Vous êtes psychiatre addictologue au Centre Phenix Mail de Genève. Est-ce que l'on peut parler véritablement d'un phénomène d'addiction mondial aux écrans ?
Pierre Poloméni : Oui. On peut parler de consommation, d'usage démesuré d'écrans dans le monde entier et un certain nombre de jeunes ou de moins jeunes ne contrôlent plus leur consommation et deviennent addicts. Oui clairement, on fait ce constat.
Caroline Paré : Dans toutes les addictions on parle de populations vulnérables, est-ce que c'est aussi le cas pour la dépendance aux écrans ?
Pierre Poloméni : Oui, c'est tout à fait vrai pour toutes les, les substances ou pour tous les comportements, un certain nombre de personnes gèrent. On sait à peu près comment faire pour un certain nombre d'entre nous avec l'alcool, le tabac ou le jeu. Et des personnes, alors on dit plus vulnérables, ça cache évidemment plein de choses, n'arrivent plus à contrôler, à garder des, des barrières de sécurité et deviennent complètement esclaves de ce comportement ou de cette substance.
Caroline Paré : Et quand on parle de risques, risques en terme sanitaire, on parle de quoi précisément ?
Pierre Poloméni : Dans tous les risques liés aux addictions, on a des risques physiques, psychologiques, sociaux globalement. Et donc en risques sanitaires pour les écrans, on a évidemment des problèmes oculaires, des problèmes cervicaux, des problèmes de repli de type comme un peu un fœtus qui se replie sur lui-même, avec des problèmes de colonne vertébrale, des problèmes digestifs, des problèmes d'obésité. C'est assez important. Et évidemment s'associent à ça les dommages psychologiques, l'isolement et les dommages sociaux, la déscolarisation, etc. Donc clairement, on peut identifier les dommages de tous types liés à ce comportement lorsqu'il est abusif.

RFI, 9 octobre 2019.

Page 67, l'essentiel – exercice 4

Charlotte : Salut Jules, dans le cadre de mon master en commerce et marketing, je dois réaliser un mémoire sur l'impact des influenceurs sur les réseaux sociaux auprès des consommateurs et je cherche des témoignages. Et comme je sais que tu es accro aux réseaux sociaux, je pense que tu es la bonne personne pour répondre à mon enquête.
Jules : Accro, accro, tu exagères quand même !
Charlotte : Allez, je cherche des volontaires pour répondre à mes questions. Tu veux bien participer à mon enquête ?
Jules : Bon d'accord, parce que c'est toi.
Charlotte : OK c'est parti. Première question : combien de temps par jour passes-tu sur les réseaux sociaux ?
Jules : Euh, je dirais plus ou moins trois heures.
Charlotte : Est-ce que tu suis des influenceurs ?
Jules : Plusieurs, oui.
Charlotte : Tu les suis sur quels réseaux sociaux ?
Jules : YouTube et Instagram.
Charlotte : Et quel est leur univers ?
Jules : Tu sais que j'adore cuisiner et découvrir de nouveaux restos. Sur Instagram, c'est surtout l'univers de la cuisine et la restauration, et sur YouTube, j'aime bien regarder les vidéos des influenceurs dans les domaines du high-tech, du sport, du tourisme.
Charlotte : Pour quelles raisons tu les suis ?
Jules : Pour avoir des informations, connaître l'actualité des nouveaux produits et parfois ils proposent des promotions sur les marques. Et sur Instagram, les grands chefs donnent des idées de recettes aussi, ça m'inspire ! Sinon, l'univers des influenceurs me fait rêver aussi : ils postent de super belles photos, ils sont sympas, ils sont toujours à la pointe de ce qui se fait de mieux.
Charlotte : OK. Dernière question : as-tu déjà effectué un achat après avoir lu ou visionné des contenus publiés par un influenceur ?

Jules : Oui, très souvent. Par exemple, mon dernier achat, c'est une montre connectée recommandée par Timini, un influenceur spécialiste des nouvelles technologies. Ton interview est déjà terminée ? Dis-moi, quel est l'impact des influenceurs sur moi ? C'est quoi ton diagnostic ?

Charlotte : Je ne peux rien te dire maintenant. Je te dirai ça quand j'aurai analysé toutes les réponses des personnes interviewées. D'ici quelques mois.

Jules : Quoi ?!

Charlotte : Ce que je peux te dire en tout cas, c'est que les influenceurs créent une complicité avec leurs abonnés pour gagner leur confiance. Et c'est exactement pour cela que les marques font appel à eux pour mettre en avant un produit auprès d'un public conquis d'avance. C'est souvent une manière de faire de la publicité, c'est ça le marketing ! Et tu es tombé les deux pieds dedans !

Unité 5 Histoire au passé et au présent

Page 76, intonation – exercice 6

a. « La France a perdu une bataille, mais elle n'a pas perdu la guerre. » **b.** « Pourvu que ça dure. » **c.** « S'ils n'ont pas de pain, qu'ils mangent de la brioche. » **d.** « Je pense donc je suis. » **e.** « Le rire est le propre de l'Homme. » **f.** « De l'audace, encore de l'audace, toujours de l'audace. » **g.** « L'État, c'est moi. » **h.** « Ralliez-vous à mon panache blanc. » **i.** « Rien ne se perd, rien ne se crée, tout se transforme. »

Page 77, Notre-Dame de Paris en flammes

Nicolas Demorand : Le zoom de France Inter qui vous propose un retour à Notre-Dame, sur le toit de la cathédrale, avant les flammes. Chantier exceptionnel qui avait débuté il y a quelques jours, le chantier la flèche de la cathédrale, cette flèche qui s'est effondrée hier. Rémi Brancato, bonjour.

Rémi Brancato : Bonjour Nicolas, bonjour à tous.

Nicolas Demorand : Rémi ce chantier vous l'avez visité il y a tout juste cinq jours. Jeudi, vous êtes monté sur ces échafaudages qu'on a vus hier dans les flammes sur le toit des cathédrales.

Rémi Brancato : Ces flammes qui ont ravagé une grande partie du toit de Notre-Dame avec par-dessus, au centre de ces images, ces échafaudages. Cinq cent mille tubes d'acier installés progressivement depuis l'été dernier. C'est là que je vous propose de monter ce matin. On va faire aussi un petit voyage dans le temps. La semaine dernière, il y a cinq jours, jeudi matin il est onze heures passées, je contourne la cathédrale et au pied d'un échafaudage, on monte dans deux ascenseurs larges installés pour les travaux. À 50 mètres au-dessus du sol, je me retrouve face à cette flèche qui s'est effondrée, rongée par les flammes hier soir, un joyau de 1859, euh 1859, œuvre de l'architecte Viollet-Le-Duc. Jeudi, elle était encore debout, elle devait être restaurée : les plaques de plomb qui la recouvrent devaient être retirées, fondues, posées à nouveau... Il n'en reste rien. Il y a cinq jours, l'heure était encore à l'enthousiasme sur le toit de Notre-Dame pour Philippe Villeneuve, l'architecte en chef des monuments historiques.

Philippe Villeneuve : C'est une charpente en bois, qui est une structure magnifique... Par contre, l'habillage en plomb, lui, est en mauvais état. La flèche a été restaurée la dernière fois en 1935... Là, les travaux qu'on fait, on espère que dans 80 ans, on espère que ça va tenir au moins 80 ans.

Rémi Brancato : Des propos tenus avant l'incendie de Notre-Dame, qui résonnent étrangement ce matin Nicolas.

Nicolas Demorand : Oui, d'autant plus étrangement que les ouvriers, les spécialistes s'apprêtaient, Rémi, à prendre toutes les précautions du monde.

Rémi Brancato : À l'exact opposé de la violence des flammes, ils s'apprêtaient à travailler avec un cahier des charges bien précis, une minutie toute particulière. « On veut garder un maximum de traces du passé », me disait Julien Lebras, le patron

de la société de couverture et de charpente spécialisée dans les monuments historiques, installée près de Metz. Il avait pour mission notamment de retirer le plomb de la flèche, finalement partie en fumée.

Julien Lebras : C'est un chantier tout à fait exceptionnel et que tout compagnon rêve de réaliser bien entendu, oui.

Rémi Brancato : Un patron enthousiaste jeudi sur l'échafaudage de Notre-Dame, un sentiment qui contraste évidemment avec la tristesse de tous ce matin.

Nicolas Demorand : Oui, parce que comme hier, les Parisiens, les touristes étaient nombreux jeudi, quand vous y étiez, aux abords de Notre-Dame.

Rémi Brancato : Oui, c'est une preuve de l'attachement du monde entier à Notre-Dame de Paris, un attachement qui n'est évidemment pas né avec cette catastrophe. Hier soir, des milliers de personnes massées aux abords de l'île de la Cité avaient les yeux rivés sur un toit en flammes. Eh bien jeudi les Parisiens, les passants regardaient au même endroit pour voir quatre évangélistes et douze apôtres... voler. Ce sont les seize statues qui ont été retirées de la flèche de la cathédrale par une grue de plus de 100 mètres pour être restaurées au sol à Périgueux. Un spectacle majestueux jeudi dernier, donc ce matin on le sait, des œuvres d'art ont été ravagées par cet incendie. Mais ces seize statues sont sauvées. Et hier soir, le responsable de l'entreprise de restauration de Périgueux était aux abords de Notre-Dame. Notre collègue reporter Mathilde Dehimi l'a rencontré. Il était trop ému pour parler au micro de France Inter, mais il a montré les photos des seize statues recueillies chez lui, en Dordogne, dans son entrepôt. Seize rescapées de Notre-Dame : il devait les rendre à la cathédrale d'ici trois ans, d'ici 2022, et la fin de ce chantier de restauration de la flèche. Ce matin, après ce terrible incendie, il ne sait pas pour combien de temps il devra leur offrir l'hospitalité.

Nicolas Demorand : Merci Rémi. Rémi Brancato qui signait ce zoom de France Inter à retrouver sur franceinter.fr.

France Inter, 16 avril 2019.

Page 79, Les Haïtiens de Montréal

Pascale Guericolas : Dorothy et Camille, toutes deux nées au Québec, de parents nés en Haïti, aiment parsemer leurs conversations de mots créoles. Un rappel de leur double identité tout comme leurs visites régulières dans cette épicerie de Montréal typiquement haïtienne.

Dorothy : On est devant le marché Méli-Mélo sur Jarry coin Saint-Hubert Montréal. C'est une place mythique.

Camille : Je vais prendre pour mon fils pâté, à la morue... pâté au bœuf. Ça, j'aime.

Dorothy : Moi je vais juste prendre un plat de griyo. Et toi, tu prends quoi ?

Pascale Guericolas : Les Haïtiens de Montréal et du Québec ne vivent pas en vase clos. Ils s'imprègnent aussi de la culture québécoise. Tout comme Dorothy et sa grand-mère qui se sont initiées au folklore du Québec, à la télévision avec l'émission La soirée canadienne.

Louis Bilodeau : Alors voici donc notre champion : Réjean Simard.

Dorothy : Je danse avec ma grand-mère. Et euh, on aimait ça ce, cette rythmique-là avec la cuillère. Là, quand il frappait les cuillères. Donc ça nous donnait un petit tss. Tu sais on s'amusait. On s'est imprégné de cette culture québécoise.

Hôtesse : Bonjour enchantée.

Pascale Guericolas : Arrivée chez Mémoire d'encrier, la maison d'édition fondée par Rodney Saint-Éloi en 2003. Un lieu de rencontre et de métissage entre des auteurs haïtiens, africains, antillais mais aussi amérindiens du Québec. Sous l'impulsion de cet éditeur né au sud d'Haïti, des poètes et des romanciers des premières nations ont pu accéder à la notoriété. Rodney Saint-Éloi raconte comment il en est arrivé à nouer un lien de confiance avec ce peuple écorché dont une partie vit dans des réserves pour Amérindiens à l'écart du reste du Québec.

Rodney Saint-Éloi : Quand je suis arrivé ici et puis je pense que instinctivement, comme l'animal cherche un point d'eau et peut-être que le point d'eau pour moi c'était en fait ce qu'ils appellent les réserves. On connaît la misère, on connaît le rejet, on connaît l'injustice, on connaît le racisme, on connaît tout ça. Donc on s'assemble pour faire peuple, pour faire foule, pour faire histoire, pour faire histoire commune. Donc c'est normal parce que nous voulons faire la révolution. En Haïti nous avons fait 1804, et puis je vais dans les réserves pour dire hep hop on va faire la révolution ensemble.

Pascale Guericolas : Son ami le poète Frantz Benjamin se souvient lui que les Haïtiens qui ont fui le régime de Duvalier, ont contribué à bâtir le syndicalisme au Québec.

Frantz Benjamin : Dans les années 70 par exemple, après la vie des intellectuels, il y a eu aussi l'arrivée de beaucoup de délégués syndicaux, de personnes qui étaient des militants, du syndicat. Et ces personnes-là ont amené, eh, justement cette vision. Ils ont intégré la FTQ, la CSN comme syndicalistes.

Pascale Guericolas : Aujourd'hui député du Parti libéral du Québec, Frantz Benjamin bâtit des ponts entre sa communauté d'origine et celle d'accueil. Forte de ses deux cent mille membres à Montréal, cette diaspora séduit même des Québécois sans lien de sang avec Haïti. Eux qui intègrent désormais sa musique, son langage, ses plats typiques à la culture d'ici. Pascale Guericolas, Montréal, RFI.

RFI, 13 août 2020.

Page 79, Du Burkina Faso à Paris

Je suis arrivée en janvier, le 11 janvier 2000, et je suis arrivée dans le XIᵉ, rue de Crussol. Voilà, c'est la rue où j'ai habité la première fois, en fait, quand je suis arrivée en France. L'appartement, il était tout minuscule et moi quand j'ai vu, en fait, le salon où il y avait la cuisine, je croyais que c'était juste la cuisine, et là je peux vous dire que j'ai regretté ma maison au Burkina. C'est là, et à l'époque, la porte, elle était verte. Je demandais à ceux qui étaient déjà partis en Europe : comment il fait froid, comment il fait froid ? Et les gens me disaient : « tu vois le, le congélateur là-bas ? Mets ta tête dedans pendant une demi-heure. » Et en fait, là, quand je suis arrivée, j'ai compris qu'il faisait vraiment très, très froid. Donc, du coup, je me suis dit : « tiens, on va aller à Barbès pour s'acheter de quoi se réchauffer. » La première fois que j'ai pris le métro, je voulais faire comme une grande. Je suis descendue toute seule, j'ai vu les gens descendre, je suis descendue avec eux, j'ai vu le métro arriver, et en fait j'ai pas eu le temps : le métro a ouvert ses portes et ça a sifflé. Et moi, je ne savais pas et j'ai couru, je suis allée, et en fait les portes se sont refermées sur moi. Et ça m'a traumatisée ! Et depuis, je ne voulais plus prendre le métro. Et en plus, dans le métro, enfin, personne ne se dit bonjour. Les gens ne se parlent pas, et moi, je, c'était impossible pour moi de rentrer et de m'asseoir comme ça et de ne même pas regarder les gens, quoi. Donc du coup, moi je disais « bonjour », « bonjour », « bonjour »… Personne ne me répondait ! Quand je suis arrivée à Barbès, je suis sortie du métro, et là je me suis dit : « welcome to Africa. » Ah mais j'étais chez moi, je disais bonjour à tout le monde, les gens me répondaient, mais c'était vraiment génial. J'étais heureuse de retrouver cette chaleur-là, qu'on a chez nous, et qu'on a pas dans le XIᵉ. Et voilà, et je suis arrivée chez Tati, je suis rentrée dans le magasin et je me suis jetée sur les manteaux ! Parce que j'avais froid, il fallait que je m'habille. Et la personne avec qui j'étais m'a proposé d'aller voir, je suis allée voir, et en fait j'ai choisi un manteau, et c'était un manteau d'homme. Mais la personne ne m'a pas dit que c'était un manteau d'homme, moi, je ne connaissais pas la différence. Pendant ce premier jour, il y a des moments où vraiment, je me suis posé la question : est-ce que je suis faite pour vivre ici ? est-ce que je vais m'adapter ? est-ce que je vais pouvoir m'en sortir ? Moi, je suis la petite dernière d'une famille de sept enfants, donc la petite chouchou, on va dire, et se retrouver seule ici, face à soi-même, à la solitude surtout, c'était dur, et il y a des moments où j'ai pensé à retourner chez moi. Mais je me suis dit : t'as la chance, il y a d'autres personnes qui aimeraient venir.

Brut, 18 novembre 2020.

Page 81, Histoire de l'immigration en France

C'est une histoire écrite au fil des routes et des voyages. Depuis des siècles, des femmes, des hommes sont arrivés sur le territoire français, venus d'ailleurs, de l'autre côté des mers, des fleuves ou des montagnes, franchissant des frontières aux contours souvent incertains. Certains n'étaient que de passage. D'autres sont restés quelques temps, avant de repartir. D'autres encore se sont installés durablement. Ces migrations sont souvent de proximité et rencontrent sur leur chemin les migrants de l'intérieur. On quitte un village, une région pour aller travailler un peu plus loin, vendre ses bras et ses services, commencer parfois une autre vie. Dès le Moyen Âge, la France accueille des théologiens comme Thomas d'Aquin, des marchands et des banquiers venus d'Italie, d'Allemagne ou des Flandres. Les rois savent s'entourer de conseillers et de ministres étrangers, comme Mazarin ou Necker. Parfois, la diplomatie exige de se tourner vers l'Europe pour sceller les mariages princiers. Les étrangers sont indispensables dans l'armée et le négoce. Les comédiens italiens, les plus grands peintres de la Renaissance, des musiciens comme Lully et Gluck, des philosophes, tous participent à l'élan culturel. Mais ces premières migrations sont aussi traversées de figures modestes : artisans et domestiques, colporteurs et marins, pêcheurs et paysans. La fin du XVIIIᵉ siècle semble marquer un tournant. La Révolution fonde une nouvelle conception de la nation et distingue désormais celui qui est étranger de celui qui est citoyen. Elle proclame l'égalité de tous et accorde la qualité de Français à ceux qui sont nés sur son sol. L'État-nation se dessine petit à petit, tandis que s'annoncent d'autres révolutions qui vont mettre en mouvement les peuples européens. Avec le grand bouleversement de l'âge industriel, les migrations entrent dans l'ère des masses.
Deux siècles d'histoire de l'immigration en France.

www.histoire-immigration.fr/le-film.

Page 83, l'essentiel – exercice 4

En 2020, 6,8 millions d'immigrés vivent en France, soit 10,2 % de la population totale. 2,5 millions d'immigrés, soit 36 % d'entre eux, ont acquis la nationalité française.
La population étrangère vivant en France s'élève à 5,1 millions de personnes, soit 7,6 % de la population totale. Elle se compose de 4,3 millions d'immigrés n'ayant pas acquis la nationalité française et de 0,8 million de personnes nées en France de nationalité étrangère. 1,7 million de personnes sont nées de nationalité française à l'étranger. Avec les personnes immigrées (6,8 millions), au total, 8,5 millions de personnes vivant en France sont nées à l'étranger, soit 12,7 % de la population.

Page 87, Randonnée en famille

Le journaliste : Alors là la randonnée a commencé. J'ai rencontré une famille très sympa.
Julien : Julien.
Manuela : Manuela.
Armand : Armand.
Louise : Louise.
Le journaliste : Louise, neuf ans, commence à craquer un peu de la montée.
Louise : Oui, c'est trop dur
Manuela : Vous voulez un petit fruit sec, monsieur ?
Le journaliste : Allez, un petit fruit sec, merci.
Manuela : Un peu d'énergie. C'est pas grave, Louise, si t'es derrière. Tranquillement, tout se fait.
Le journaliste : On se fait rattraper par les mamies là donc… Là on est à 2 500 mètres d'altitude, c'est déjà un peu plus dur de respirer. On voit le bout du col.
Armand : Y a plein de montagnes, un ruisseau…

Julien : Des mélèzes, des forêts de mélèzes, on voit là des plantes de bruyère, on voit plein de petites fleurs de toutes les couleurs, jaune, rouge, mauve, c'est magnifique. Ben, c'est les alpages quoi, c'est les alpages.

Le journaliste : Y a pas trop de monde, hein ? Faut dire c'est peut-être pour ça aussi que vous êtes venus ici d'ailleurs ou ?

Julien : Ouais, ouais, ouais, on voulait sortir de la foule.

Le journaliste : Allez, et c'est reparti.

Julien : C'est reparti. Tu vois le sommet avec la croix ? Y a pas un seul bruit. On entend plus les mouches que les...

Le journaliste : Et encore. Alors là on est arrivés au col de Furfande. C'est comment les enfants ?

Armand : Eh ben moi j'adore.

Le journaliste : C'est pas trop dur de marcher tous les jours ?

Armand : Ben, on fait des pauses régulièrement. Puis, ben la vue c'est magique.

Le journaliste : Bon je vais vous laisser tranquilles parce que Louise elle a faim, elle en a marre.

Louise : Oui j'en ai marre. *[Rires.]*

Le journaliste : Tu veux manger.

Manuela : Elle veut manger puis le petit vent est frais quand même, hein ? Donc on va redescendre un petit peu au refuge et puis on va prendre la petite pause au refuge.

France Info, 10 août 2021.

Page 89, Démarketing dans les calanques

Apolline DE MALHERBE : Vous êtes le directeur du Parc national des calanques et quand on lit les publications que vous faites sur les calanques, eh ben c'est pas franchement élogieux, en fait les calanques ben ça serait petit, y a trop de monde, c'est difficile d'accès, l'eau est froide, bref, c'est, c'est pas terrible en fait les calanques ?

François BLAND : C'est un endroit en effet magnifique. C'est un endroit qui est victime du coup de sa, de son succès et qui aujourd'hui accueille beaucoup de monde, peut-être en effet trop de monde et donc aujourd'hui notre objectif c'est de maîtriser cette, l'attrait de ce territoire pour à la fois mieux le protéger, mais aussi, finalement, pour garantir une meilleure qualité d'expérience à ceux qui viennent le visiter.

Apolline DE MALHERBE : Mais c'est pour ça que je le prends par l'ironie parce que vous-même visiblement c'est l'arme que vous décidez de, de manier puisque c'est quand même extraordinaire de faire une sorte de décroissance du tourisme, c'est-à-dire que face à l'attrait des calanques de Marseille, eh bien pour décourager les futurs visiteurs vous avez décidé, euh, carrément de dénigrer en quelque sorte les calanques ou d'insister sur les points négatifs pour surtout, surtout décourager ceux qui voudraient venir.

François BLAND : Oui c'est ça le but finalement de la démarche, c'est de, de maîtriser finalement le niveau de fréquentation de façon à en faire baisser les effets négatifs sur le milieu et comme vous le dites finalement , on cherche à mettre davantage en valeur les contraintes du site, plutôt que ses atouts qui sont en effet donc forts.

Apolline DE MALHERBE : C'est assez inouï parce qu'évidemment c'est tout à fait contre-intuitif. C'est-à-dire que vous vous êtes quand même le directeur du Parc national des calanques, on imagine que vous n'avez qu'une envie c'est de nous dire à quel point c'est un endroit magnifique, préservé, où l'eau est belle où le paysage est unique et en plein en être, vous en êtes à, vous en êtes à devoir dire « ben oui, l'eau est froide, qu'y a beaucoup de monde, qu'y a pas de toilettes, qu'y a pas de poubelles, que surtout, surtout n'y allez pas quoi. »

François BLAND : On agit donc à la fois sur nos sites Internet, en effet par des images qui sont moins classiques, on essaie aussi d'intervenir auprès des influenceurs sur Instagram, voilà en leur disant que, ben, leurs publications peuvent avoir un impact sur la sur-fréquentation du territoire donc on invite plutôt finalement chacun à garder son expérience pour soi, à ne pas se géolocaliser, à ne pas non plus surexposer des sites très fragiles. Voilà, donc c'est, on cherche aussi d'innover avec un

certain nombre de solutions, en essayant de, d'informer notre public sur la fréquentation en temps réel, c'est important en effet que le public sache que une plage naturelle, qu'une petite plage naturelle est déjà très bondée avant de s'y rendre, voilà donc c'est finalement donc agir un peu par anticipation pour essayer de modérer la fréquentation de ce site extraordinaire.

BFMTV, 22 janvier 2021.

Page 91, Sylvain Tesson à la suite d'Homère

Voix off : *Six semaines de tournage pour retracer L'Odyssée,* les aventures d'Ulysse en Méditerranée, un récit qui remonte à quelques 2 500 ans, une quête éternelle et sans âge. Une série documentaire dont l'écrivain Sylvain Tesson sera le narrateur. Répéter l'itinéraire d'Ulysse, un rêve pour ce passionné de l'œuvre d'Homère.

Sylvain TESSON : Il a infusé dans son poème tous les blasons de la Méditerranée : les odeurs, le cri des oiseaux, les coups de vent, l'écume, la tempête, les îles qui apparaissent dans le lointain, le brouillard qui masque le monde, tout ça est présent dans le poème, et ça, on va le retrouver.

Voix off : Au départ de Marseille, ce périple devrait emmener l'écrivain voyageur des rivages de Sardaigne jusqu'en Turquie, en passant par le sud de l'Albanie, Corfou, Ithaque, la mer Égée et les îles grecques. Raconter les aventures d'Ulysse, c'est aller à la rencontre de lieux et de ceux qui les habitent aujourd'hui. Pêcheurs, bergers, charpentiers de marine, tous se sentent les fils d'Ulysse.

Christophe RAYLAT : Qu'est-ce que, qu'est-ce que c'est aujourd'hui le Stromboli, qui sont ces gens qui y vivent, qui sont les pêcheurs ? Et quelle est la part, et ça on se rend compte que c'est très fort, quelle est la part de la mythologie dans leur quotidien ? Et tous ces, ces gens qui vivent dans des lieux mythologiques conservent la mémoire.

Voix off : Les Troyens, les hommes de l'équipage d'Ulysse ou les hommes d'aujourd'hui, finalement, ne sont pas si différents. *L'Odyssée* est le poème du retour, de la reconstruction, mais pour Sylvain Tesson, c'est l'heure du départ. L'écrivain sait que tout n'est jamais vraiment écrit.

Sylvain Tesson : On part, on quitte le port, on sait vaguement où on aimerait arriver, on a quelques objectifs, et puis tout à coup il se passe quelque chose. Et j'espère bien, moi, qu'il va se passer des choses, vive l'imprévu !

France Télévision, 2019.

Page 93, Le voyage immobile

Céline DEVELAY MAZURELLE : « Fermer les yeux, c'est voyager », disait le naturaliste américain Henry David Thoreau. On aurait envie d'ajouter à cela, tendre l'oreille, c'est voyager.

Paolo RUMIZ : Je me rappelle que un cordonnier m'a demandé : « mais expliquez-moi monsieur, vous avez dit que on raconte de belles histoires si on marche beaucoup, si on voyage beaucoup, mais comment expliquez-vous que mon grand-père qui n'a jamais voyagé me racontait des histoires aussi belles que les vôtres ? » Et la réponse était dans le métier de son, de son grand-père qui était aussi cordonnier. Alors je me suis dit, il connaît les souliers des gens, et puis où avait-il, je lui ai demandé, où avait-il sa, sa boutique ? Sur la rue, donc il lui suffisait de rester sur la rue, de voir les autres qui passent, donc le problème c'est la relativité du mouvement.

Céline DEVELAY MAZURELLE : Quand il a décidé de se retirer un temps sur un phare isolé en pleine Méditerranée, l'écrivain voyageur italien Paolo Rumiz avait emmené avec lui dix kilos de livres. Finalement, perché sur cette tour de lumière, sur un petit caillou d'un kilomètre de long et 200 mètres de large, face à l'horizon, il n'en ouvrira aucun. Par contre, Paolo Rumiz va en écrire un, sur place, *Le phare, voyage immobile*, paru en France aux Éditions Hoëbeke et prix Nicolas Bouvier du festival Étonnants Voyageurs de Saint-Malo en 2015. À cette occasion, l'écrivain, né en 1947 à Trieste, jusque-là habitué à arpenter le monde à pieds, à vélo, en bateau ou en Topolino, était venu nous en parler.

Paolo RUMIZ : Ce que j'ai vu très fort dans ce voyage immobile dans le phare, c'est la nécessité d'être un peu plus visionnaire, regarder l'horizon, regarder loin et moi j'avais une opportunité énorme parce que j'étais à une hauteur vraiment unique au milieu de la mer, c'est très difficile d'être au milieu de la mer à 120 mètres de hauteur et pouvoir regarder tout autour, 360 degrés, j'étais toujours tellement en état d'alerte pour savoir les choses qui se passaient autour de moi, le changement du vent, le parfum de l'air… Le phare est un voyage immobile en apparence, mais l'île navigue, l'île voyage, elle, elle laisse une, un signe derrière soi. Ça dépend du vent, si le vent est du nord-ouest, tu vois le, l'écume de l'île, derrière, du côté opposé donc au sud-est. Alors j'avais toujours l'impression de naviguer.

RFI, 18 décembre 2020.

Page 94, intonation – exercice 4
a. Cette randonnée est beaucoup plus facile que ce que j'imaginais. b. Ils ont de moins en moins de vivres. c. Mon voyage immobile n'a rien à voir avec ta randonnée ! d. L'effort que j'ai fourni est identique à celui que t'as fourni. e. Nous n'avons jamais été aussi fatigués !

Unité 7 Le sens de l'actu

Page 104, intonation – exercice 4
a. Je n'ai pas d'autres idées lumineuses à vous soumettre pour votre article. b. Cette chroniqueuse radio est captivante ; une telle voix est exceptionnelle. c. Le directeur du journal a choisi de démissionner, j'ai fait de même. d. Semblable comportement est inadmissible sur un plateau télé. e. Si j'avais été à la place de ce reporter, j'aurais fait pareil. f. J'adore les podcasts. On peut les écouter n'importe quel jour et à n'importe quelle heure. g. Quelque chose d'intéressant est en train de se produire à l'antenne.

Page 105, La radio a cent ans
Clémentine Pawlotsky : Aujourd'hui, le paysage radiophonique est extrêmement différent d'il y a 100 ans, d'il y a 40 ans. Il y a de plus en plus de formats audio qui apparaissent, je pense notamment au podcast. Et en l'occurrence ce qu'on appelle le podcast natif, c'est-à-dire des contenus audio qui n'ont pas vocation à être diffusés à la radio, mais à être diffusés sur des grandes plates-formes d'écoute. Est-ce que le podcast aujourd'hui a sa place dans cette fête de la radio ?
Hervé Godechot : Oui, bien sûr. Tout ce qui touche au son, à la radio que ce soit la radio linéaire, telle que on est en train de la pratiquer au moment où nous sommes en train de nous, de nous parler, ou le podcast que l'on pourrait assimilé de la radio à la demande d'une certaine manière, un petit peu comme il y a la vidéo à la demande par rapport à la télévision, le podcast a toute sa place. Ça fait partie des nouveaux usages. Je pense que on parlait du passé de la radio il y a un instant, mais son futur c'est de s'adapter, comme la radio l'a toujours fait à son environnement. L'environnement aujourd'hui c'est un environnement numérique. Donc la radio est toujours très puissante, que ce soit sur la bande FM ou sur DAB plus, en hertzien avec 40 millions d'auditeurs quotidiens. Néanmoins, les gens se tournent aussi beaucoup vers le numérique, donc, ben, la radio y va aussi avec les applications et aussi avec les podcasts. Les podcasts, on voit que ça prend beaucoup d'ampleur. Au mois de mars il y a eu un million huit cent mille podcasts qui ont été écoutés par les Français. Et ça peut être même non seulement un relais de croissance pour la radio, une manière de se renouveler. Mais ça peut être aussi un moyen d'attirer justement les plus jeunes qui sont pas forcément prêts à écouter la radio, qui en écoutant des podcasts sur Internet, ce qu'ils vont faire plus spontanément, vont se dire tiens c'est peut-être intéressant d'aller écouter la radio en vrai, si j'ose dire.
Clémentine Pawlotsky : Est-ce que vous pensez que la radio aurait survécu si elle n'avait pas fait le choix d'investir comme les autres médias sur le numérique, via notamment les applications d'écoute en ligne ?

Hervé Godechot : La force de la radio c'est d'avoir toujours su s'adapter à son temps.

RFI, 31 mai 2021.

Page 108, Hugo informe
Antoine de Caunes : Hugo, vos podcasts *Les Actus du jour* sont disponibles sur toutes les plates-formes de streaming et dans ceux-ci, vous décryptez donc l'actu chaque jour du lundi au vendredi. Ça va de l'Afghanistan à Koh-Lanta en passant par Lionel Messi.
Hugo Travers : Allez on passe à la quatrième actu de la semaine, et on va parler de l'arrivée du footballeur argentin Lionel Messi au PSG et en l'occurrence, même si jamais le football ne vous intéresse pas forcément, vous allez le voir, il y a des éléments assez intéressants sur d'autres aspects.
Antoine de Caunes : Alors un journal en moins de dix minutes avec un sommaire ouvert. Quelle est votre ligne éditoriale et comment choisissez-vous vos, vos sujets, Hugo ?
Hugo Travers : Alors la ligne éditoriale ou la mission disons, c'est clairement de rendre l'actualité accessible. C'est ce qui a fait que j'ai lancé d'abord cette chaîne YouTube au départ pour essayer de s'adresser notamment aux jeunes. Et on est parti du constat qu'il y avait une sorte de décalage croissant entre beaucoup de médias et cette génération qui passe beaucoup de temps sur les réseaux sociaux et peut-être de moins en moins de temps sur des médias plus traditionnels – et qui pour autant doivent s'informer puisque c'est important – et c'est souvent aussi des sujets qui les intéressent. Donc il y a cette volonté de rendre l'actualité accessible, claire. Et sur les sujets qu'on va traiter, on va traiter à la fois des sujets qui sont importants même s'ils peuvent paraître un peu lointains. C'est le cas de l'Afghanistan par exemple qui est un sujet majeur. Au premier abord, on peut se dire « bon pour moi, un jeune qui suis au lycée ou autre, quel est l'intérêt ? », alors qu'en fait il y a des choses intéressantes à aller voir. Mais aussi parfois aller traiter des sujets plus dans le domaine du divertissement ou plus légers, même l'arrivée de Lionel Messi, et essayer derrière de comprendre concrètement les différents ressorts, le côté soft power avec le Qatar derrière, les enjeux économiques. Et c'est cette volonté-là qu'on a au quotidien. Le tout en moins de dix minutes, qui est un peu le défi qu'on essaie d'avoir sur ce format-là, quitte à creuser après sur d'autres contenus vidéos ou autre.
Charline Roux : Mais vous avez officié en radio, alors pourquoi cette fois avoir choisi le podcast pour informer ? Qu'est-ce que ça vous permet de différent ?
Hugo Travers : Le podcast, je pense que c'est déjà une grande liberté, sur le contenu, sur le, sur le fond, sur la forme, sur tout ce qu'on veut faire. C'est-à-dire que même avant d'ailleurs ce podcast des *Actus du jour*, j'avais un autre podcast il y a 2-3 ans que j'avais fait avec mon ex-copine, et en fait le principe du podcast était très simple : on était, euh, on se posait tous les deux et cinq minutes avant de lancer l'enregistrement, on se disait « OK, de quoi est-ce qu'on va parler aujourd'hui ? » Et on ne préparait rien, et on se disait « En fait, qu'est-ce qu'on a fait dernièrement ? On est allés voir tel film qui est intéressant, y a tel sujet dans le domaine de YouTube qui est intéressant à analyser, telle ou telle chose. » Et on va assembler tout ça et ça donnait la forme d'une discussion très libre, pas préparée mais qui avait je pense pour pas mal de jeunes qui suivaient ce podcast à l'époque, un côté bah voilà c'est un grand frère ou une grande sœur qui vont me parler de pas mal de choses. Ils vont me parler de leurs études, ils vont me parler de recommandations en culture qui les intéressent, des coulisses de YouTube éventuellement. Et ce ton très libre typiquement c'est quelque chose qui était un peu plus dur à trouver dans des formats plus classiques, mais là en podcasts, on a les moyens de le faire.

France Inter, 3 septembre 2021.

Page 113, l'essentiel – exercice 2
Présentateur : Profession reporter avec une voix que vous connaissez très bien : celle de Lætitia Bernard qui va nous rejoindre d'ailleurs dans 45 minutes pour France info sports.

Lætitia, journaliste à la direction des sports de Radio France, qui à l'occasion de la sortie de son livre *Ma vie est un sport d'équipe*, a raconté à Éric Valmir sa vie de journaliste non-voyante.

Éric Valmir : Évidemment l'audio pour un aveugle, c'est un repère. Mais dès son plus jeune, Lætitia Bernard n'a pas voulu ignorer les codes visuels d'une société dominée par les écrans.

Lætitia Bernard : Ils ont toujours existé chez moi. Mes parents y voient, mes cousins y voient. Donc petite, bah on regardait la télé. En fait, de famille, on regardait des films tous ensemble. Mes parents m'ont emmenée au cinéma, donc oui. Et puis les gens voient autour de moi donc je, ben je le sais. Et je fais avec aussi.

Éric Valmir : Alors votre premier stage, c'est une agence de photos d'actu. L'agence Gamma qui prend une étudiante aveugle en stage d'observation. C'est plutôt audacieux ?

Lætitia Bernard : Oui, non, mais c'est vrai que ça paraît fou. Et ce que je dis au besoin, enfin presque cruel. Parce que c'est vrai que les photos, je les, ben oui. En fait, les photographes de Gamma étaient venus faire un reportage sur une session à cheval de saut d'obstacles, comme je monte à cheval. Et on avait vraiment sympathisé et en fait c'était un des, pour moi un des stages les plus importants parce qu'ils m'ont emmenée partout. Et eux, s'ils m'ont prise en stage, c'était pas juste, juste pour que je prépare le café, loin s'en faut. C'est qu'ils se sont dit on va lui montrer. Elle a envie d'être journaliste. À l'époque je faisais mes études à Sciences-Po Strasbourg et j'allais préparer les concours, etc., et ils se sont dit « attends on va te montrer, on va t'emmener en conférence de presse pour que tu saches à quoi ça ressemble, on va t'emmener sur un plateau télé, on est avec toi » et ils prenaient du temps ils prenaient du temps et ils m'expliquaient, enfin c'était... Après même quand je passais les concours, j'ai pu dormir chez eux. Ils m'amenaient, ils m'amenaient passer l'oral. Enfin ça a été quelque chose d'exceptionnel cette expérience à Gamma. Moi ce que j'aime aussi dans ce métier, c'est la recherche d'informations, donner de l'information précise ou du témoignage humain. Et il y avait toutes ces dimensions-là qui me, qui m'attiraient vers le journalisme.

Éric Valmir : Ce qui amène la question : quand on est journaliste, comment raconter un monde qu'on ne voit pas ?

Lætitia Bernard : C'est complémentaire, les récits. De toute façon on n'a pas une vérité. Y a pas une vision unique. Donc je vais employer le terme de vision mais ça va être ma vision à moi, avec les oreilles ou avec ce que les gens vont me dire, avec les, les vibrations aussi, ce que dégage chaque personne. Et puis ce que j'entends comme information, qui va, qui va me faire réagir. C'est sûr que ce n'est pas une image qui va me parler mais ça va être une petite phrase, ça va être... Donc on utilise juste des paramètres un petit peu différents, un prisme un peu différent, et au final on raconte aussi.

France info, 30 mai 2021.

Unité 8 Prenez soin de vous !

Page 117, Atelier rigologie

Voix d'ordinateur : Dès que la musique commencera, vous aurez 40 secondes pour faire rire votre adversaire.

Agnès Rougier : Nous sommes dans l'exposition joyeuse du Musée de l'Homme : « Rire, la science aux éclats », avec Aurélie Clemente Ruiz, responsable de l'exposition. Alors le rire, c'est à la fois physiologique et culturel. Chaque rire est unique par sa hauteur, son harmonie et d'ailleurs on peut reconnaître un ami par son rire. Et puis, il est communicatif. Aurélie Clemente Ruiz.

Aurélie Clemente Ruiz : Rire c'est quelque chose qui se partage, le rire est contagieux. Comme quand on baille, on fait bailler d'autres personnes, eh bien le rire c'est souvent la même chose. Et donc ça effectivement, c'est un phénomène qu'on retrouve dans le cerveau, qui a été scientifiquement étudié. Donc on identifie les différentes zones qui sont activées dans le cerveau suivant la stimulation du rire. Il y a le rire mimétique, par contagion, il y a le rire quand il y a un stimuli physique qui n'est pas le même que quand on rit à une blague, et puis il y a un rire forcé. Et que parfois

même, on s'en rend pas toujours compte, c'est ça aussi qui est très subtil. Mais le cerveau, lui, reconnaît bien la différence puisque ça ne mobilise pas la même chose dans notre cerveau.

Agnès Rougier : Le rire est contagieux à cause de nos neurones miroir qui permettent notamment l'empathie. D'ailleurs, toute une région de Tanzanie a subi en 1962 une épidémie de fou rire inexplicable qui a duré 3 mois. Mais la contagiosité du rire a surtout des effets positifs. En 1995, le médecin indien Madan Kataria, constatant que ses patients joyeux guérissaient plus vite que ses patients sinistres, a fermé son cabinet et créé le yoga du rire. En France, Corinne Cosseron a suivi son exemple en fondant l'École internationale du rire il y a vingt ans et en créant une nouvelle discipline : la rigologie.

Corinne Cosseron : La rigologie, je l'ai créée quand je me suis rendu compte que déjà, je trouvais stupéfiant qu'il y ait des gens qui n'arrivent plus à rire. Mais ce qui était encore plus stupéfiant, c'est qu'il y en ait qui aillent quand même dans le club de rire en se disant : je veux retrouver mon rire, et même là, dans le groupe avec la contagion, ils n'y arrivaient pas. Donc ça, c'était assez fascinant pour moi. Je me suis demandée ce qui était bloqué en eux et la réponse a été qu'en fait quand on a une ou plusieurs émotions bloquées, quand on ne s'autorise pas sa tristesse ou sa colère, alors on bloque tout notre système émotionnel et on ne peut plus rire. Donc la rigologie est une technique plus profonde qui permet de nous apprendre, avec ce côté ludique du yoga du rire, à nous libérer de l'ensemble de nos émotions de manière à nous reconnecter à notre joie de vivre authentique.

Agnès Rougier : Mais les chiens, les grands singes ou les rats n'ont pas ce type de blocage et ils rient simplement quand on les chatouille.

RFI, 22 avril 2021.

Page 119, Révéler le corps

Axel Perez : Ce projet, il était relativement cadré dans ma tête. Il y avait deux axes qui étaient intéressants à, à mettre en place. Un premier axe qui était un travail en tête-à-tête avec le patient, en mode image de studio sur la valorisation de leur propre image. Et le deuxième axe, c'était un axe plus axé reportage sur le quotidien des patients au sein de la clinique. La plupart d'entre eux m'ont tous dit : « ça a été une expérience qui m'a fait avancer, ça a été une expérience à laquelle j'ai repensé longtemps après, ça a été un point d'ancrage sur ce que j'ai pu être à un moment donné, au moment où tu as fait les photos, et ce que je suis aujourd'hui. » Par rapport au corps aussi, à son propre corps, pouvoir s'accepter, accepter de se, de se voir autrement que ce qu'elles ont pu imaginer. Certaines personnes avaient aussi envie de, d'assumer ce qu'elles avaient, ce qu'elles étaient, de pouvoir se voir et de voir leur corps qu'elles avaient pendant un certain laps de temps, si longtemps refusé. Donc ce rapport au corps, il est omniprésent dans, dans la problématique du surpoids, enfin je veux dire tu peux pas, tu peux pas passer outre. Est-ce que dans mes images j'ai été bienveillant ? Non, je me suis contenté de photographier ce qu'elles avaient envie de m'offrir. Alors certains pourront trouver les images parfois un petit peu dures sur ce que j'ai montré, d'autres vont trouver peut-être les images très jolies.

Ida : J'ai été voir Axel, je lui ai dit voilà, est-ce qu'on peut faire des photos habillées et des photos nues. Et ça c'était le déclenchement complet parce que ben je m'aimais pas, je me regardais pas dans la glace. Et là, ben maintenant je m'accepte comme je suis. Et c'était un grand, grand travail sur moi que j'ai fait. Oui, c'était une belle expérience.

Catherine Grangeard : Cette exposition a une importance pour les personnes photographiées parce qu'elles n'auraient pas pu se faire photographier si elles n'avaient pas fait une démarche préalable de confiance en soi, d'oser le faire, de sortir de « je me cache et je cache ce corps dont je ne suis pas contente, fière, etc, ou content. » Et pour les personnes qui vont regarder les photos parce que ça nous interpelle. Nous ne sommes pas habitués à voir des corps qui ne sont pas dans les normes socialement définies actuellement. Et ce travail mental de dire « mais pourquoi ça m'interpelle ? », c'est ça qui fait avancer quelque chose contre la grossophobie. C'est ça qui fait avancer le respect de la différence.

Sciences et Avenir, 29 mars 2019.

Page 126, intonation – exercice 4

a. C'est ça que tu appelles une blessure ? **b.** Aïe ! C'est ma jambe qui me fait un mal de chien ! **c.** Voilà deux jours que je te dis d'aller voir le médecin ! **d.** Un cabinet médical ! C'est de ça dont on a besoin dans notre village ! **e.** L'anatomie, c'est ce que j'aime le moins. Trop de choses à retenir. **f.** Ce que je préfère chez moi, c'est ma silhouette.

Page 127, l'essentiel – exercice 3

a. J'ai donné mon sang. **b.** Je vais me faire refaire le nez pour me sentir plus beau. **c.** Je n'ai pas trop mal vécu ma maladie grâce à mon médecin. **d.** Je veux arrêter de fumer. **e.** Je crois que t'as besoin de rire plus souvent. **f.** J'appelle le médecin depuis des heures.

Unité 9 La richesse en partage

Page 132, Le vivre-ensemble

Adèle Van Reeth : Bonjour Géraldine.

Géraldine Mosna-Savoye : Bonjour Adèle, bonjour à toutes et à tous.

Adèle Van Reeth : Depuis quelques jours, vous vous posez une question.

Géraldine Mosna-Savoye : Oui ! Qu'est-ce que le vivre-ensemble ? On le dit assez naturellement, on en comprend l'idée assez facilement, même mon téléphone, alors que le terme est un néologisme, l'écrit spontanément. Et pourtant chaque jour, dans le métro mais ça aurait pu être en bus, en covoiturage, dans la rue ou chez Monoprix, la question m'est revenue ces derniers jours : que veut-on dire quand on promeut le vivre-ensemble ? Pourquoi promouvoir quelque chose qui a déjà lieu, de fait, et en faire une valeur ? Tout a commencé pour moi dans le métro. En panne entre deux stations, au bout d'une quinzaine de minutes sans annonce du conducteur, j'ai envisagé qu'on nous oublie ici. J'ai regardé autour de moi. Avec qui finirais-je ma vie ? Trois ados en route pour le lycée, une mère et son bébé, des hommes en costume, des gens qui vont au travail. Voilà ceux qui seraient peut-être mes derniers compagnons de vie et je ne les connaissais même pas. On était ensemble sans être ensemble. D'où ma question : qu'est-ce que le vivre-ensemble ? Est-ce vivre ensemble les uns à côté des autres ou est-ce plus que ça, mais alors quoi ? Se parler, partager des choses, se toucher, mais n'est-ce pas déjà le cas au fond ? Dans le métro, sans échanger je partage pourtant un espace commun, un transport en commun. À la cantine, au travail, quand je passe plus de temps avec des collègues qu'avec ma propre fille. Avec mes voisins, même si c'est pour parler du bruit qu'ils font. Que dit de plus cette idée de vivre-ensemble que ne contient pas le fait même de vivre ensemble, avec ou à côté d'autres que moi. Les dictionnaires n'en disent pas plus, le terme est trop récent et sa définition littérale, le vivre-ensemble, eh bien, c'est vivre ensemble point. Voilà pourquoi la question me revient : pourquoi promouvoir le vivre-ensemble, ce que l'on fait déjà tous les jours, donc ? Pourquoi les essais de philosophie politique finissent-ils régulièrement, pas toujours c'est vrai, leur propos sur un éloge du vivre-ensemble, comme si ce n'était pas déjà le cas et pouvait être la solution aux fractures sociales. Certes, quand on parle de vivre-ensemble, on parle de gens éloignés socialement, culturellement, ou par leurs âges, on pointe des fractures. Mais pourquoi en formuler l'idée, pourrait-il les combler ? Voilà le problème qui me frappe avec le vivre-ensemble : penser que l'idée, telle une valeur ou formule magique permettra, voire suffira à pallier des failles existantes, éveiller les consciences, imprégner chacun d'entre nous et en arriver à ce que l'on se dise : « Ah mais oui ! C'est une belle idée tiens ! Si je vivais avec tout le monde ! », pour finalement s'en contenter.

France Culture, 21 novembre 2019.

Page 135, Fais comme chez toi

« Fais comme chez toi ». Voilà une formule de politesse qu'on emploie rien que pour la politesse de la formule, tout en sachant en la formulant qu'elle ne veut absolument rien dire. Et lorsqu'elle vous est adressée, vous savez très bien que la formule « fais comme chez toi » n'est employée que pour la forme. Comment votre hôte peut-il vous dire de faire comme chez vous, alors qu'il sait pertinemment, et vous aussi, que vous n'êtes pas chez vous mais chez lui ? Est-il venu voir comment vous vous comportez chez vous et votre attitude chez vous lui a plu, à tel point qu'il vous invite à garder la même attitude chez lui ? Quand bien même il serait déjà venu chez vous, est-il sûr d'être bel et bien venu chez vous, ou plutôt, est-il arrivé chez vous quand le chez-vous ressemble vraiment au chez-vous ? Ce n'est un secret pour personne qu'il y a le chez-vous et le chez-vous. Le chez-vous de tous les jours ne ressemble pas au chez-vous le jour où vous avez des invités, car ce jour spécial, tout est nettoyé, astiqué, lustré, bien rangé, chaque chose à sa place. À tel point que vous-même, vous avez l'impression que le chez-vous n'est plus le chez-vous. C'est pourquoi il est recommandé de ne jamais débarquer à l'improviste pour ne pas embarrasser votre hôte et prévenir de votre visite suffisamment de temps à l'avance afin qu'il ait le temps de rendre le chez-lui différent du chez-lui. Quand vous êtes entre vos quatre murs, vous pouvez faire tout ce que vous voulez : chantonner en mastiquant comme un omnivore à table, tenir la viande d'une main dégoulinante d'huile autant que les lèvres, des choses que vous ne pouvez pas vous permettre à la table de cet hôte qui pourtant vous invite à faire chez lui, comme chez vous. À croire que l'expression « faites comme chez vous » est une formule piège pour que vous vous laissiez aller en affichant vos travers devant votre hôte. Et si par malheur vous commettez l'erreur de prendre l'expression « faites comme chez vous » à la lettre, en prenant vos aises et vous comportant chez lui comme chez vous, une fois que vous prendrez congé, faites comme l'inspecteur Columbo qui revient toujours sur ses pas en faisant mine d'avoir oublié quelque chose. Et vous tomberez sur une conversation du genre : « Ben dis donc, il ne se gêne pas ! Il pose les pieds sur le canapé, mange comme un cochon et n'est même pas fichu de laver son plat ! » À croire que votre hôte amnésique a vite fait d'oublier que c'est lui-même qui vous a dit de faire comme chez lui, comme chez vous.

RFI, 17 janvier 2020.

Page 137, La Cité radieuse

Amélie : Bonjour David Abittan.

David Abittan : Rebonjour Amélie.

Amélie : Cet été, on décortique les lieux et les objets qui composent nos villes. Il y en a un dans lequel on est beaucoup restés ces derniers mois, c'est le logement.

David Abittan : Ah ça… Évidemment, le logement. Je vous prépare plusieurs reportages sur le logement. Demain on s'intéressera particulièrement aux espaces extérieurs des immeubles, mais aujourd'hui zoom sur leurs parties communes à travers la visite d'un bâtiment assez important dans l'histoire de l'architecture, c'est la Cité radieuse de Marseille, conçue par Le Corbusier. Un immeuble de logements du début des années 50, très innovant à bien des égards mais pour ce qui nous intéresse aujourd'hui, assez inédit dans sa façon de penser les espaces communs. Selon l'architecte Corinne Vezzoni qui nous en fait la visite, ça commence avec le hall d'entrée, l'unique hall d'entrée de cet énorme bâtiment.

Corinne Vezzoni : Dans un immeuble classique, traditionnel, vous demandez à un promoteur de construire 230 logements, vous aurez trois halls au moins, ou quatre. Là, il n'y en a qu'un. Ça oblige les gens à tous se rencontrer sur un même lieu, se croiser, attendre les ascenseurs. L'architecture doit être propice à tous ces sujets-là de sociabilité, de rencontres, d'échanges. Et c'est l'espace commun qui gère ça, qui règle ça. Si il est confortable, éclairé, si il est aux justes proportions, il encourage les gens à rester et à se connaître.

David Abittan : Nous suivons donc Corinne Vezzoni, une architecte marseillaise très reconnue. Elle était en lice notamment pour le dernier Grand Prix national de l'architecture.
Amélie : Et elle connaît très bien la Cité radieuse.
David Abittan : Effectivement, elle a installé son agence pendant des années à l'intérieur de cette grande barre de logements, au niveau de ce qu'on appelle la sixième rue, le sixième étage de circulation.
Voix ascenseur : Sens montée. Going up. Fermeture des portes. Door closing.
Corinne Vezzoni : Voilà, alors là on est dans une rue classique de logements et mon bureau était là, à la porte verte. Déjà sur la terminologie, ce ne sont non pas des couloirs ou des circulations, ce sont des rues. Et elles portent même des noms. Et vous voyez que d'ailleurs les, les boîtes aux lettres, à l'origine, n'étaient pas au rez-de-chaussée, rassemblées, mais au droit de chaque porte. Ce qui fait que c'était une rue comme en ville, avec des réverbères, des bancs, chacun sa boîte aux lettres, donc vraiment l'idée de la rue dans l'espace public.
David Abittan : Les parties communes d'un immeuble sont généralement à mi-chemin entre un lieu public, puisque ouvert à tous les habitants de l'immeuble, et un lieu privé car réservé aux seuls habitants de l'immeuble.
Amélie : Et ici à Marseille avec la Cité radieuse, Le Corbusier est allé beaucoup plus loin.
David Abittan : Oui, si ces couloirs prennent la forme et même le nom de rue, c'est parce que ce sont de véritables lieux publics. Notamment les troisième et quatrième rues qui accueillent des commerces, un restaurant et des chambres d'hôtel. Preuve de l'importance de ces espaces, ils nous sont signalés directement sur la façade lorsqu'on regarde le bâtiment depuis la ville.
France Inter, 11 juillet 2020.

Page 139, Danny Laferrière présente son livre : *L'Exil vaut le voyage*

Avec grand plaisir, je publie un nouveau livre, volumineux, 400 pages de textes écrits à la main et de dessins. Tout cela est imbriqué l'un dans l'autre. C'est pas du tout séparé, c'est pas une illustration, c'est un roman. Et le roman a pour titre *L'exil vaut le voyage*. Pourquoi L'exil vaut le voyage ? C'est un titre que je porte en moi depuis peut-être une trentaine d'années. Je n'avais pas suffisamment vécu l'exil pour consentir à ce titre. J'avais remarqué que tous les exilés qui parlent de l'exil, c'est toujours sur un ton plaintif, geignard. Mais pour moi, ce n'était pas une punition, c'était une récréation. Cette nuit-là, la nuit où je devais partir, la ville de Port-au-Prince était sous, presque en état de siège. Les rues étaient inoccupées, il n'y avait que les chiens. Les chiens m'ont empêché de partir. C'est étrange parce que j'avais l'impression d'être dans une tragédie grecque : les cerbères, les chiens, les gardiens de l'enfer. Et finalement, j'ai quitté pour Montréal. Une fois arrivé à Montréal, c'était très simple. J'avais fait un échange de fruit tropical, c'est-à-dire la mangue que je dévorais, pour un fruit, j'allais dire du nord, les pommes. Quand j'ai pu m'adapter aux pommes, j'ai compris que l'intégration était faite. Bon, mon plan, plutôt, c'était de m'enfoncer complètement dans la nouvelle jungle et de me retrouver avec des gens que je ne connaissais pas, une culture que je ne connaissais pas, des odeurs que je ne connaissais pas, des nuances, des émotions, des sentiments que je ne connaissais pas. Voilà ! Voilà ce que j'entendais par l'exil. Et un soir comme ça, sur la rue Sainte-Catherine à Montréal, j'ai monté un petit escalier raide, et me suis retrouvé dans un café-bar-restaurant pour fêtes. Ça s'appelle le Rising Sun, ou le soleil levant. Et je me suis assis tout simplement. Finalement une femme s'est amenée sur la scène. C'était Nina Simone.
Éditions Grasset et Fasquelle, 2020.

Page 142, intonation – exercice 5

a. La majeure partie du pays est bloquée. **b.** Il s'est senti exilé pendant une longue période. **c.** Elle ne fait pas le moindre effort pour s'intégrer au projet. **d.** Au tiers-lieu, il y a parfois des disputes, mais elles sont insignifiantes. **e.** Ce projet social pourrait avoir un effet retentissant. **f.** Notre association est maintenant sans ressources. **g.** Cette augmentation de salaire est infime.

Page 143, l'essentiel – exercice 5

Femme : Tu as vu cette montagne de plastique qui traîne dans la rue devant chez nous ?
Homme : Tu exagères, il y a quelques emballages, rien de plus.
Femme : Moi, j'exagère ? Il y a tout un tas de déchets là et là-bas. Regarde !
Homme : Bon, oui, mais c'est comme d'habitude quand il y a beaucoup de vent. Même si on appelle la mairie, le temps qu'ils arrivent, tout se sera envolé et ils ne pourront ramasser qu'un minimum de déchets. Il n'y a pas grand-chose à faire.
Femme : Le problème, ce sont les poubelles qui sont trop légères. Les trois-quarts du temps, elles s'envolent ou se renversent.
Homme : C'est clair qu'avec les sommes énormes qu'on paie en impôts, le matériel urbain pourrait être de meilleure qualité.

Unité 10 Parlez-vous français ?

Page 147, Les accents ont toujours tort

Laélia Véron : Une des premières choses que j'ai apprises en études supérieures, ça a été de perdre mon accent. Oui c'est un cliché qui revient : on pense souvent qu'il y aurait un bon parler, standard, sans accent qui correspond de fait à celui que certains utilisent dans la capitale et qu'il y aurait d'autres parlers, avec des accents régionaux, étrangers qu'on trouve parfois sympathiques, parfois ridicules, mais qu'on juge toujours avec un peu de mépris. Et pourquoi ça ? Qu'est-ce qui se cache derrière cette hiérarchie ? Et d'abord, est-ce que c'est possible de ne pas avoir d'accent ? Pour en parler, j'ai invité deux linguistes : Heather Burnett qui travaille au CNRS et à l'université Paris Diderot Paris VII, et Médéric Gasquet-Cyrus, maître de conférence à l'université Aix-Marseille, auteur du *Marseillais pour les nuls* et auteur des chroniques radio « Dites-le en marseillais ».
Est-ce que vous, vous avez un accent ? Est-ce que vous diriez que vous avez un accent ?
Heather Burnett : Moi, je suis anglophone, mais j'ai appris le français très jeune. En fait, ça se trouve que j'ai un accent et en français et en anglais. J'ai aussi donc, j'ai vécu au Québec, et après j'ai fait des études en, à Los Angeles, en Californie, aux États-Unis. En fait, donc partout où je vais maintenant, tout le monde se moque de mon accent. Parce que là, donc quand j'étais au Canada anglais, après je suis allée aux États-Unis. Après les gens ont fait : ah oui, tu as un accent canadien, ha ha c'est drôle. Mais j'ai vécu là pendant cinq ans, après je suis rentrée au Canada anglais et là, mais tu sais, vu que j'ai vécu cinq ans aux États-Unis, là j'ai quand même appris quelques prononciations et quelques mots, etc. Donc là je rentre au Canada, à Ottawa, les gens font : ah oui, tu parles comme une Américaine maintenant, ha ha. Et donc là, je suis allée du Canada français en France, et là évidemment, tout le monde fait : ah, ton accent québécois. Et là, du coup maintenant, parce que ça fait sept ans que j'habite en France, là je rentre au Canada français : ah oui, madame qui parle comme une Parisienne, comme une Française, etc. Donc en fait, j'ai un accent partout et tout le monde se moque de mon accent constamment.
Médéric Gasquet Cyrus : Personnellement j'ai, je sais pas si ça s'entend, mais un accent marseillais qui est, alors léger disent certains mais en fait ça dépend de là où je suis. C'est-à-dire quand je suis en cours, ou à la radio, c'est vrai qu'inconsciemment, parce que je fais pas exprès de masquer mon accent, je vais vers un accent plus pointu, plus standard. Quand je suis, quand je parle au téléphone ou quand je suis avec mon père, mon frère, ou quand je suis au Stade, parce que je suis abonné à l'OM quand même en tant que bon Marseillais, ben effectivement, j'ai mon accent marseillais qui ressort, voilà basiquement et on me le fait remarquer aussi. Donc je suis assez, assez caméléon. En fait, toute langue parlée sur un territoire donné dans un espace-temps donné varie, donc comme il y avait des accents en latin dans toute la Romania, ces accents se sont

développés en dialectes et sont devenus des langues romanes. Et dans les langues romanes ensuite le même processus s'est produit, c'est-à-dire qu'il y a des accents selon les régions, selon les milieux sociaux aussi, donc ça n'arrête pas. Donc dès qu'il y a langue, il y a variation et dès qu'il y a variation, il y a accent.

Binge Audio, 2019.

Page 149, Un francophone facilitateur en interculturalité

Jimmy Ung : Alors, je m'appelle Jimmy Ung. Je suis né à Montréal, mais ma famille est originaire du Cambodge et mes grands-parents de la Chine. Et je partage mon temps aussi entre Montréal et Buenos Aires où vit ma conjointe. Alors, je travaille sur les questions interculturelles et l'éducation à la citoyenneté mondiale en tant que consultant et animateur et souvent au Canada surtout. À l'origine j'ai surtout été un peu fonctionnaire pour mon gouvernement et j'ai travaillé beaucoup sur les questions d'éducation à la citoyenneté mondiale. Par la suite, j'ai décidé de faire un voyage interculturel où je suis allé à la rencontre de 150 personnes dans 18 pays différents. Des rencontres très intimes et j'utilisais la photographie surtout pour amener les gens à partager une image qu'ils devaient prendre eux-mêmes sur leur quotidien, et ensuite ben, j'ai créé deux expositions de photographies, une à Buenos Aires, une à Montréal. J'ai fait un livre de photos sur les histoires de ces 150 personnes et présentement je fais beaucoup de conférences sur ces gens, sur ces regards, sur ces portraits citoyens des Amériques, et je le présente autant à travers l'Amérique qu'en Europe. Et j'ai été aussi au Sénégal, il y a quelques mois, où j'ai raconté un peu le quotidien des gens d'Amérique mais de l'autre côté de l'océan Atlantique.

Corinne Mandjou : Alors vous êtes entre deux pays, donc l'Argentine et le Canada. Pourquoi c'est important d'être entre deux pays ? Qu'est-ce que ça apporte de plus à votre parcours professionnel l'expatriation ?

Jimmy Ung : Alors, c'est quelque chose de très, très riche. Je crois qu'on pense différemment lorsqu'on pense dans une autre culture. Le français, par exemple, n'est pas uniquement une langue, pour moi le français c'est une manière d'interpréter, une manière de lire au monde à ses propres nuances et qui peuvent donc procurer une perspective différente. Et l'espagnol dans ce cas-ci m'apporte une troisième lentille, disons, qui permet de reconnaître ce qu'il y a de commun, mais aussi ce qu'il y a de différent. Et c'est un peu une triangulation que ça permet de faire dans ma tête et par la suite, là on peut bâtir les ponts, lorsqu'on sait qui se situe où et comment faire converger nos objectifs.

Corinne Mandjou : Est-ce que c'est plus facile de mener un projet comme le vôtre quand on est entre deux pays ?

Jimmy Ung : Je crois que oui et non. C'est sûr que c'est plus difficile de trouver les partenaires parfois, parce qu'on est encore dans des structures qui fonctionnent de manière interétatique, à l'intérieur d'un État dont le financement souvent est relié au fait qu'on doit avoir un siège dans le pays, faire nos activités à l'intérieur du pays. Ça nous force donc à devoir être plus créatifs et des fois peut-être à faire à plus petite échelle aussi. Mais c'est dans la nature du défi qui est devant nous, d'y aller pas à pas. Et je crois que c'est un peu ça l'important.

Corinne Mandjou : Dans quel pays vous comptez vous installer définitivement ?

Jimmy Ung : C'est une bonne question. Je crois que ultimement je retournerai à Montréal au Canada. Je crois que c'est un pays qui, pour moi, capture justement le vivre-ensemble interculturel. Mais j'ai encore besoin pour le moment de continuer à voyager et à apprendre, à découvrir afin que, lorsque je retourne à Montréal, je puisse également enrichir ma ville natale de toute cette diversité.

RFI, 23 mars 2019.

Page 150, intonation – exercice 5

Béatrice : Alors ton entretien à la radio ? Ça a marché ?
Antoine : Non ! Je suis très déçu. Ils n'ont pas voulu de moi.

Béatrice : Ah bon ? C'est très étonnant ! J'étais sûre que tu serais pris.
Antoine : Ils m'ont refusé le poste en prétextant mon fort accent du Sud.
Béatrice : Hein ? Mais c'est pas possible ! Les gens du Sud ne peuvent pas passer à la radio et donner les infos ?
Antoine : Ils m'ont dit qu'un journaliste s'exprimant comme ça, ça fait pas sérieux. Va comprendre.

Page 152, L'orthographe en scène

Arnaud Hoedt : Alors, il faut quand même bien reconnaître une chose, c'est qu'en français, on est particulièrement peu exigeant avec l'orthographe.
Jérôme Piron : On parle pas de votre orthographe, ni de la nôtre.
Arnaud Hoedt : Ni même de celle de Gaspard, notre régisseur, qui a une orthographe… bien à lui. Non, en fait, on est particulièrement peu exigeant avec l'orthographe elle-même.
Jérôme Piron : Oui, s'il arrive qu'on juge votre orthographe, on ne juge pratiquement jamais l'orthographe elle-même.
Arnaud Hoedt : Alors, attention, il ne s'agit pas évidemment de juger la langue, mais bien son orthographe. Souvent, on a tendance à confondre l'orthographe et la langue elle-même. Mais l'orthographe, c'est pas la langue. L'orthographe, c'est l'écriture de la langue. Et c'est même pas l'écriture en termes de style ou de qualité de phrases. En fait, c'est le code graphique qui permet de transmettre, donc de retranscrire la langue orale.
Jérôme Piron : C'est un petit peu comme les partitions qui sont au service de la musique.
Arnaud Hoedt : L'orthographe n'est qu'un outil au service de la langue.
Jérôme Piron : Alors, si l'orthographe est un outil, on s'est simplement posé une question avec Arnaud : est-ce que c'est un bon outil ? Prenez par exemple le son [s].
Arnaud Hoedt : Comme dans « régisseur ».
Jérôme Piron : Comment peut-on écrire ce son en français ? On peut l'écrire s, deux s, c, c cédille, s c comme dans « science », t, les finales en « tion », x, dans « dix » ou « six ».
Arnaud Hoedt : « Bruxelles ».
Jérôme Piron : On peut l'écrire z, dans « quartz » ou « aztèque ». On peut l'écrire t h, dans « forsythia ». On peut l'écrire sth, dans « isthme ».
Arnaud Hoedt : Ou « asthme ».
Jérôme Piron : On peut l'écrire deux c, dans « succion ». Et on peut même l'écrire s c cédille, dans « il acquiesça ».
Arnaud Hoedt : Alors maintenant, si vous voyez la lettre s écrite, comment est-ce qu'elle se prononce ? Soit [s.]
Jérôme Piron : [s].
Arnaud Hoedt : Soit [z].
Jérôme Piron : [z].
Arnaud Hoedt : Entre deux voyelles. Soit pas, muette.
Jérôme Piron : Donc, ça fait : un son, douze manières de l'écrire, une lettre, trois façons de la prononcer.

www.laconvivialite.com.

Page 157, l'essentiel – exercice 4

a. T'aurais pas vu mon bouquin de grammaire ? J'en ai besoin pour revoir le participe passé. **b.** Pourriez-vous me dire où se trouve la section langue française ? **c.** Nous ferez-vous l'honneur de votre présence à l'inauguration ? **d.** Ça te dirait qu'on se fasse un ciné ce soir ? **e.** Y a quoi à manger ce soir ? **f.** Au vu de vos résultats, vous n'aurez aucun problème pour intégrer notre université.

Unité 11 Jusqu'où irons-nous ?

Page 163, Les poubelles de l'espace

Guillaume Erner : La question du jour. Des satellites qui se perdent, des morceaux de fusées qui flottent. Autour de la Terre, gravitent plusieurs milliers de débris spatiaux… Au total, près de 8 000 tonnes flottent au-dessus de nos têtes et s'accumulent depuis le lancement du premier satellite, Spoutnik 1, en 1957. Bonjour Christophe Bonnal.

Christophe Bonnal : Oui, bonjour.

Guillaume Erner : Vous êtes ingénieur au centre d'études spatiales, alors c'est pas la peine de lever la tête pour essayer de les voir ces 8 000 tonnes d'objets qui flottent au-dessus de nos têtes, ils sont composés de quoi principalement ?

Christophe Bonnal : Alors heureusement parmi ces 8 000 tonnes, il y a quand même à peu près 2 500 satellites actifs qui sont absolument fondamentaux pour nos vies quotidiennes donc c'est vraiment le, le fondamental du spatial : c'est tous les satellites d'observation de la Terre, d'environnement, de euh télécommunications, etc. Malheureusement…

Guillaume Erner : 8 000 moins 2 500 cela fait encore beaucoup de déchets dans l'espace.

Christophe Bonnal : Pardon, je parlais, je parlais d'un nombre d'objets pas de tonnes, j'ai confondu. Au total, on considère qu'il y a à peu près 34 000 objets de la taille de 10 cm ou plus, c'est-à-dire de la taille du poing ou plus. Et c'est parmi ces 34 000 objets qu'il y a 2 500 satellites actifs. Tout le reste, c'est des débris. Un débris, c'est un objet artificiel, donc de la main de l'homme, en orbite au-dessus de nos têtes et qui ne sert à rien, qui n'a pas de fonction.

Guillaume Erner : Et donc il y a une mission de nettoyage qui va être lancée pour 2025, pourquoi fallait-il cette mission-là, expliquez-nous Christophe Bonnal.

Christophe Bonnal : Donc depuis 1957, comme vous l'avez fort justement indiqué, le nombre d'objets augmente fortement dans l'espace et nous fait craindre un phénomène d'emballement qui s'appelle le syndrome de Kessler, du nom de Donald Kessler, qui était le premier directeur de la NASA, sur le sujet des débris, et qui avait théorisé tout ça. Un emballement dû à des collisions mutuelles en orbite : c'est-à-dire deux objets se rentrent dedans, régénèrent un millier de nouveaux débris, qui eux-mêmes après vont aller régénérer d'autres collisions, etc. C'est un peu le film *Gravity* si vous voulez sauf qu'au lieu de durer une heure et demie, là, ça s'étale sur dix, vingt ans à peu près. Et donc ça, c'est quelque chose qui nous inquiète et qui est probablement déjà en cours, euh, sur les orbites les plus encombrées, c'est-à-dire entre 700 et 1 000 km d'altitude environ. Et là donc, ce qu'il faut faire, c'est premièrement, fondamentalement, avoir une réglementation très claire, c'est-à-dire soyons propres à partir de demain, et ça on y a énormément travaillé au niveau international, mais ça donc ça c'est valable pour les nouvelles missions, pas pour ce qui est déjà là-haut.

France Culture, 3 décembre 2020.

 Page 166, intonation – exercice 2

a. Il n'a pas inventé le fil à couper le beurre, lui ! **b.** On n'arrête pas le progrès. **c.** J'ai pas progressé d'un pouce ! **d.** Je sais, elle n'a pas inventé la poudre… **e.** Ouais, y'a du progrès…

 Page 168, La technique au service des animaux

Ali Baddou : La chronique environnement, bonjour Camille Crosnier.

Camille Crosnier : Bonjour Ali, bonjour tout le monde.

Ali Baddou : Et une chronique environnement avec ce matin des robots et des animaux.

Camille Crosnier : Oui pour une fois on va parler des bienfaits de la technologie sur ce qui nous entoure, et comment elle aide, même, à protéger certaines espèces ou milieux… Comme ce robot-méduse présenté il y a quelques jours par des chercheurs britanniques. Et quand je vous dis robot-méduse, Ali, ce n'est pas un amas de câbles et de plastique ressemblant vaguement à l'invertébré, non : celui-ci a la même texture gluante et molle, avec une tête et huit tentacules, la même nage, avec un système de propulsion qui évite tout moteur, bref, une imitation parfaite !

Ali Baddou : Mais qui sert à quoi alors Camille ?

Camille Crosnier : À explorer les récifs de corail. Pour les repérer ou les réparer sans risquer de les abîmer, contrairement à un autre outil moins souple ou à un plongeur… Les chercheurs

avancent même jusqu'à 50 fois plus d'efficacité qu'un petit véhicule sous-marin à hélices. Et c'est bien l'une des clés de tous ces travaux : gagner du temps, en étant en plus moins invasifs… Le magazine *Science* publiait à l'automne dernier une vidéo pour expliquer une nouvelle technique de comptage des manchots en Antarctique, tâche extrêmement difficile vu la densité des colonies et leur vitesse de déplacement, comptage grâce à des drones automatisés et synchronisés en vol : 300 000 couples enregistrés ainsi en 2 heures et demie alors qu'il aurait normalement fallu 3 jours, avec de grosses marges d'erreur. Idem pour les éléphants ! Alors pas au niveau de la densité hein, vu l'effondrement de leur population, mais compliqués à recenser : ils évoluent dans des paysages complexes (la savane, la brousse ou la forêt), bon courage donc pour les apercevoir, et les méthodes « classiques » de comptage ont des faiblesses…

Ali Baddou : Lesquelles ?

Camille Crosnier : Eh ben, ça se fait en général avec un petit avion, qui mobilise de l'énergie, du monde, sans parler de la visibilité pas toujours bonne suivant la météo. D'où l'idée cette fois de scientifiques des universités d'Oxford et Bath d'utiliser les satellites : plus discrets donc aucun risque de déranger les éléphants, avec une fiabilité absolue ! Une expérience en Afrique du Sud a permis de balayer en quelques minutes à peine, 5 000 km² et de compter tous les éléphants qui s'y trouvaient : les chercheurs ont créé un algorithme ultra intelligent qui sait les distinguer des arbres ou d'autres animaux, et repère même les éléphanteaux. De mois de travail sur place on passe à quelques heures à peine. Alors ne voyez pas dans tout ça une course à la performance hein, tous ces Géo Trouvetou insistent : la technique se met au service de ces animaux avec un seul but… Leur protection et leur conservation.

Ali Baddou : Merci Camille Crosnier, il est 7 h 22.

France Inter, 15 février 2021.

 Page 171, Produire un combustible écologique

Denise Mahehou : Le centre Balou est un internat qui accueille près de 200 enfants souffrant d'un handicap mental : pour les nourrir, le centre consomme environ 10 tonnes de charbon de bois makala tous les mois. Maggie Moussolé est responsable du centre.

Maggie Moussolé : En fait, le makala, ben, on l'achetait quand il pleuvait, maintenant en temps normal eh ben nous coupons nos, nos arbres, que tu vois autour de nous. Notre terrain s'étend sur 27 hectares donc il y a pas mal d'arbres dedans que nous avons laissé pousser. On a commencé à décimer ces arbres-là.

Denise Mahehou : Conscient de la destruction de la forêt, le centre Balou a depuis deux mois abandonné l'utilisation du charbon de bois, il s'est tourné vers un combustible alternatif tiré du recyclage des déchets de fibres végétales. Fidèle Mouteb de l'association Congo Vert nous fait visiter le site de production.

Fidèle Mouteb : Donc là nous sommes en pleine production, vous allez voir comment nous produisons le makala vert. Comme vous voyez nous venons de réceptionner les déchets : ici nous avons les cartons, nous avons les papiers là-bas, ça ce sont les déchets champêtres, là nous avons tout ce qui est déchets des jardins que nous avons carbonisés, donc qu'il y a là-bas, donc nous récupérons tout ce qui est déchets biodégradables ici chez nous, que nous transformons en braise, utilisable pour toute sorte de cuisine.

Denise Mahehou : Dix employés sont là pour assurer tout le processus de production et conditionnement du combustible. À quelques kilomètres de là, dans le quartier Golfe de Lubumbashi, le groupe Congo Vert a ouvert son espace de vente du makala écologique : dix tonnes sont ainsi vendues chaque jour. Christian Roubin, membre de l'association, est fier de l'impact sur l'environnement.

Christian Roubin : Le pouvoir de diminution de nos forêts il est à 1,2 % par an, si on fait 30 ans, donc c'est-à-dire 30 % de nos forêts seront déjà partis, donc il faudra avoir juste ce calcul simple dans la tête et voir que il est vraiment urgent que nous puissions migrer vers d'autres formes de combustion.

Denise MAHEHOU : Une expérience positive et un exemple à suivre car chaque jour dans le monde c'est l'équivalent d'un terrain de foot de forêt qui est détruit chaque seconde. Denise Maheho, Lubumbashi, RFI.

RFI, 5 juin 2020.

Unité 12 La force des arts

Page 177, L'art du recyclage

Aurélie BAZZARA : Dans son atelier au bord du fleuve Chari, Appolinaire Guidimbaye fait l'inventaire.

Appolinaire GUIDIMBAYE : Y a des tonnes de trucs que je récupère : y a des fils de barbelés, des grillages. Par exemple, ça, c'est un jerrican de militaire.

Aurélie BAZZARA : Les déchets lui servent de matière première. Il tord des fils de fer ou de vieilles chaussures et un tableau prend forme.

Appolinaire GUIDIMBAYE : Ici, c'est ma petite boîte magique où je mets les trucs que moi je trouve précieux : y a des morceaux de cuir, y a des clés.

Aurélie BAZZARA : Appolinaire, trente-sept ans, récupère tout depuis toujours. Enfant, il fabriquait ses jouets avec des boîtes de conserve.

Appolinaire GUIDIMBAYE : On voit qu'il y a beaucoup de déchets en ville. Ça me dérange vraiment parce que une ville doit être propre. Et j'essaye de travailler pour inculquer cette notion de recyclage. Parce que tout le monde peut faire le recyclage. Pour ceux qui me connaissent, ça ne me choque pas, mais à chaque fois que je fais des récoltes de déchets, c'est que des insultes : c'est des « il est fou » « il est en train de délirer » et tout ça.

Aurélie BAZZARA : C'est tout naturellement qu'Appolinaire choisit « Doff », « le fou » en wolof, comme nom d'artiste. Ses tableaux, toujours sombres et teintés d'un aspect métallique qui fait sa signature, sont imposants. Pas moins de deux mètres d'envergure pour chaque pièce.

Appolinaire GUIDIMBAYE : Ici, j'ai des caisses qui sont remplies de douilles. Voilà.

Aurélie BAZZARA : Des douilles qui deviennent un bonhomme dans l'une de ses œuvres pour dénoncer les inégalités.

Appolinaire GUIDIMBAYE : Celle-là, je l'appelle, l'égalité. C'est le bonhomme. C'est des boîtes de conserve que j'ai récupérées. Et j'ai mis des tas avec des douilles pour montrer l'agressivité de tout ce qui est lié à, par exemple, toi tu es une Européenne, moi je suis un Africain. Ou bien l'homme et la femme et tout ça.

Aurélie BAZZARA : Autodidacte, il se laisse guider par les informations entendues à la radio et ses découvertes pour créer ses tableaux.

Appolinaire GUIDIMBAYE : J'ai découvert un matériau qui s'appelle le paxalu sur une plage, à Abidjan, à Assinie. Sur une plage, ça m'a un peu choqué. C'est une matière noire avec beaucoup de relief et tout ça. Il faut faire chauffer, il faut découper, faire des formes, ressortir des reliefs.

Aurélie BAZZARA : « Doff » a exposé ses pièces au Tchad mais aussi dans des galeries françaises. Son rêve, les exposer à New York.

RFI, 8 juin 2021.

Page 179, Une visite au Mucem

Homme : Quand je pense que tu as réussi à me traîner à cette expo ! Non mais quelle horreur !

Femme : Tu ne peux pas dire une chose pareille. Jeff Koons est un artiste fabuleux, un génie.

Homme : D'accord, admettons. Qu'est-ce qu'il a de si spécial ce chien, alors ?

Femme : C'est très pop, j'adore ! Regarde comme ce chien est bien réalisé, beau, brillant, bien fini. Cet artiste a su garder son âme d'enfant, son œuvre est très joyeuse.

Homme : Tu parles ! Ce n'est même pas lui qui les fait, ces sculptures monumentales. Il a une armée d'employés qui travaillent pour lui et les produisent en masse.

Femme : Moi, je trouve ça intéressant. Ça ouvre de nouvelles perspectives. Ça bouscule les règles. De toute façon, tu ne comprends rien au monde de l'art.

Homme : Pour moi, une œuvre d'art doit être porteuse d'un message. Et là, je suis désolé, mais je ne vois ni humour, ni drame, ni humanité, ni lecture intéressante. C'est sans aucun intérêt. C'est juste vulgaire.

Femme : Tu es insensible à la beauté, voilà tout. Au moins, ses œuvres soulèvent les passions et les rejets. C'est le propre des grands artistes, non ?

Homme : Non, c'est du mauvais goût. Je ne suis pas du tout attiré par son esthétique. Son univers froid me met mal à l'aise et je ne ressens aucune émotion. Ici, j'ai l'impression de me balader dans un magasin de jouets géants. Pour moi, Koons incarne le kitsch et la consommation poussée à l'extrême. Je préfère les artistes plus modestes, qui utilisent des matériaux recyclés pour construire leurs œuvres. Au moins, cela m'amène à m'interroger sur mes comportements d'achat, sur la société de consommation qui laissera aux générations futures des montagnes d'objets usagés.

Femme : Moi, je crois que c'est plutôt l'art contemporain qui te laisse indifférent. Quoi qu'il en soit, je dois filer. J'ai un rendez-vous chez le dentiste à 15 h 30.

Homme : Et la prochaine expo, c'est moi qui la choisis, OK ?

Femme : Ça marche ! À bientôt !

Page 183, Se soigner l'âme, le corps et l'esprit au musée

Catherine FRANÇOIS : Quand Denyse Lalonde se présente au guichet du musée des beaux-arts de Montréal, ce n'est pas son portefeuille qu'elle sort, mais une ordonnance. Une ordonnance qui lui ouvre les portes du musée gratuitement pour une visite qui va lui faire du bien à l'âme et à l'esprit.

Denyse LALONDE : On entend les oiseaux.

Catherine FRANÇOIS : Denyse qui souffre de problèmes cardiaques ne cache pas son émotion ressentie devant ces œuvres.

Denyse LALONDE : Les paysages, ça m'émeut. J'ai presque le goût de pleurer. Ça m'émeut beaucoup.

Catherine FRANÇOIS : C'est Hélène Boyer, médecin de Denyse, qui lui a prescrit cette visite au musée. Elle est aussi la vice-présidente de l'organisme Médecins francophones du Canada, qui vient de lancer en partenariat avec le musée des beaux-arts de Montréal, ce projet pilote d'ordonnance muséale.

Hélène BOYER : C'est ça l'idée du projet, c'est-à-dire est-ce que à travers la visite muséale, les patients vont avoir le même bienfait que à travers l'atelier de l'art-thérapie. C'est pas plus facile de convaincre les patients de s'engager, d'aller tout simplement faire une visite du musée, que de s'engager directement dans un atelier d'art-thérapie.

Catherine FRANÇOIS : Le musée des beaux-arts de Montréal qui a développé une expertise unique avec des ateliers d'art-thérapie, était le partenaire tout naturel dans cette aventure.

Nathalie BONDIL : Quand on est en contact avec l'art, parce que ça génère des émotions positives, des émotions esthétiques, qui nous permettent donc de, d'être mieux connecté avec soi-même, d'un point de vue très physico-chimique et en même temps de mieux interagir.

Catherine FRANÇOIS : Ce projet pilote visionnaire, une première dans le monde, va durer un an.

Denyse LALONDE : Je pense que ça peut aider tellement de gens parce que quand on est ici on voit ça oui les émotions bien sûr, mais je pense que ce sont de bonnes émotions qui peuvent nous apaiser l'âme. C'est un baume, c'est un baume.

Catherine FRANÇOIS : L'art, un baume pour l'âme, le corps, et l'esprit.

TV5 Monde, 18 novembre 2018.

Page 184, intonation – exercice 3
Je ne trouve pas toujours...

Je ne trouve pas toujours
Les phrases
Pour décrire la lumière
Accrochée au rideau de ma chambre
Ou les notes d'une chanson
Dans mon oreille
Alors je lis des poèmes
Avec des images
Offertes comme les eaux
Qui courent jusqu'à la mer
Car les poèmes ont une peau
Plus vibrante que ma peau
Et un cœur
Qui bat au rythme du paysage
Les poèmes prennent le temps
De m'écouter
Si ma voix se mouille
Ou éclate d'un long rire
Les poèmes sont ma fenêtre
Et mon autre visage

Louise Dupré, romancière québécoise.

Page 187, l'essentiel – exercice 3
a. Ce tableau est merveilleux ! **b.** Son expo a fait un tabac. **c.** L'art contemporain, ce n'est pas ma tasse de thé. **d.** Quel paysage pittoresque ! **e.** Les œuvres de cet artiste, un scandale ! **f.** Le dernier film d'Ozon ? Bof ! **g.** Tu as vu ce tableau noir et blanc ? Quelle croûte... **h.** L'expo Picasso en vaut vraiment la peine.

DELF Transcriptions

Page 190 – exercice 1

Journaliste : Aujourd'hui, on s'intéresse à la mode rapide, ou mode jetable. Son succès s'explique par la vente de volume sans précédent à prix très bas. Des prix qui ne sont possibles que si la clientèle achète de nouveaux vêtements dès leur sortie, et bien sûr les magasins mettent au point leurs propres stratégies de vente pour attirer toujours plus de clients. Par exemple, pour créer l'envie, certaines marques produisent des articles en nombre très limité, qui seront vite remplacés pour pousser le consommateur à suivre. C'est un peu la dictature du changement perpétuel, Amélie Meunier ?

Amélie Meunier : Oui, c'est ça. En fait, la plupart du temps, la nouveauté, c'est simplement le même modèle dont on a changé la couleur. Il faut dire que la presse nous montre aussi ces nouveaux produits : « cette jupe qu'il faut absolument avoir ! », comme pour rattraper notre « laideur naturelle ». C'est important de dire : « Non, c'est pas ça un vêtement. C'est pas juste ce truc éphémère. » Un vêtement, c'est quelque chose qui nous touche, qui nous correspond, dont on va prendre soin avec amour parce qu'il nous représente complètement. Et il nous transforme. Mais un vêtement à 4 € 90, qu'on jette dès qu'il y a une tache, vraiment, pourquoi le laver ?

Journaliste : D'où vient cet attrait des nouvelles tendances de cette mode jetable ?

Amélie Meunier : Alors, les dernières innovations sur les réseaux sociaux de la part des marketeurs, c'est l'analyse des sentiments. Maintenant, on analyse nos sentiments à coup de « j'aime ». Et c'est ça le danger. Dans les slogans, on nous vend de l'amour, de la qualité, de la réussite. Tout ça provoque du désir qui nous pousse à consommer, c'est absolument irrésistible.

Journaliste : Il faut garder à l'esprit que le vêtement est le critère premier pour évaluer une personne. Le style, la mode indiquent le degré d'intérêt à porter à quelqu'un.

Amélie Meunier : En effet, il indique le degré d'intérêt et pire encore, le niveau de pauvreté. Lorsqu'on est beau, bien habillé, avec la dernière création tendance, ça renvoie le succès, comme sur Instagram. Vous savez, avoir la même veste qu'une influenceuse à la mode. Et si vous l'avez pas, eh bah peut-être que vous êtes un peu ringard et pauvre. D'ailleurs, il y a un autre effet pervers dans la mode rapide, c'est le problème de la non-inclusion, c'est-à-dire que les modèles sont imaginés pour un 36-38 qui représente à peine 3 % de la population française. Donc le fait de ne pas avoir des vêtements qui soient adaptés à sa morphologie, le vêtement on le porte deux fois et on va le jeter beaucoup plus rapidement.

Journaliste : Ce qui est intriguant, c'est de voir qu'en peu près 20 ans, en Occident, on achète 60 % de plus de vêtements.

Amélie Meunier : Oui, alors qu'a priori, on ne change pas plus de vêtements tous les jours. Une année a toujours le même nombre de jours. Ça montre bien qu'il y a une explosion du nombre de vêtements qu'on consomme. C'est notamment dû à la vente en ligne avec une facilitation de l'acte d'achat qui pose pas mal de problèmes. Les prix sont toujours moins chers, mais sans pour autant garantir des vêtements de meilleure qualité ou qu'on va garder plus longtemps. Et on a la possibilité de renvoyer ces articles. Cela pousse les entreprises à augmenter la production et ce, souvent, en demandant toujours plus aux ouvrières et ouvriers textiles. Ne l'oublions pas, notre consommation n'est jamais neutre.

Page 191 – exercice 2

Journaliste : Peut-on ? Doit-on gérer ses émotions au travail ? Amina Janin, sociologue.

Amina Janin : Je voudrais qu'on s'attarde sur l'expression « gérer ses émotions ». Il s'agit là de l'idéologie managériale. C'est-à-dire qu'on doit essayer de rendre les émotions utiles, au service de la motivation, de la productivité. Tout ce travail pour que les personnes puissent se mobiliser sur des émotions qui ne viennent pas les empêcher d'être performants. Alors que les émotions, elles ne sont pas de l'ordre de la gestion, mais de la subjectivité, donc du sujet. De ce dont on a besoin pour être bien dans sa peau. Et non pas pour répondre à des exigences normatives de performance et de rentabilité.

Journaliste : Alors justement, Léo Terrier, vous êtes psychiatre et vous avez répertorié 3 grands types d'entreprises face aux émotions.

Léo Terrier : Il y a des entreprises que je nommerais « froides », telles des animaux au sang froid, dans lesquelles rien n'est exprimé. On y trouve le secteur bancaire, ou de l'assurance. Et puis, au contraire, y a un secteur où les émotions peuvent se lâcher, les émotions positives. C'est la communication, le milieu artistique : « ma chérie tu es magnifique », « je suis tellement heureux. » Et ça, c'est ce que cherchent à mettre en place beaucoup d'entreprises, vous savez, où on libère les émotions positives avec des animations ludiques, en équipe... Mais les émotions négatives ne sont absolument pas autorisées, comme exprimer sa colère, son mécontentement... Et enfin, il y a une troisième catégorie, plutôt rare, que j'appellerais les entreprises avec une intelligence émotionnelle, où toutes les émotions sont autorisées et sont donc « gérées ». Parce que nous avons un vrai problème, c'est que la personne qui réceptionne les émotions au travail, c'est souvent les managers et la faiblesse du management dans ce domaine est exemplaire. Ils n'ont aucune formation pour ça.

Journaliste : D'ailleurs, pour la colère, tout dépend de qui l'exprime.

Amina Janin : Oui tout à fait, c'est très important de le souligner. En effet, il y a des inégalités émotionnelles très fortes. Et il faut dire que les émotions font partie des rapports de domination. Sans émotion, il n'y a pas de domination. Et donc là, on voit une différence à la fois de classe, de sexe, et la colère c'est typiquement une émotion qui peut être acceptable si vous êtes un homme et en haut de l'échelle sociale, dans certaines situations, ça peut passer pour quelqu'un de déterminé, qui se donne les moyens d'y arriver. Alors que pour la femme, on va dire qu'elle est hystérique et l'ouvrier vulgaire, « il ne sait pas se comporter. »

Léo Terrier : Dans les émotions, il a deux choses à distinguer : l'expérience subjective interne qu'on ressent et ce qu'on exprime. Évidemment quand on se met en colère, c'est une façon d'exprimer son émotion qui n'est pas forcément bonne ou adaptée dans beaucoup de situations. Mais exprimer, par exemple, sa colère et son mécontentement peut être fait de façon extrêmement affirmée sans agresser l'autre en disant, « je suis déçu de ne pas avoir eu la promotion que j'espérais » ou « c'est quelque chose qui me déçoit profondément et me met franchement en colère. » Et parler de sa propre émotion sans forcément mettre l'autre en cause. D'ailleurs, dans tous les aspects de la gestion des émotions, on apprend des techniques pour exprimer ses émotions. Parce qu'il faut accepter toutes les émotions des gens. Ils ont le droit d'être en colère ou d'être découragés, mais n'ont bien sûr pas le droit de taper sur quelqu'un. Donc on voit la différence entre ressentir une émotion et l'exprimer. Et c'est ce que la technique de la gestion du stress cherche à apprendre aux individus : exprimer leurs émotions sereinement.

Page 192 – exercice 3

Avec notre réputation de gros consommateurs de médicaments, on peut se poser la question : mais au fait, est-ce qu'on les jette bien correctement une fois qu'on est guéris ? Que devons-nous faire des dix boîtes de médicaments dont on n'a plus l'utilité, mais qui ne sont pas vides ? Dans la poubelle ? Dans les toilettes ? Ni l'un ni l'autre ! Il faut les rapporter à la pharmacie en ayant avant bien sûr mis au recyclage la boîte et la notice que la pharmacie ne prendra pas. Et là, il faut aussi peut-être rappeler certaines rumeurs qui courent et dire ce qu'il en est vraiment : les pharmaciens pourraient refuser vos médicaments à recycler ? C'est faux, il s'agit d'une obligation légale. Ces professionnels le font bénévolement et pour en avoir testé quelques-uns, ils nous encouragent même dans cette démarche. Autre rumeur persistante : puisqu'ils seront incinérés en fin de compte, autant les mettre à la poubelle, c'est plus simple et ça finit au même endroit. C'est inexact puisque nos poubelles, pour environ la moitié, sont enterrées. Toutefois, si on en croit les enquêtes, on va dans la bonne direction. 78 % des Français déclarent déposer leurs médicaments non utilisés en pharmacie, et parmi ceux qui ne l'ont pas fait, 89 % se déclarent prêts à le faire. Pas mal ! C'est la transition écologique, qui s'impose comme un sujet-clé, qui a joué un rôle pour faire s'installer des comportements plus responsables sur le recyclage des médicaments.

Journaliste : Les écoles offrent de plus en plus d'environnements flexibles, ou des classes multi-positions, qui permettent aux élèves de se déplacer. Anne Payette, comment ça fonctionne au juste ?
Anne Payette : Le concept de classe multi-fonctions est plutôt simple. Il s'agit d'aménager les classes de façon à permettre aux élèves plus d'autonomie et de mouvements, en utilisant différentes méthodes d'apprentissage et en s'équipant, par exemple, de chaises à roulettes ou de tables amovibles. L'idée est d'améliorer la concentration.

Journaliste : Selon vous, est-ce que c'est possible d'appliquer ces principes à la maison, pour les devoirs ?
Anne Payette : Tout à fait ! Les parents peuvent s'inspirer de cette tendance pour aménager l'environnement de travail chez eux. L'idéal, avant de faire quoi que ce soit, c'est de déterminer où son enfant étudie de façon optimale. L'environnement dit « idéal » pour les apprentissages doit permettre à votre enfant de se concentrer. Il est donc préférable d'éviter les sources de distraction telles que les écrans, la télévision, les jeux vidéo, etc. Le mouvement peut être intégré à la période des devoirs en organisant la routine différemment, en invitant par exemple l'enfant à travailler debout à la table ou sur un comptoir, en utilisant un minuteur pour diviser les tâches et faire des exercices entre chacune d'elles. Par exemple, on peut proposer de marcher autour du bureau pendant l'apprentissage des tables d'opérations.

Journaliste : Alors, vous avez fondé une entreprise de travail à temps partagé, pour créer de l'emploi. Je crois que vous avez eu cette idée après avoir beaucoup travaillé dans le milieu associatif.
Invité : J'ai beaucoup travaillé comme bénévole. J'ai noté un grand besoin de temps partiel. Que ce soit pour la garde des enfants, l'aide aux personnes âgées ou malades, ou bien l'implication dans un projet local. D'un autre côté, on trouve des entreprises qui n'ont pas les moyens de recruter à temps plein. L'idée m'est venue de mettre en relation les deux.
Journaliste : Votre entreprise de Travail à Temps Partagé permet d'employer des salariés en contrat longue durée. Ils vont ensuite travailler ponctuellement, à temps plein ou partiel, dans d'autres entreprises ou associations. Côté salarié, cela peut permettre le retour à l'emploi, même partiel, notamment pour des femmes.
Invité : Oui, par exemple, pour une femme qui a eu un enfant, le retour à l'emploi, ça peut être compliqué avec ses contraintes de temps. Peut-être qu'elle ne peut pas s'engager sur un temps plein. On va lui proposer des contrats à courte durée, mais l'avantage, c'est que son contrat chez nous est permanent. On leur offre une stabilité.
Journaliste : Des objectifs modestes, mais ces quelques emplois peuvent faire la différence.
Invité : On a commencé avec seulement 3 salariés, mais on compte bien tripler ou quadrupler d'ici 2 ou 3 ans.

Transcriptions Documents vidéos

Page 19, Les fonds marins de Nouvelle-Calédonie

Voix off : À plus de 22 heures de vol de Paris : la Nouvelle-Calédonie, cet archipel à l'est de l'Australie. L'île principale, la Grande Terre, est encerclée d'une immense barrière de corail qui fait rempart et protège ce lagon, le plus grand au monde. Parti de Nouméa, ce bateau file vers la barrière de corail. À son bord, Fanny, chercheuse en biologie marine, et Valentine, son étudiante. Ce jour-là, elles vont plonger pour vérifier l'état de santé des coraux.

Fanny : Ici on a la plus longue barrière au monde, avec une biodiversité incroyable. On a un des spots où il y a le plus d'espèces de coraux. On arrive autour de 400 espèces de coraux rien que sur les récifs de Nouvelle-Calédonie.

Voix off : Comme les grandes forêts tropicales, les récifs servent de refuge à de nombreuses espèces. Mais c'est un milieu fragile. Le changement climatique est tel que certains coraux pourraient disparaître d'ici la fin du siècle. Cet animal marin vit dans une eau chaude, aux environs de 27 degrés. Chaque année la température de l'eau augmente, ce qui pourrait tuer les coraux. Fanny n'oubliera sans doute jamais les dégâts de l'été 2016. Cette année-là, la température de l'eau atteint les 30 degrés. Trois degrés de plus qui ont suffi à effacer les couleurs, comme un coup de javel. Un phénomène appelé : le blanchissement des coraux.

Auxyma production.

Page 33, Monnaie locale

Voix off : Les monnaies locales françaises ont un côté, comment dire, exotique. À la boulangerie par exemple, au lieu d'acheter votre pain en euros, vous pourrez le payer en florains, en stücks, en bou'sols, en miels ou bien encore en muses. Voilà pour la poésie, mais tout cela est très sérieux et encadré par la loi de 2014, relative à l'économie sociale et solidaire. Chez votre boucher par exemple, en payant avec votre monnaie locale, vous soutenez un circuit court de production : de l'éleveur de bovins en passant par le fermier qui fournit le foin. Impossible donc de l'utiliser en supermarché où vous pouvez acheter de l'agneau de Nouvelle-Zélande. Conclusions observées à l'étranger : ces monnaies préservent l'économie locale et favorisent la protection de l'environnement. En France, ces devises se sont développées en 2010, après la crise économique. On en recense aujourd'hui une quarantaine. Et elles ne sont utilisables que sur un territoire restreint, à l'échelle d'une ville ou d'une région. Toutes sont complémentaires et indexées sur l'euro. Un buzuk par exemple égale un euro mais dans un temps limité. Ensuite, les monnaies perdent de la valeur. Objectif : pousser les consommateurs à favoriser ce type d'échanges. Si certaines monnaies utilisent des billets, pour d'autres, les paiements sont dématérialisés par souci d'économie.

Audrey Racine : En France, la première monnaie locale a fait son apparition en 2010 seulement mais depuis, l'idée a fait son chemin. D'abord le fait de petites communautés, elles deviennent de véritables outils politiques. Ces devises s'appuient parfois sur des cultures locales fortes. C'est le cas au Pays basque où l'eusko connaît un vrai succès.

David Gilberg : Chaque mois, ce père de famille bayonnais échange 200 euros en euskos, la monnaie locale basque. Une opération simple, réalisable dans des commerces servant de bureau de change.

Iban Grossier : C'est absolument pas une contrainte, c'est pas plus contraignant que d'aller tirer des euros à la tirette.

Voix off : Iban dépense ensuite ses euskos dans des enseignes adhérentes, comme lui, à l'association qui gère cette monnaie. Et elles sont de plus en plus nombreuses. Plus de 600 commerçants acceptent aujourd'hui l'eusko. Comme sur ce marché de Saint-Jean-de-Luz où certains ont fait le choix de favoriser l'économie basque.

Sylvain Sansoucy : En ce moment, il y a tout le débat, vous savez, sur les filières agricoles qui se battent contre les intermédiaires, contre les grandes surfaces. Eh bien, nous au Pays basque, on s'organise différemment, voilà. Ça va du producteur au consommateur, on élimine tous les intermédiaires et tout le monde s'y retrouve.

Voix off : En France, l'eusko est la plus importante des MLC, les monnaies locales complémentaires. L'équivalent d'environ 750 000 euros serait actuellement en circulation. Un succès qui s'explique par l'implication d'une partie de la population locale.

Une utilisatrice : C'est pour soutenir une économie solidaire et faire un petit contre-pouvoir aux pratiques industrielles.

France 24.

Page 49, Les cuistots migrateurs

Louis Jacquot : Qu'est-ce que tu nous fais de beau ?

Faeeq : Foul.

Louis Jacquot : Foul. Foul medames ?

Faeeq : Foul medames.

Louis Jacquot : C'est trop bon ça. Je m'appelle Louis Jacquot, je suis co-fondateur des Cuistots migrateurs, qui est le premier traiteur de cuisines du monde qui emploie des cuisiniers réfugiés. Je suis diplômé d'école de commerce, j'étais plutôt spécialisé en marketing et communication digitale et puis j'ai été rattrapé par l'actualité avec Sébastien. On a vu les médias qui parlaient des réfugiés, donc ça c'était en automne 2015, mais toujours sous un angle très très pessimiste, négatif, on s'est dit « non, ces gens-là ils ont quelque chose à nous apporter, ils ont une richesse », et, et nous on a choisi la cuisine parce que c'est quelque chose qui rassemble, c'est quelque chose qui parle à tout le monde, qu'on, qu'on partage, qui nous met sur un pied d'égalité, et qui permet, voilà, d'apporter quelque chose de positif et un vrai moment de plaisir. On a Rashid qui est iranien, on a Bishnu qui est népalais, on a Sarah qui est éthiopienne, on a également Faeeq qui est syrien, Azim qui est afghan et ben, d'employer ces personnes-là ça fait toute la différence du projet des Cuistots migrateurs parce que ça nous permet de bousculer un petit peu l'offre de traiteur qui est très classique. Ils sont actuellement, dans cette équipe, tous en CDI à temps plein, c'est vraiment quelque chose qui nous tient à cœur, on ne s'appuie pas sur des auto-entrepreneurs. L'idée c'est de leur fournir un vrai travail qui va leur permettre de s'intégrer, de trouver un logement, et ça a été le cas pour plusieurs d'entre eux déjà.

Rashid : On aime bien travailler comme ça parce que chaque pays a ses différentes cuisines, nous aussi on va apprendre les cuisines des autres pays.

Louis Jacquot : Je connaissais rien à la question des réfugiés. On a commencé ce projet, on est allés voir France Terre d'Asile, on est allés voir SINGA, parce que je n'avais moi-même jamais eu vraiment d'engagement associatif, et j'ai découvert des gens incroyables, des gens ultra motivés, des gens généreux, des gens qui ont envie de faire quelque chose, qui presque il faudrait mettre dehors à la fin de la journée parce qu'autrement ils continueraient à travailler, et je découvre des cultures au quotidien quoi, ils nous invitent chez eux, tous les jours on découvre des plats et je découvre vraiment une richesse incroyable au quotidien. Et pour la petite anecdote, on a eu sur des événements des gens qui nous ont dit « mais ils sont où vos chefs réfugiés ? ». Et en fait, ils avaient pas compris que la personne qui les servait, qui était là à leur faire des petites blagues, étaient des personne réfugiées. Donc on a envie de continuer dans ce sens-là et d'interpeller et encore une fois de changer de regard sur les réfugiés en France.

Le Figaro (L'Express).

Unité 4 Être connecté ou ne pas être

Page 62, Besoin de décrocher ?

Voix off : À Londres, pour sa première journée sans smartphone, Séverine a repris d'anciennes habitudes. Oubliés Internet et Google pour s'orienter, place à la bonne vieille carte en papier. Séverine s'adapte, mais elle a l'impression que son cerveau a quelques bugs.

Séverine : Tout à l'heure, j'ai eu des… des TOCs, en fait, où je vérifiais dans mes poches. Je cherchais mon portable, donc heu, je le trouvais pas, bien sûr. Donc je pense que ce geste-là, je vais l'avoir assez régulièrement, je pense, pendant quelques temps.

Voix off : Au programme ce matin, la visite du quartier ultra-touristique de Notting Hill. En plus de la carte, Pascal et Séverine ont ressorti un autre accessoire de leurs cartons : un appareil photo des plus classiques. Le genre d'objet vintage qu'elle est bien la seule à arborer dans la rue.

Journaliste : Qu'est-ce que ça vous inspire, quand vous voyez des gens qui font des photos comme ça, là ?

Séverine : Je me dis « oh, mince ! Il me manque quelque chose, quand même… ».

Voix off : Au détour de leur balade, ils se retrouvent au beau milieu d'une rue typique aux maisons colorées, devenue un spot à touristes portables greffés à la main.

Séverine : Il y a un bus complet, là.

Le journaliste : Il y a un bus de…

Séverine : Un bus à selfies. J'ai jamais vu que c'était à ce point-là, les gens… En fait, les gens, ils font la queue, les uns derrière les autres, pour prendre une photo, en fait. Bientôt, il y aura une billetterie, si ça continue.

Voix off : Devant cette scène, Séverine ressent un léger malaise.

Séverine : Bah, j'étais comme ça, oui… Et je me dis, que j'étais une… Moi je trouve que c'est… c'est un peu idiot, quand même. Comme attitude, c'est vraiment une attitude… Bah c'est pas naturel en fait, c'est que du… C'est que de l'artificiel, en fait. La nature nous a pas faits pour profiter des décors juste avec un écran, en fait.

Voix off : Ce besoin irrépressible de parler de soi sur les réseaux sociaux s'expliquerait par deux facteurs, selon Michaël Stora : la dépendance à l'hormone du plaisir, la fameuse dopamine, mais aussi une forme de fragilité narcissique.

Michaël Stora : On sait que le like, les commentaires, vont amener des petites décharges de dopamine et on sait, certains addictologues pensent que c'est à ça dont on est accro. Je pense que c'est pas que cela. Ça, c'est la partie on va dire « neuro-scientifique », mais on se rend bien compte que derrière, bah, finalement, on va aussi être sensible à l'idée de correspondre à une image que l'on souhaite donner. Plus j'ouvre mon portable, plus je poste des choses sur les réseaux sociaux, plus peut-être que ça vient trahir, d'une certaine manière, une fragilité narcissique.

France Télévision, INA.

Unité 5 Histoire au passé et au présent

Page 73, Les sœurs Paulette et Jane Nardal

Voix off : C'est un coin de verdure tout juste dévoilé. Nous sommes dans le XIVe arrondissement, et la maire de Paris rend un hommage à deux intellectuelles martiniquaises.

Anne HIDALGO : Aujourd'hui nous mettons donc à l'honneur ces deux femmes d'exception qui n'ont pas eu encore la notoriété qu'elles méritaient. Ces deux sœurs, Paulette et Jane, qui furent parmi les figures les plus importantes du milieu ultramarin parisien notamment dans l'entre-deux-guerres.

Manuela RASMIN-OSMUNDSEN : Mes grandes-tantes défendaient des valeurs humanistes et universelles. Et Paris, capitale de la France, porte ces valeurs, et pour moi c'est très émouvant.

Voix off : Manuela Rasmin-Osmundsen est une des petites nièces des sœurs Nardal. Elle est venue à Paris spécialement pour cette inauguration.

Manuela RASMIN-OSMUNDSEN : Elles ont décidé de venir en France pour étudier à la Sorbonne. Elles vivaient à Fort-de-France en Martinique donc pour elles c'était un long voyage. Donc elles ont fait leurs études à la Sorbonne comme premières femmes noires dans cette université prestigieuse.

Voix off : Dans les amphithéâtres majoritairement blancs des années 20, elles côtoient Aimé Césaire ou Léopold Sédar Senghor.

Manuela RASMIN-OSMUNDSEN : Jane était donc très brillante et une fois elle a remis une copie qui a eu la meilleure note. Quand le professeur demande, appelle « Jane Nardal », et donc elle se lève et il rappelle « Jane Nardal », et elle reste debout. Et après il se rend compte que en fait c'était elle. Donc pour lui, dans toute son imagination c'était impossible qu'une copie aussi bonne soit rendue par une femme aussi noire.

Voix off : Cette nouvelle promenade va maintenant porter le nom de ces pionnières. Une inauguration sous les yeux de Christiane Eda-Pierre, nièce des sœurs Nardal.

George PAU-LANGEVIN : Tout le monde connaît la négritude, tout le monde connaît Senghor et Césaire mais on avait oublié le rôle tenu par ces deux femmes.

Voix off : Les deux sœurs créent un salon littéraire chez elles à Clamart où se regroupent les étudiants noirs pour rendre hommage à leur culture.

Manuela RASMIN-OSMUNDSEN : Leur reconnaissance se fait cent ans après et on est simplement très contents et on le fait sans amertume.

Voix off : La famille et plusieurs associations militent maintenant pour l'entrée au Panthéon de Paulette Nardal, théoricienne oubliée de la négritude.

INA.

Unité 6 Lever l'ancre

Page 95, L'Atlantique en solitaire

Nicole GERMAIN : Le soir du 31 décembre 2018, Bryan Marsh a vu sa vie basculer. Alors en Gaspésie, le résident de Québec, a fait une crise cardiaque. Il a été transporté en avion ambulance vers l'Institut de cardiologie de Québec pour y être opéré.

Bryan MARSH : À ce moment-là c'était plus la peur de mourir, la peur que ça m'arrive encore. Je pensais que ma vie était finie alors que je me trouvais encore jeune.

Nicole GERMAIN : Son projet de recueillir des dons pour la fondation de l'hôpital prend forme lors de son hospitalisation.

Bryan MARSH : J'ai envie de donner au suivant et sur le lit d'hôpital j'ai inventé mon projet, en fait, qui était un rêve de jeunesse et c'est de traverser l'océan sur mon propre voilier, en solitaire.

Nicole GERMAIN : Grâce à de bons soins, l'homme de 53 ans n'a plus de séquelles. Avec l'accord de ses médecins, le Gaspésien d'origine décide de préparer son voyage qui va durer 20 mois.

Bryan Marsh : Une traversée océanique c'est beaucoup plus sécuritaire qu'avant. Donc oui c'est un défi, oui la mer va être haute mais je pense pas que je vais être en danger parce que je suis équipé comme un professionnel.

Nicole Germain : Bryan Marsh est un adepte de la voile depuis 25 ans. Son embarcation, surnommée *W. le petit bateau au cœur fringant*, est son cinquième voilier. Jeudi, il partira de la marina du Vieux-Port de Québec. De là, il se rend en Floride puis aux Bermudes, jusqu'aux Açores au Portugal. Ensuite, il voguera vers le Cap-Vert en Afrique, puis retour vers les Antilles. Itinéraire : 9 pays et 120 jours en mer.

Bryan Marsh : Quand on est en solitaire, on dort une demi-heure, on surveille une demi-heure, on dort une demi-heure ou une heure. Ça, ça va être mon défi de pouvoir m'endormir à l'intérieur d'une demi-heure.

Nicole Germain : Bryan Marsh a déjà recueilli 90 000 des 100 000 dollars qu'il veut amasser pour la fondation de l'hôpital.

Bryan Marsh : Je vais surtout penser que je suis chanceux d'être là, fier de moi et fier d'aider. Je viens de la Gaspésie, j'ai été élevé sur le bord de la mer, et pour moi, ça me fait vibrer. C'est là que je me sens moi-même, c'est là que je me sens sur mon x. C'est là que je me sens heureux.

Nicole Germain : Ici Nicole Germain, Radio Canada, Québec.

Radio Canada.

Unité 7 Le sens de l'actu

Page 103, *We Demain*

Patricia Loison : Antoine Lannuzel bonsoir.

Antoine Lannuzel : Bonsoir Patricia.

Patricia Loison : Vous êtes rédacteur en chef du magazine à *We Demain* avec un nouveau bébé, c'est le cas de le dire. En partenariat avec *Phosphore* et *Okapi*, des grands noms de la littérature, des publications jeunesse, vous nous proposez un *We Demain 100 % ado* aux couleurs ultra toniques.

Antoine Lannuzel : Voilà, donc le numéro 2. On a eu un premier essai si je puis dire. En presse, on parle d'essai, on voit si ça prend et ça a bien pris début 2020. Donc numéro 2. C'est un magazine qui est en devenir dans la mesure où on espère pouvoir le faire devenir trimestriel, comme *We Demain*, paraître tous les trois mois. Et pour ça j'en profite pour glisser…

Patricia Loison : Allez-y, c'est pour la bonne cause.

Antoine Lannuzel : En introduction, y a une campagne de financement participatif qui est lancée sur KissKissBankBank, à laquelle on peut participer en fait en s'abonnant. Ce sont des abonnés qu'on demande pour pouvoir faire exister ce journal, créer une équipe, dédiée entre *We Demain*, *Okapi*, *Phosphore*, et pouvoir sortir ce magazine, qui est le magazine un peu marqueur de la génération climat. C'est comme ça qu'on essaie de le concevoir. Tous les trimestres. Voilà.

Patricia Loison : Juste quelques mots quand on préparait cette séquence, vous me disiez on parle pas aux jeunes comme à un autre public, ils ont une exigence, c'est pas les mêmes formats et ça je trouve ça… On aime bien aussi expliquer comment on fabrique l'info sur France info. Ça c'est très intéressant.

Antoine Lannuzel : Moi qui suis un journaliste qui écrit pour les grands, les adultes, on apprend énormément en se confrontant à cette cible parce que y a une absence totale, comment dire, d'entourloupe. Il faut aller complètement tout droit à l'information, aux chiffres, à l'action qui permet de résoudre le problème et tout ça dans un format très court. Alors en fait la presse jeunesse, contrairement à peut-être des idées reçues qu'on pourrait avoir, est une presse…

Patricia Loison : Exigeante.

Antoine Lannuzel : Absolument, des plus exigeantes, des plus sérieuses et c'est assez passionnant de se frotter à cette matière.

Patricia Loison : *We Demain 100 % ado* avec un grand concours pour les éco-délégués. Les parents qui nous écoutent savent de

quoi on parle. C'est ceux qui mènent des actions écologiques. Merci Antoine.

France Télévision.

Unité 8 Prenez soin de vous !

Page 123, *Médecin de campagne*

Docteur Werner : Bonsoir.

Un proche de la patiente : Bonjour docteur. Vous allez bien ?

Docteur Werner : Bonsoir.

Des proches de la patiente : Bonjour docteur.

La fille de la patiente : C'est pour maman là, elle est vraiment pas bien.

Docteur Werner : Ah oui ? Alors c'est ma consœur qui va s'en occuper. Allez-y Delezia.

La fille de la patiente : Ah, d'accord.

Docteur Werner : Allez-y ! Allez !

Docteur Delezia : Bonjour.

La fille de la patiente : Bonjour docteur. Voilà, il y a trois jours qu'elle est couchée, qu'elle est vraiment pas bien.

Docteur Delezia : Oui ?

La fille de la patiente : Elle mange pas, elle a bu un peu d'eau ce matin, c'est tout.

Docteur Delezia : Bonsoir madame. Alors je vais vous manipuler un petit peu, excusez-moi. Vous avez mal où alors ? Ici c'est ça ? Attendez, je regarde juste si vous avez la nuque qui bouge. Oui. Et est-ce que vous avez vomi ? Non ? Pas de fièvre non plus ? Non hein ? On dirait pas. Bon, très bien. Est-ce que vous avez une petite cuillère s'il-vous-plaît ?

Des proches de la patiente : Une petite cuillère !

Un membre de la famille : Une propre je te dis ! Donne moi la cuillère.

Un proche : Elle est là la cuillère.

La fille de la patiente : Voilà docteur.

Docteur Delezia : Merci. Vous ouvrez la bouche, vous tirez la langue ? Je vous le rends. Attendez, je vais manipuler un petit peu ici. Respirez. Vous avez mal dans le bras ?

La patiente : Oui.

Docteur Delezia : Ça irradie jusque dans la main ? Essayez de me serrer la main ? D'accord. C'est une névralgie cervico-brachiale.

La fille de la patiente : Est-ce que c'est grave docteur ?

Docteur Werner : Non, c'est douloureux mais c'est pas grave, non.

La fille de la patiente : D'accord.

Docteur Delezia : Je vais lui faire une piqûre d'anti-inflammatoire. Ça va la soulager.

Des proches : Pas des piqûres ! Pas de piqûre !

La fille de la patiente : Les piqûres….

La patiente : Laisse faire le docteur !

La fille de la patiente : Bon ben d'accord. Allez-y madame.

Docteur Delezia : Ne vous en faites pas, ça va pas faire mal.

La fille de la patiente : Bouge pas, bouge pas, bouge pas.

Docteur Delezia : Ne bougez pas. Je vais piquer, hein ?

La patiente : Aïe.

Docteur Delezia : Ça y est. C'est quasiment terminé. Et voilà.

Un proche : Ça va ?

La fille de la patiente : Ça va aller docteur ?

Docteur Delezia : Ça va aller très vite beaucoup mieux.

Un proche : Merci docteur.

Docteur Delezia : Je vous en prie.

Le Pacte.

Unité 9 La richesse en partage

Page 141, Les frigos solidaires

Dounia : Identités Mutuelle nous a trouvé un ambassadeur des réseaux sociaux.

Baptiste : Bonjour.

Dounia : Salut Baptiste. Enchantée.

Baptiste : Enchanté, Baptiste. Parle-moi de ce restaurant.

Dounia : La Cantine 18, c'est un restaurant que j'ai créé avec ma maman il y a cinq ans.

Baptiste : D'accord.

Dounia : Donc il y a une grande partie restauration, mais t'as également une partie associative. Et on a lancé, il y a maintenant six mois, donc le 8 juin, le premier frigo solidaire de Paris.

Baptiste : Explique-moi ce que c'est.

Dounia : Frigo solidaire, c'est un frigo qui est pignon sur rue et qui permet, nous d'abord de laisser nos invendus dans le frigo, aux restaurateurs, aux commerçants. Et ça va servir aux bénéficiaires qui sont en majorité des retraités, des sans-abris, étudiants et familles nombreuses.

Baptiste : Parce que toi, tu sors ton frigo le matin quand tu ouvres le restaurant.

Dounia : Oui.

Baptiste : Il est là toute la journée.

Dounia : Toute la journée.

Baptiste : Et le soir quand t'as fermé, tu le rentres. Bon ben déjà on va commencer par voir ce que c'est un frigo solidaire.

Dounia : On y va.

Baptiste : Tu me montres ?

Dounia : Je te montre. Voilà.

Baptiste : Le fameux frigo.

Dounia : Le fameux frigo.

Baptiste : Il n'y a pas de cadenas, rien.

Dounia : Il est vraiment en libre-service. Tu l'ouvres, hop.

Baptiste : Donc ça s'ouvre comme un frigo, c'est quand même incroyable. Quels plats viennent d'ici et quels aliments ou plats viennent de l'extérieur ?

Dounia : Tout ce qui est déjà emballé dans les petites boîtes en plastique, c'est nous.

Baptiste : Et les fruits ?

Dounia : Non, là, c'est les habitants du quartier.

Baptiste : Donc les habitants du quartier, ils ont le droit de mettre des fruits et des légumes ?

Dounia : Ils peuvent déposer des produits laitiers.

Baptiste : D'accord.

Dounia : Des fruits, des légumes et des produits déjà emballés. Et t'as également donc toute la partie charte qui est indiquée là, donc qui explique comment fonctionne le frigo.

Baptiste : Donc qui explique : qu'est-ce que je peux partager dans le frigo, comment utiliser le frigo solidaire. Et c'est étanche j'imagine ?

Dounia : Et c'est forcément étanche bien sûr. Il résiste à l'eau.

Baptiste : Donc même les Bretons, vous pouvez avoir votre frigo solidaire. C'est bon à savoir. Bonjour. Vous venez déposer des aliments au frigo solidaire ?

Un habitant du quartier : Oui, c'est ça.

Baptiste : Comment vous avez entendu parler des frigos solidaires ?

Un habitant du quartier : Moi je suis un habitant du quartier, XVIIIe.

Baptiste : OK.

Un habitant du quartier : Et un jour, il est arrivé sur le trottoir, donc j'ai pas trop compris, et donc j'ai demandé surtout des explications à Dounia. Et ils m'ont dit, ils m'ont expliqué un peu tout l'intérêt, à quoi ça sert, la solidarité tout et j'ai trouvé ça génial. Et là, ça me permet de tout mettre sans déranger personne et je sais que ça va être utilisé dans la journée pour quelqu'un qui en aura besoin.

Baptiste : Ça c'est vrai qu'on oublie souvent mais quand on part en vacances on a souvent le frigo, il reste des trucs, et là le frigo solidaire permet de le donner à des gens qui en ont besoin quoi.

Un habitant du quartier : Exactement.

Baptiste : Ben merci beaucoup en tout cas.

Un habitant du quartier : Bonne journée, bonne continuation.

Baptiste : Si vous aussi vous voulez nous rejoindre dans l'aventure des frigos solidaires, il y a rien de plus simple. Déjà, vous partagez la vidéo comme ça, ça peut faire naître d'autres initiatives. Vous interpellez votre ville, votre restaurant, votre épicier, votre commerçant, votre mère, votre père, votre famille sur les réseaux sociaux, Twitter, Facebook, Instagram, Snapchat, etc. À qui je tweete vu qu'il y en a déjà un à Paris ?

Dounia : D'où tu viens ?

Baptiste : Je vais le mettre à Nantes ? Solidaire. Ça c'est fait. Vous mettez le hashtag les frigos solidaires. On essaie de partager la vidéo au maximum, que tout le monde puisse la voir et en espérant qu'il n'y ait pas que à Paris qu'il y ait des frigos solidaires mais qu'il y en ait un peu partout en France. Parce qu'il y a des gens dans le besoin partout. Et on se revoit dans quelques jours nous, et en espérant que ça ait pris au niveau national. Bon allez, bravo encore.

Dounia : Merci Baptiste.

Baptiste : Je te laisse travailler et on se voit très vite.

Dounia : À très vite.

Identités Mutuelle.

Unité 10 Parlez-vous français ?

Page 155, Se préparer à un concours d'éloquence

Bertrand Périer : Je suis là pour vous préparer au concours Eloquentia, qui dans six semaines va élire le meilleur orateur de la Seine-Saint-Denis. Quel que soit votre niveau de départ, vous pouvez progresser. La seule condition, c'est que vous y mettiez de vous-même.

Johan : Quand tu parles et que les gens t'écoutent, et que les gens te regardent, t'as l'impression que tu peux tout faire, tu peux conquérir le monde.

Bertrand Périer : Allez, on va faire un pour/contre. Allez Franck, si t'as pas d'arguments, tu rentres.

Franck : Donc moi je suis pour, pour trois raisons.

Bertrand Périer : Zéro argument ! Alors, ça c'est de la merde ! Voilà, donc ça suffit, hop là !

Loubaki Loussalat : En fait, vous êtes des gros chtarbés, quoi !

Eddy : J'aime parler devant des gens, j'aime être écouté et j'aime… j'aime faire ressentir des émotions. Vous en pensez quoi du fait que je veuille devenir acteur ?

La mère d'Eddy : Moi, ce que je veux, c'est que tu sois heureux.

Leïla : Moi, si j'ai envie de prendre la parole, c'est parce que j'ai envie de repenser le féminisme.

Elhadj : La parole c'est… c'est une arme. C'est quelque chose qui me permet de, de pouvoir me défendre.

Bertrand Périer : On va y arriver. Je te jure qu'on va y arriver, on n'est pas loin du tout.

Ouanissa : Demain, la tête haute, je marcherai fière.

Bertrand Périer : Non, non, non ! C'est à chier ! C'est nul, c'est parfaitement nul. Il va falloir vous pousser aux fesses et vous dire : « je vais me lever, et puis je vais le faire. » La parole qui convainc ! La parole qui émeut ! La parole qui touche ! C'est celle-là, qui nous rassemble.

Présentateur : Voici venue l'heure du jugement dernier. Est-ce que vous êtes prêts à leur faire un triomphe ?

Mars Films.

Unité 11 Jusqu'où irons-nous ?

Page 168, Serons-nous remplacés par l'IA ?

Voix off : Plus évoluée que le cerveau humain, l'intelligence artificielle pourrait nous remplacer : bientôt, elle mettra en place un plan machiavélique pour dominer le monde et l'univers.

Pierre-Julien Grizel : On est quand même loin d'une intelligence qui serait capable de prendre le pas sur la nôtre. Aujourd'hui l'intelligence artificielle, c'est moins intelligent qu'un enfant de trois mois.

Voix off : Dans « En vrai », on veut tout savoir, nous avons rencontré Pierre-Julien Grizel, spécialiste de ce sujet.

Pierre-Julien Grizel : Mon métier c'est de voler le travail des autres et de le faire à leur place. L'intelligence artificielle c'est un outil qui est extrêmement adapté pour remplacer des tâches qui sont rébarbatives et pénibles. Quand on prend du recul, depuis l'invention de l'outil, du silex, ben c'est comme ça qu'on fonctionne en fait. On va demander à des machines ou à des outils à remplacer ou à optimiser des tâches qui sont faites par les humains. C'est pas l'outil qui va faire l'emploi, c'est l'usage qu'on en fait. Vous recevez des mails, vous en recevez beaucoup, il y en a plein qui sont des spams, l'anti-spam c'est l'un des premiers programmes d'intelligence artificielle. L'assistant personnel qui va être capable de comprendre votre voix, de la reconnaître et d'interpréter votre intention, c'est de l'intelligence artificielle. Dans le domaine agricole, on a beaucoup d'IA qui font notamment de la reconnaissance de terrains pour regarder le rendement de certaines semences sur certaines parcelles et de le faire vu de drones. Ça peut être des toutes petites choses mais juste qui rendent service, c'est ça que j'aime dans mon métier.

Voix off : Donc en vrai, l'IA est présente dans de nombreux domaines. Mais concrètement, comment ça fonctionne ?

Pierre-Julien Grizel : L'exemple concret c'est un programme qui apprend à reconnaître un chat sur une photo, on va lui montrer plein de photos, on va lui dire « ça c'est des chats », « ça c'est pas des chats ». À force de voir ces photos et de voir comment s'articulent les données issues de ces photos, donc les pixels, les valeurs des pixels, les valeurs d'intensité des images, le programme va se faire sa propre représentation de ce qu'est un chat et on va lui donner une photo qu'il a jamais vue et il va dire : « ça je sais, c'est un chat. » Voilà.

Voix off : OK, ça permet de reconnaître des chats mais j'ai lu que ça pouvait aller beaucoup plus loin dans la musique, le théâtre, une machine aurait même appris à composer une peinture.

Pierre-Julien Grizel : C'est un piège. La machine n'a pas appris comment c'est composé une peinture, la machine a appris à produire une image qui ressemble à une peinture. En fait, ça fonctionne avec deux algorithmes d'intelligence artificielle qui sont mis bout à bout. Y en a un où on va lui donner très peu de données en entrée et en sortie il va produire une image : au départ il peut produire une image qui est complètement aléatoire. Y en a un deuxième on va lui expliquer « voilà, ça c'est un Rembrandt, ça c'est nul. » Et suivant les réponses du deuxième, on va faire re-rentrer les données dans le premier et le premier va changer sa sortie donc va essayer de faire quelque chose qui est un peu différent de ce qu'il a fait jusqu'à ce qu'il fasse une peinture qui arrive à satisfaire le deuxième algorithme. Un algorithme fonctionne en fonction des données qu'on lui donne, c'est un travail qui est éminemment humain. Et donc, éminemment et profondément plein d'erreurs ! Vous prenez votre téléphone avec l'assistant personnel qui est dessus et vous dites à votre téléphone : « dis à ma femme que je l'aime. » Il va envoyer un texto à votre femme : « je l'aime. » Je vous souhaite bon courage pour rattraper la situation.

Voix off : Bon OK j'ai compris, la machine n'est donc pas toujours fiable, elle a ses limites. Si je récapitule, c'est l'humain qui la nourrit avec suffisamment de données et de situations différentes, le tout dans un cadre bien défini.

Unité 12 La force des arts

 12 **Page 177, *La Joconde* se rebelle**

Mona Lisa : Ah j'en peux plus !
Brigitte : Agence artistique Média Talents bonjour !
Mona Lisa : Allo Brigitte, c'est Lisa.
Brigitte : Lisa ?
Mona Lisa : Bah Mona Lisa, la Joconde. T'en connais d'autres ?
Brigitte : Pardon, je t'ai pas reconnue. Ça va ?
Mona Lisa : Dominique est là ?
Brigitte : Attends. Je vais voir s'il est dispo. Dominique ?

Dominique : Quoi ?
Brigitte : C'est Lisa au téléphone.
Dominique : Oh non, pas elle.
Brigitte : On est sur haut-parleur là.
Dominique : Eh, salut ma chérie. Alors quoi de neuf ?
Mona Lisa : Bah tu sais bien. J'en peux plus de sourire toute la journée comme une idiote. Tout juste si je fais pas gngngngn. J'ai l'impression d'être devenue une peluche géante à Disneyland...
Dominique : T'exagères. Tout le monde aimerait être à ta place au Louvre. Vingt mille visiteurs par jour !
Mona Lisa : Peut-être mais je fais ça depuis 1503, t'imagines ? J'ai la mâchoire déglinguée le soir, je te raconte même pas. En plus, je peux me confier à personne comme je suis toute seule dans mon tableau.
Dominique : Je comprends, mais…
Mona Lisa : Tu m'avais promis que tu t'en occuperais. Où ça en est ?
Dominique : J'ai encore appelé ce matin. Désolé, on peut pas te transférer dans un autre tableau.
Mona Lisa : Mais il est où le problème si tu me transfères je sais pas moi dans le tableau de *La Cène* ? Ça reste du Léonard de Vinci.
Dominique : On en a déjà parlé. C'est pas possible ma belle.
Mona Lisa : En plus, je serai assise à manger autour d'une table, à papoter avec treize personnes. Et bah comme ça, on sera quatorze et ce sera mieux pour tout le monde. Bon, que des hommes, donc je vais me faire brancher mais ça me changera.
Dominique : Lisa, *La Cène* est exposée à Milan. Toi, tu es à Paris. Donc c'est pas possible.
Mona Lisa : Bon OK. Mais est-ce qu'au moins je peux arrêter d'avoir ce sourire niais ?
Dominique : Lisa, ton sourire, c'est ce que les gens aiment le plus chez toi. T'es une méga star !
Mona Lisa : Mais à quoi ça sert d'être une méga star si je peux pas avoir des exigences de star ?
Dominique : Lisa, revenir sur le sourire, c'est impossible, c'est dans le contrat.
Mona Lisa : Et si je faisais grève ? Ben, si y a pas d'autres moyens. Moi je suis en France quand même.
Dominique : Écoute, je voulais pas t'en parler avant, mais apparemment, il va y avoir une nouvelle suite à *Da Vinci Code*.
Mona Lisa : Ah bon ?
Dominique : Oui ton rôle sera plus important que dans le premier film.
Mona Lisa : Sérieux ? Et y aura encore cet obsédé de Tom Hanks dedans ?
Dominique : Oui, je sais qu'il a eu les mains baladeuses, mais la prod a promis de le surveiller. Et surtout, t'es prête ?
Mona Lisa : Ouais.
Dominique : Y a des rumeurs qui disent que DiCaprio pourrait jouer dedans.
Mona Lisa : Di Caprio... Ah non mais DiCaprio, mais ça rigole pas, hein ?
Dominique : Tu vois, ta vie n'est pas si terrible.
Mona Lisa : Ah non, mais DiCaprio, c'est génial !
Dominique : Faut juste attendre trois-quatre mois pour être vraiment sûr. Mais je te recontacte dès que j'ai des nouvelles.
Mona Lisa : Non mais c'est énorme ! Merci Dominique.
Dominique : Ces actrices, on peut leur faire croire n'importe quoi. Tiens, j'aurais dû lui dire que Michael Jackson faisait la musique pendant que j'y étais.
Brigitte : Monsieur, vous êtes toujours en ligne là.

Références iconographiques

ouverture / 1 Jon Arnold Images/hemis.fr ; **11, 4 (hg)** Jiho-Iconovox ; **12** Vincent Boisot/Riva Press ; **3 (bg)** Illustrateur Olivier Laude © Socialter ; **13 (hd)** Oli Scarff/Afp ; **15** Bénédicte Moret ; **16 (hg)** lexthq/Istock ; **16 (md)** monkeybusinessimages/Istock ; **16 (hm)** Anastasia Gubinskaya/Istock ; **16 (bd)** onar512/Istock ; **17 (bg)** « Mélancolie du pot de yaourt. Méditation sur les emballages », de Philippe arnier, Premier Parallèle, 2020 ; **17 (hd)** Dessin Lorraine Huriet © 18h39 ; **18 (hg)** Sarah Bouillaud ; **9 (bg)** La Fondation Mohammed VI pour la Protection de l'Environnement/sidorovstockAdobeStock ; **1 (hd)** © Delachaux et Niestlé, Paris, 2018 ; **21 (bd)** PPI/Choisis ta planète ; **25, 4 (mg)** © Michilus ; **6** © Delachaux et Niestlé, Paris, 2017 ; **27 (hd)** VadimGuzhva/AdobeStock ; **27 (md)** L'institut de ondages YouGov pour le cabinet de conseil Greenflex, et soutenue par l'Agence de l'environnement et e la maîtrise de l'énergie (Ademe), 2021 ; **29 (md)** Julie Paume - www.sloweare.com ; **29 (hd)** John Vessels/Afp ; **31 (md)** Source Etude Reech - « Les influenceurs et les marques », 2020 ; **31 (hd)** awpixel.com/AdobeStock ; **31 (hm)** « Lart sans filtre. Albrecht Altdorfer au musée du Louvre » avec amille Jouneaux, YouBLive Production ; **32** Recycl Rech ; **33 (hd)** makistock/AdobeStock ; **35** © Louise lantin ; **38** Freepik ; **41, 5 (hg)** © Gabs ; **42 (hd)** La Peuplade ; **42 (bg)** Monique Dagnaud et Jean-aurent Cassely « Génération surdiplômée » © Odile Jacob, 2021 ; **43 (hd)** Laetizia Le Fur ; **45 (hd)** aro/Phanie ; **45 (mg)** Mehdi Fedouach/Afp ; **47 (hd)** Foulématou © France Volontaire ; **47 (hg)** Isère e Département ; **48 (hd)** Photographee.eu/Shutterstock ; **49 (mg)** © Maurice Coulibaly ; **51 (hd)** Luis lvarez/DigitalVision/Gettyimages ; **55, 5 (mg)** Rémi MalinGrëy - Iconovox ; **56 (hd)** Simon Caruso ; **7, 60 (md, bg)** Agence Nationale de la Cohésion des Territoires ; **57 (bd)** ipuwadol/Istock ; **59 (hd)** oe Pepler/Shutterstock ; **60 (md)** Man - Iconovox ; **61 (md)** Courtesy of Snapchat ; **61 (hd)** © O'Plérou rebet ; **61 (hm)** Freepik ; **62 (md)** Eléonore H/AdobeStock ; **62 (bg)** « Les Jeunes et les réseaux ociaux » étude réalisée du 16 septembre 2020 au 12 janvier 2021 © Parole aux jeunes, diplomeo.com ; **4 (hd)** DigitalVision/Gettyimages ; **66 (hd)** © Gabs ; **66 (md)** PM Images/Stone/Gettyimages ; **70** reepik ; **71, 6 (hg)** Faujour - Iconovox ; **72** Keystone-France/Gamma-Rapho ; **73 (bd)** K.Tian / M.LeMoël, nlm / abm / pld / dmk / AFP ; **75 (b)** Anne-Laure Culiere ; **77 (mm)** cathédrale Notre-Dame, maquette 'ensemble de l'édifice avant restauration. Maquette, Louis-Télesphore Galouzeau de Villepin, 1843 Médiathèque de l'architecture et du patrimoine / CRMH / Cité de l'architecture et du patrimoine / lusée des Monuments français / David Bordes ; **77 (bd)** Bruno de Hogues/Only France/Only France via fp ; **78 (hd)** Dennis Ndala dit 2Moods ; **79 (hd)** Archives de la Maison d'Haïti de Montréal ; **79 (md)** lous remercions Roukiata Ouedrago, photo ©Rachel Saddedine ; **81 (hd)** Bruno Catalano ph © Robert oulain/CATERS N/Sipa ; **84** Enquête Harris Interactive pour Historia, « les Français et l'Histoire », éalisée en ligne du 22 au 25 février 2019. Échantillon de 2 996 personnes représentatif de la population rançaise âgée de 18 ans et plus. Méthode des quotas et redressement appliqués aux variables suivantes : exe, âge, catégorie socioprofessionnelle et région de l'interviewé(e). ; **85, 6 (mg)** Rémi MalinGrëy - onovox ; **86 (hd)** Sushiman/AdobeStock ; **87 (mg)** Jacques Pierre/hemis.fr ; **87 (bd)** Stichelbaut Benoit hemis.fr ; **87 (hd)** Valentin Dunate/Radio France/Maxppp ; **89 (hd)** Moirenc Camille/hemis.fr ; **89 (bg)** ardel Bertrand / hemis.fr ; **91 (hg)** L'association du FIFAV ; **91 (hd)** © Guirec Soudée, 2019 Flammarion, 2019 ; **91 (bm)** « Dans le sillage d'Ulysse » avec Sylvain Tesson © Lato Sensu Productions, 019 ; **92 (hm)** Guiziou Franck/hemis.fr ; **93 (md)** « Le phare voyage immobile » de Paolo Rumiz, Folio ° 6626, 2019, Littérature générale © Editions Gallimard ; **93 (hg)** « Voyage autour de ma chambre » ar Aurélie Herrou et Sagar © Editions Glénat, 2021 ; **95 (bg)** Christian Clot ; **95 (bg, fond)** Alberto arrera Anaya/easyFotostock/Agefotostock ; **95 (bg, md)** Yurii/AdobeStock ; **95 (bg, mg)** Freepik ; **101, (hg)** Aurel - Iconovox ; **102 (hd)** Julien Gerard/Afp ; **103 (hd)** « Baromètre de la confiance dans les nédias », Kantar Public - onepoint pour La Croix, janvier 2021 ; **105 (hd)** © Sylvain Cherkaoui pour RFI ; **05 (mg)** spaxia/123rf ; **107 (hm, bg)** photo © Darrin Vanselow, logo © Maison du Dessin de Presse ; **07 (hd)** © Chappatte, Le Temps, Suisse, www.chappatte.com ; **108 (hd)** PhotoPQR/Le Parisien/ laxppp ; **108 (bg)** Hugo Décrypte ; **109 (hd)** Levi Stute/The Unsplash License ; **111 (hd)** Mauritius nages/Radius Images/Photononstop ; **114** Freepik ; **115, 7 (mg)** © Michilus ; **116 (hd)** Photo © Centre ompidou, MNAM-CCI, Dist. RMN-Grand Palais/Image Centre Pompidou, MNAM-CCI ; **117 (hd)** Émilien Ponçon ; **117 (mg)** « Rire », Exposition-ateliers 2018, larotonde-sciences.com/Pierre Grasset. ; **19 (hd)** Modèle Pier-Paolo Paré ©photo Axel Perez/axelphotographe@gmail.com ; **119 (mg)** © Les rènes, 2020 ; **120 (hg)** jim/AdobeStock ; **120 (md)** Freepik ; **121 (hg)** « Le transhumanisme » publié ans l'émission Futurmag, Arte © Effervescence Prod ; **121 (hd)** « L'invention des corps », Pierre Ducrozet Actes Sud 2017 ; **122 (hd)** Lionel Chamoiseau/Afp ; **123 (mg)** Deligne-Iconovox ; **125 (hg)** © Les rènes, 2020 ; **125 (bg)** Félix Nadar ; **128** Freepik ; **131, 8 (hg)** Faujour - Iconovox ; **132 (bg)** « Baromètre e la société inclusive » - Kantar Public - Fédération des PEP, 2019 ; **132 (hd)** babaroga/AdobeStock ; **33 (hd)** Alexa Brunet/PINK/Saif Images ; **135 (bg)** Justin Paget/Digital Vision/Gettyimages ; **135 (hd)** ver Invest ; **137 (hg)** Moirenc Camille/hemis.fr/© F.L.C. / Adagp, Paris, 2021 ; **137 (hm)** Rieger Bertrand/ emis.fr/© F.L.C. / Adagp, Paris, 2021 ; **137 (bg)** Blanchot Philippe/hemis.fr/Nicolas Laisné Architectes, ou Fujimoto Architects, Dimitri Roussel, OXO Architectes. ; **137 (bd)** « L'eau dans la cité végétale » - uc Schuiten ; **138 (hd)** bunyos/AdobeStock ; **139 (bg)** Dany Laferrière, « L'Exil vaut le voyage » Editions Grasset et Fasquelle, 2020 ; **141 (mg)** Extrait de « Bienvenue dans la France qui ose », éronique Badets, François-Xavier Maigre, Pierre Wolf-Mandroux, Le Pèlerin © Bayard Presse, 11 avril 019. ; **141 (hd)** © Loreleï Lebuhotel ; **144** Freepik ; **145, 8 (mg)** Gros - Iconovox ; **146 (hd)** © Alessandro affo/SIME ; **147 (hd)** Ronnie Chua/Shutterstock ; **147 (md)** Deligne - Iconovox ; **148 (md)** Faujour-onovox ; **149 (mg)** Alexandra Frankewitz/PINK/Saif Images ; **149 (hd)** Jimmy Ung ; **151 (hg)** © Idix ; **51 (md)** Bruno Levesque/IP3 ; **151 (hd)** © Babouse ; **152 (hd)** Illustrations de Kevin Matagne © Éditions extuel ; **152 (bm)** Radio France/Christophe Abramowitz ; **152 (bg)** www.laconvivialite.com ; **153 (hd)** mmanuel Pierrot/Agence Vu ; **155 (mg)** Luis Alvarez/DigitalVision/Gettyimages ; **158 (md)** Lisa5201/ tock ; **161, 9 (hg)** © Fix ; **162 (h)** Tzido Sun/Shutterstock ; **163 (hd)** Editions du Seuil ; **163 (bd)** Nasa ; **64 (hd)** Mark Garlick/Science Photo Libra/MGA/Science Photo Library via Afp ; **164 (fond)** Freepik ; **67 (mg)** © Kroll ; **167 (hd)** © Nautilus, 2001, conception graphique : Druelle-Zuccato ; **168 (bm)** ltrendo Images/Shutterstock ; **168 (mg)** 3dsculptor/AdobeStock ; **169 (hd)** ©Nono ; **171 (hm)** epulp ; **171 (bd)** RFI/Denise Maheho ; **174** Freepik ; **175, 9 (mg)** Micaël - Iconovox ; **176** Freepik ; **176 hd)** AP/Sipa/Pablo Picasso « Tête de femme », 1939 © Succession Picasso 2022 ; **177 (mg)** Appolinaire uidimbaye, Galerie Art-Z ; **179 (bd)** ph © Laurent Lecat/Installation view of Jeff Koons Mucem: Works Balloon Dog (Magenta) », « Hanging Heart (Red/Gold) » from the Pinault Collection, Musée des ivilisations de l'Europe et de la Méditerranée (Mucem), Marseille, May 19-October 18, 2021 © Jeff oons ; **179 (hm)** photo Fondazione Bonotto/Benjamin Vautier, « Pas d'art sans argent? » © Ben 'autier/Adagp, Paris 2022 ; **180 (bg)** Beaux Arts Magazine, Numéro 428, février 2020, p.16 ; **181 (bg)** Musée Fabre/Facebook ; **181 (hd)** Freepik ; **182 (hd)** Sami Sarkis/Photographer's Choice RF/ ettyimages ; **183 (bg)** Cette formation proposée par l'Association AFRATAPEM en collaboration avec es facultés de Médecine. ; **183 (hd)** Médecins Francophones/Musée des Beaux-Arts de Montréal MBAM) ; **184 (bd)** egon69/Istock ; **185 (hm)** Pascal-Désir Maisonneuve (1863 - 1934), « Sans titre, » ntre 1927 et 1928 Coquillages collés, 20 x 19 cm © Centre Pompidou/Bruno Decharme/ rtnewspaper.fr ; **185 (md)** Jean Dubuffet « Autoportrait II » , 1966 © Adagp, Paris, 2022 - Cliché : ondation Dubuffet, Paris/Adagp images ; **188** Freepik.

Références Textes

2 Propos recueillis par Aude Massiot, Aurélie Delmas, Julia Castaing, Margaux Lacroux et Nathan lann © Libération, 15/03/2019 ; **16** Tout comprendre n°104, avril 2019, Fleurus Presse ; **17** « Mélancolie du pot de yaourt. Méditation sur les emballages », de Philippe Garnier, Premier Parallèle, 2020 ; **18** « Au nom de la terre. Biodiversité, c'est bienfaits pour nous » par Coralie Schaub, Aude Massiot, Libération, 23/08/2020 ; **26** Stef Emma Beccaletto pour France net infos ; **29** Julie Paume - www.sloweare.com ; **31** © Beaux Arts & Cie SAS ; **32** La Chronique Républicaine ; **42** La Peuplade ; **43** artsetmetiers.fr ; **45** « Les écoles de la deuxième chance », 6/09/2021 © Onisep ; **47** Foulématou © France Volontaire ; **48** © Marlène Moreira/Welcome to the jungle ; **51** Jules Thomas © Le Monde, 26/04/2021 ; **56** Livre blanc, Extrait du Livre blanc « Contre l'illectronisme » réalisé par le Syndicat de la Presse Sociale. Document téléchargeable librement sur www.sps.fr/illectronisme ; **57** Agence Nationale de la Cohésion des Territoires ; **59** « L'émoji qui pleure de rire est devenu ringard » par Juliette Thévenot, 15/02/2021, Slate.fr, www.slate.fr ; **61 (E)** Numerama du 19/04/2021 : « Après un an de pause, le consortium Unicode se remet à étudier vos idées de nouveaux emojis », Anne Cagan / Humanoïd ; **61 (G)** « Snapchat lance ses premiers avatars en fauteuil roulant », 21 mars 2021 - par Cassandre Rogeret / Handicap.fr ; **61 (F)** © France Télévisions ; **64** « Les enfants sont rois » de Delphine de Vigan, 2021© Editions Gallimard, www.gallimard.fr ; **66** Lily Sèbe © Magazine Avantages, 19/07/2019 ; **72** Benoît Hopquin © Le Monde, 13/05/2021 ; **77** Dominique Roger, Secrets d'Histoire Hors Série du 07/12/2020/Uni-Médias ; **78** © Arnaud Barbet pour le compte de Francopresse ; **79** © Le Monde, 01/08/2019 ; **81** La Cimade ; **86** Florence Flux publié dans 20 minutes ; **87** Yoanna Sultan-R'bibo, François Bostnavaron et Thomas Doustaly © Le Monde, 17/05/2020 ; **89** Grégoire Biseau © Le Monde, 09/11/2019 ; **91** © Guirec Soudée, 2019 © Flammarion, 2019 ; **92** Dorane Vignando © L'Obs, 13/05/2021 ; **100** Nicolas Raffin publié dans 20 minutes ; **102** Michel Feltin-Palas / lexpress.fr / 16.08.2021 ; **105** Anne-Sophie Faivre Le Cadre © Jeune Afrique ; **107** extraits de la présentation de la Maison Du Dessin de Presse http://mddp.ch/ ; **108** Frédéric Lemaire © Acrimed ; **109** « Face à l'actualité difficile, ils ont arrêté de regarder les infos », par Salomé Tissolong, 15/11/2020, Slate.fr, www.slate.fr ; **111** Radio France/France Culture/Xavier Mauduit ; **116** Valentin Rakovsky © Le Monde, 03/05/02021 ; **119** Radio France / France Culture / Camille Renard ; **121** « L'invention des corps », Pierre Ducrozet © Actes Sud 2017 ; **122** Afp ; **130 (s1)** Adèle Cailleteau « Les jeunes sont-ils désinformés? » Sciences Humaines n° 331 - Décembre 2020 ; **130 (s2)** Vie-publique.fr ; **133** Frédéric Karpyta, Adélaïde Robault et Isabelle Verbaer © Ça m'intéresse, 11/04/2020 ; **135** vozer.fr/La voix du Nord ; **137** Jean-Baptiste Decroix/La Gazette de Montpellier ; **138** © Anthony Peregrine / Telegraph Media Group Limited 2020/ Courrier International pour la traduction ; **146** Aujourd'hui en France/Le Parisien ; **147** Radio France/ France Bleu/Aurélie Lagain ; **149** Michel Feltin-Palas / lexpress.fr / 13.10.2020 ; **151** © Armelle Le Goff propos publiés par Vincent Coste, Midi Libre du 11/04/2021 ; **153** Jean-Benoît Nadeau © Actualité ; **155** Atelier Entreprise ; **159** ©Colibris, https://www.colibris-lemouvement.org/passer-a-laction/creer-son-projet/monter-un-habitat-groupe ; **163** Vincent Edin ©Usbek & Rica ; **164** Sylvestre Maurice astrophysicien et coresponsable de l'instrument SuperCam © CNRS ; **167 (E)** Schoolab ; **167 (G)** Jules Verne/Michel Verne ; **169** Farah Benamara, Maître de Conférences HDR en Informatique à l'Université Paul Sabatier de Toulouse/Martin Koppe ©CNRS ; **171** Karen Sarrazin © Les Nouvelles Publications ; **176** © Numéro ; **179** Olivier Gouzowsky, Deuxième temps ; **181 (F)** Radio France/France Culture/Elsa Mourgues ; **181 (G)** Caroline Couffinhal/La Gazette de Montpellier ; **182** Malika Bauwens, BeauxArts. com, 22 janvier 2019 ; **184 (t217)** «Je ne trouve pas toujours» de Louise Dupré publié dans « Les mots secrets » © La Courte Échelle, 2002 ; **185** Connaissance des Arts ; **193** Nicolas Gutierrez, Sciences et Avenir, www.sciencesetavenir.fr, 01/05/2020 ; **198 (s1)** www.huffingtonpost.fr avec AFP.

Références Audio

13 (t199) Radio France/France Bleu/Benoît Prosper ; **16 (t199)** Intitulé du son : « LE RELOU DE L'IMMEUBLE », Réalisation : Charles Trahan, Mise en ondes & mix : Arnaud Forest et Samuel Hirsch Avec : Serge Noël, Marie Cuvelier et les comédiens du Théâtre de la Huchette, Production : ARTE Radio ; **21 (t200)** Loïcia Martial © www.rfi.fr ; **27 (t201)** « La méthode BISOU pour consommer plus responsable contre la fièvre acheteuse de Noël » animé par Hit West/Nantes Média ; **29 (t201)** Théa Ollivier, www.rfi.fr ; **31 (t201)** Radio France/France Inter/Marjolaine Koch ; **33 (t202)** Radio France/ France Inter/Valérie Corréard ; **42 (t203)** « Le monde d'après sera aussi inventé par les diplômés » affirme Jean-Laurent Cassely, France Info TV © France Télévisions ; **45 (t203)** Radio France/France Culture/Guillaume Erner ; **49 (t204)** Nathalie Amar, www.rfi.fr ; **57 (t204)** « Pourquoi sauvegarder ses documents dématérialisés ? » Vidéo réalisée avec la participation de Familles de France 62 du Centre Technique Régional de la Consommation Hauts-de-France. ; **66 (t205)** Caroline Paré, www.rfi.fr ; **77 (t206)** Radio France/France Inter/Rémi Brancato ; **79 (t207)** « Mon premier jour en France » - Épisode 12 : « Roukiata Ouedraogodu » 18/11/2020, journaliste Keyla Soulez-Siar © Brut. ; **79 (t206)** Pascale Guéricolas, www.rfi.fr ; **81 (t207)** Prologue du film « Deux siècles d'histoire de l'immigration en France ». Texte de Marianne Amar. Une production du Musée national de l'histoire de l'immigration. Le film dans son ensemble est visible en ligne à l'adresse suivante : https://www.histoire-immigration.fr/ le-film ; **87 (t207)** Radio France/France Info/Valentin Dunate ; **89 (t208)** BFMTV ; **91 (t208)** « Sylvain Tesson part en bateau pour écrire sur Homère », Jou, Frey Mélanie; JRI, Gasc Roger; Mon, Desprets Annette, France 3 Marseille, 2019 © France Télévision ; **93 (t208)** Céline Develay Mazurelle, www.rfi. fr ; **105 (t209)** Clémentine Pawlotsky, www.rfi.fr ; **108 (t209)** Radio France/France Inter/Antoine de Caunes ; **113 (2, t209)** Radio France/France Info/Eric Valmir ; **117 (t210)** Agnès Rougier, www.rfi.fr ; **119 (t211)** Camille Gaubert © Science et Avenir ; **132 (t211)** Radio France/France Culture/Géraldine Mosna-Savoye ; **135 (t211)** Charlotte Ntamack, www.rfi.fr ; **137 (t212)** Radio France/France Inter/ David Abittan ; **139 (t212)** Dany Laferrière, « L'Exil vaut le voyage » © Editions Grasset et Fasquelle, 2020 ; **147 (t212)** podcasts « Parler comme jamais », « Les accents ont toujours tort » par Laélia Véron © Binge Audio ; **149 (t213)** Corinne Mandjou, www.rfi.fr ; **152 (t213)** www.laconvivialite.com ; **163 (t213)** Radio France/France Culture/Guillaume Erner ; **168 (t214)** Radio France/France Inter/ Camille Crosnier ; **171 (t214)** Denise Maheho, www.rfi.fr ; **177 (t215)** Aurélie Bazzara, www.rfi.fr ; **183 (t215)** « Canada : des ordonnances muséales, un projet-pilote visionnaire à Montréal » © TV5monde ; **184 (t216)** «Je ne trouve pas toujours» de Louise Dupré publié dans « Les mots secrets » © La Courte Échelle, 2002/Poème récité par Charlie Rivard, www.lesvoixdelapoesie.com.

Références vidéo

19 (t218) « La Nouvelle-Calédonie constate les dégâts du réchauffement climatique sur sa barrière de corail » © Auxyma Production, 2019 ; **33 (t218)** « Le succès des monnaies locales » © France 24, 20/04/2018 ; **49 (t218)** « Les Figures de l'Express » , « Louis Jacquot, La cuisine des migrants » («Les Cuistots Migrateurs : la cuisine préparée par des migrants»), vidéo réalisée par Adeline Raynal. Babel pour l'Express © lexpress.fr / 11.01.2019 ; **62 (t219)** « Plus l'on poste des choses sur les réseaux sociaux, plus l'on trahit une fragilité narcissique », Envoyé Spécial, France 2 © INA ; **73 (t219)** « Témoins d'Outre-Mer, Paris : Le retour des sœurs Nardal », 19/09/2019, journal France 3/©INA ; **95 (t219)** « La traversée de l'Atlantique en solitaire » © Radio Canada ; **103 (t220)** « Le monde de demain vu par les ados dans "We Demain" », Patricia Loison avec Antoine Lannuzel rédacteur en chef du magazine We demain © France Télévision ; **123 (t220)** « Médecin de campagne », réalisateur Thomas Lilti avec Marianne Denicourt, François Cluzet © Le Pacte ; **141 (t220)** « Les Frigos Solidaires » - Dounia Mebtoul, le 01/12/2017 © Identités Mutuelle ; **155 (t221)** « A voix haute - La force de la parole » Écrit et réalisé par Stéphane de Freitas, co-réalisé par Ladj Ly © Mars Films ; **168 (t221)** « L'intelligence artificielle, en vrai », 11/01/2021 © EPITA ; **177 (t222)** « Je suis la star » - « A Musée Vous, A Musée Moi », Arte, 1/02/2018, Créatrice de l'œuvre : Fouzia Kechkech, Réalisateur : Fabrice Maruca, Scénaristes : Fabrice Maruca et Anthony Lemaitre, Co-production : Cocorico et Arte France.